EUGEN GEIGER

DER MEISTERGESANG DES HANS SACHS

834

-15

Der Meistergesang des Hans Sachs

LITERARHISTORISCHE UNTERSUCHUNG

VON EUGEN GEIGER

FRANCKE VERLAG BERN

SATZ UND DRUCK: BUCHDRUCKEREI AG. BERNER TAGBLATT

PRINTED IN SWITZERLAND

MEINER FRAU CHARLOTTE

EINLEITUNG

Auf doppelte Bestimmung des Meistergesanges, gottesdienstliche und poetische, wiesen schon hin Uhland (Schriften II, S. 302), W. Stammler (Vjschr 1, S. 549 ff. und Reallex. 4, S. 58 f.), Heinz Otto Burger, Die Kunstauffassung der frühen Meistersänger (DLZ 59, 1938, Sp. 120–3) u. a. Die folgenden Untersuchungen beschränken sich auf das Poetische und gehen aus vom Verhältnis des Hans Sachs zu den Quellen seiner Meistergesänge.

Auch nicht berücksichtigt wurden die geistlichen Meistergesänge, da die Meistergesangbücher in der Kriegs- und Nachkriegszeit nicht erreichbar waren. Ohnehin verdienen sie eine eigene Behandlung. Die Untersuchung erstreckte sich auf den weltlichen Meistergesang in den vier Bänden der Ausgabe von Goetze-Drescher.

Und drittens fällt hier außer Betracht die musikalische Seite des Meistergesanges. Sie ist schon oft untersucht worden. O. Jacobsthal, Musikalische Bildung der Meistersänger (ZfdA 20, N. F., 8, 1876, S. 69–91) gab im Anschluß an die Veröffentlichung der Kolmarer Handschrift durch K. Bartsch Erklärungen musikalischer Ausdrücke, nachdem Bartsch einige gebracht hatte. Auch Josef Böck, Über die Musik bei Hans Sachs (Deutsche Kunst- und Musikzeitung, 1885, Nr. 15) und O. Brie, Hans Sachs (Allg. Musikzeitung 2, 1895, Nr. 22) wußten Neues. Dann aber besonders Kurt Mey, Der Meistergesang in Geschichte und Kunst. Ausführliche Erklärung der Tabulaturen, Schulregeln und Gebräuche der Meistersinger, sowie deren Anwendung in Richard Wagners «Meistersinger von Nürnberg», 2. Aufl., L. 1901. Rez.: H. Albert, Zs. d. intern. Musikges. 2, 1900, S. 180; R. Batka, Kunstwart 14, 1900, S. 493 f.; DLZ 1902, S. 695; K. Drescher, DLZ 1902, S. 1343–7. Ferner des gleichen Verfassers Artikel «Einrichtungen und Gebräuche der Meistersinger» in der Neuen Musik-Zeitung 25, 1904, S. 351–4, 377–80. Rez.: JbfndLG 15, 1904, S. 321, Nr. 1623 (H. Daffis). Georg Münzer, Hans Sachs als Musiker (Die Musik. Ill. Halbmonatsschrift, 5. Jahrgang, Bd. 20, 1905/6) nennt Hans Sachs als Komponisten respektabel, seine musikalische Leistung verschiedenwertig, «einige Melodien sind handwerksmäßig trocken, andere verraten eine überraschende Kraft des Ausdrucks und der Linienführung»; also die gleiche Verschiedenheit wie bei seiner Poesie! Als Meisterstück sieht Münzer die Silberweise an. Er weist hin auf die Übereinstimmung oder Ähnlichkeit mit einer Stelle aus Luthers «Eine feste Burg», aber die Melodie des Hans Sachs ist früher als die Luthers, und Luther kannte die Meistersänger, er veranlaßte den Wenceslaus Luik in Nürnberg für ihn zu sammeln «alle Deutsche bilde, reymen, lieder, bücher Meistergesenge, denn er habe Ursach, warum er sie gern hette». Deswegen muß Luther die Motive nicht von Hans Sachs haben;

denn sie kommen vor diesem bei mindestens 20 Meistern vor. Die Morgenweise wählte Hans Sachs für den Meistergesang «Die Wittenbergisch Nachtigall» der einfachen Form und darum größeren Verbreitungsfähigkeit wegen. Angeregt durch Rich. Wagner haben sich die Musikhistoriker sehr mit dem Meistersänger-Problem beschäftigt. Die Erforschung von Melodien in alten Singbüchern ergab, daß die vielverspottete Melodie immerhin besser ist als ihr Ruf. Aus den Zwickauer Hans Sachs-Bänden kennen wir die Silberweise, den Güldenen Ton, die Überhohe Bergweise, die Morgenweise, die Gesangweise, den Kurzen, Langen, Neuen, Bewährten und den Überlangen Ton; aus dem von Hans Sachsens Schüler Adam Puschmann geschriebenen und in Breslau (?) befindlichen «Singbuch» den Rosenton, den Klingenden Ton und die Spruchweise. Noch nicht gefunden sind, scheint es, die Melodien zu seinen «Hoftönen», mehr populären Liedern. Im Richard Wagner-Jahrb. 1, 1906, S. 262–71 brachte Georg Münzer «Einiges über die alten Meistersinger, besonders ihre Melodien». Von E. Urban stammt in «Musik für alle» 4, 1908, Nr. 2 eine Betrachtung über «Hans Sachs und die Meistersinger». P. Runge, «Über die Notation des Meistergesanges», ist ein «Bericht über den 2. Kongreß der Intern. Musikges. zu Basel» (L. 1906), worin Runge zeigt, daß man wie für die Melodien der Meistersänger auch bei der Übertragung von Meistersängerweisen den Rhythmus nur aus dem Text feststellen kann; dazu J. Bolte (Jb über die Erscheinungen a. d. Gebiet d. germ.-rom. Phil. 28, 1906, S. 159). Ferner erschien R. Lach, Zur Geschichte d. musik. Zunftwesens (Sitzungsber. d. Akad. d. Wiss. in Wien, phil.-hist. Kl., Bd. 199, 3, 1923). Und endlich 1952 die erste wissenschaftliche Gesamtdarstellung seit Jacob Grimm 1811: Der deutsche Meistersang, von Bert Nagel, samt weitern Literaturangaben und einem Kapitel über die Musik des Meistersangs. S. 92 urteilt er über die Kompositionen des Hans Sachs: «In der dritten und besten Stilperiode waren sichtlich bedeutende Musiker am Werke. Unter ihnen stellt Hans Sachs mit seinen 13 Kompositionen das größte Beispiel dar. Rhythmische Lebendigkeit, vielfältige Formensprache, dramatischer Stil zeichnen seine Lieder aus. Es sind kleine Kunstwerke, über denen ein Hauch von kirchlich kultischer Weihe liegt. Neben ihm ragen Hans Folz und der bereits genannte Nachtigall als die begabtesten Musiker unter den Meistersingern hervor. Im Vergleich zu ihren Schöpfungen wirken die Melodien der übrigen Meister, die zwar oft «kolossale gesangliche Bravourstücke» darstellen, etwas scholastisch-trocken. Der geschiedene Ton Nachtigalls, der Kettenton Folzens und die Silberweise des Hans Sachs sind die Höhepunkte der meistersingerischen Musik. Gerade die Silberweise ist an Schönheit und Kraft den besten Kirchengesängen ebenbürtig. Sie ist zugleich ein Zeugnis dafür, daß in den besten meistersingerischen Leistungen bereits eine Spürnis für die innere Zusammengehörigkeit von Melodie und Textgehalt wirksam war.» Ferner stellt Nagel allgemein fest die überall spürbaren Zusammenhänge des Meistergesangs mit der Volksmusik; aber wegen der zunftmäßig engen Grenzen des Meistergesangs blieb seiner Musik weiterwirkende Kraft versagt. «Immerhin darf der Meistergesang als eine der Quellen des Kirchenliedes beider Bekenntnisse genannt werden.»

Über den Ruf, in dem Hans Sachs bis auf die heutigen Tage steht, berichtet Ferd. Eichler, Das Nachleben des Hans Sachs vom XVI. bis ins XIX. Jahrhundert. L., 1904. Rez.: J. Bolte (Jb f. germ. Phil. 26, 1904, S. 185f.), Edm. Goetze (Werke 26, S. 102), W. Creizenach (JbfndLG 15, 1904, S. 328f., Nr. 1691), O. Walzel (ebenda S. 483, Nr. 4580), JbfndLG 16, 1905, Nr. 1334, E. Edert (ZfdPh 38, 1906, S. 397–401), Karl Drescher (DLZ 26, 1905, Sp. 2573–6), Liter. Centralbl. 1905, 56, Sp. 720f. und E. Martin (AfdA 30, 1906, S. 225f.) Auch für den Meistergesang gilt, was Duflou, Hans Sachs als Moralist in den Fastnachtspielen, von diesen in der ZfdPh 25, 1893, S. 343–56 und sein Rez. W. Creizenach im JbfndLG 4, 1893, II, 4, 23 schreiben. Hans Sachs ist der Alltag; Julius Petersen (Euphorion 29, 1928, S. 1) erwähnt Fontanes Verse

> «Jetzt ist mir der Alltag ans Herz gewachsen,
> Und ich halt es mit Rosenplüt und Hans Sachsen.»

Immerhin meint Edm. Goetze auch den Meistergesang, wenn er (Arch. f. LG 8, 1879, S. 301ff.) schreibt, Hans Sachs werde immer nur einen kleinen Leserkreis finden; vom ästhetischen Standpunkt aus könne man ihn auf die Dauer nicht wieder zu Ehren bringen (vgl. auch Joh. Janssen, Gesch. d. deutschen Volkes seit dem Ausgang des Mittelalters 6, 1888, S. 204). Aber die «angenehme Naivetät, deutsche Urbanität, Ruhe und Zünftigkeit der Gedanken», die schon Herder (Zerstreute Blätter 1763, S. 315) lobte, werden stets erfreuen. Nur ganz wenige Handwerker nahmen am Meistergesang teil, und ihre Leistungen waren bis auf einige Ausnahmen minderwertig (vgl. Ernst Mummenhoff, Der Handwerker in der deutschen Vergangenheit. L. 1901), aber die Meistersänger ebneten Hans Sachs den Weg.

Der Meistergesang war von Anfang an eine volkstümliche Erscheinung. Wie die ganze Mystik, eine Popularisierung der Theologie, der Scholastik, kümmerte er sich weniger um die Form als um das innere Erlebnis, die Idee und traf also mit der deutschen Eigenart zusammen, den Gehalt über die Gestalt zu stellen. Das geschah schon zur Zeit der Hoch- und der Spätgotik, und erst Renaissance und Reformation haben den Übergang von der Scholastik zum Nominalismus bewirkt. Eine nüchterne Betrachtung kam auf. Neu ist der Handwerker im typischen und nicht suchenden Meistergesang des städtisch-handwerklichen Lebens, statt der freien Erotik im Minnesang nun die gebundene des arbeitenden Handwerkers und seiner tüchtigen Hausfrau. Ernste, religiöse Themen werden behandelt. Der Meistersänger Hans

Sachs mahnt und kleidet seine Lehren in allerlei Bilder wie Fabeln, Allegorien usw. Diese zünftlerische Dichtung kann man lernen. Hans Sachs wurde Dichter im Nebenberufe. Der Meistergesang «ist ein Betrieb, der zur Ausübung der Singkunst und der Dichtung zunftmäßig verbundenen bürgerlichen Genossenschaften» (Kurt Hunold, Zur Soziologie des [zünftigen] deutschen Meistergesanges. Diss., Heidelberg 1932).

Im Meistergesang tritt auch bei Hans Sachs die Persönlichkeit zurück. Der Zeitgeist herrscht vor, ein Hauch des deutschen Humanismus trifft den behaglich-ruhigen, philiströsen und redseligen Handwerker. Aber Hans Sachs war ein Poet; als fleißiger Handwerker sammelte er den durch den Humanismus erschlossenen Stoff, machte ihn brauchbar und setzte damit die Arbeit der höheren Stände fort. Ebenso gründlich beschäftigte er sich mit der Reformation. Als Anhänger Luthers blieb er konservativ wie im Liebeslied. Den größten Erfolg erlangte er freilich nicht mit dem Meistergesang, den Fabeln und Schwänken, sondern mit seinen Fastnachtspielen. Nach Hans Sachsens Tode sank der Meistergesang, ja der Rat von Nürnberg erlaubte 1580 ihr Singen nur unter der Bedingung, daß sie nur geistliche Lieder sängen, und 1583 gestattete er monatliche Versammlungen nur, wenn sie sich «schambarer, unzüchtiger Lieder gentzlich ... enthielten» (Nadler, Literaturgesch. d. deutschen Stämme u. Landsch. I, S. 266ff.). So kam und ging mit Hans Sachs die große Bedeutung des Meistergesanges (W. Stammler, Die deutsche Dichtung von der Mystik zum Barock 1400—1600. L., 1950, und W. Stammler, Die Wurzeln des Meistergesanges. In: Vjschr I, 1923, S. 529ff.). Der Meistersänger Hans Sachs war «nicht ein Epoche machender Geist, kein Dichter ersten Ranges, ... aber der reichste, begabteste Dichter seiner Zeit und als Poet ein einflußreicher Volkslehrer» (Karl Lucae, Zur Erinnerung an Hans Sachs. In: Preuss. Jahrbücher 58. Bd. Juli bis Dez. 1886, S. 1ff.). Leider behandelt G. Duflou im oben erwähnten Artikel über Hans Sachs als Moralist nur die Fastnachtspiele, und seine Behauptung, daß auf den Sieg der Untugend immer ein Gegenstück folge, stimmt nicht. Wie Ad. Hauffen (Fischarts «Eulenspiegel Reimenweiß» in: Vjschr f. Litt.-Gesch. 3, 1890, S. 381–94) richtig schreibt, ist die Moral des Hans Sachs im Gegensatz zu der Fischarts gemeingültig. Ayrer beschränkt sich auf Ablehnung (Gottfr. Höfer, Die Bildung Jakob Ayrers. L., 1921. Rez.: Carl Diesch, DLZ 53, 1932, Sp. 1942–5, und Alfr. Goetze: Litbl. f. germ. u. rom. Phil. 53, 1932, S. 7f.). Heinr. Lütcke (Studien zur Philosophie der Meistersänger. Gedankengang und Terminologie. Palaestra CVII, 1911. Rez.: Eugen Geiger, ZfdA 53, 1911, S. 116–124) untersucht nur die Philosophie bei Frauenlob, Mügeln und Folz, nicht aber bei Hans Sachs. Dieser legt im Gegensatz zu den Humanisten überall den bürgerlichen Maßstab an (F. Gundelfinger, Caesar in der deutschen Lit. B., 1904, S. 29–32). Mit Hans Sachs beginnt der Sieg des Deskriptiven über das Pragmatische der Antike, der Passionsspiele usw. (A. Denlen, Neue Werte für alte Worte. In: Magazin f. Litt. des In- und Auslandes 61, S. 267–70). «Es bedarf einer langen und zumeist öden Wanderung, ehe wir im Laufe der Entwicklung der Weltlitteratur die ästhetische Naturbeseelung auf der Höhe der Shakespeareschen wieder finden. In der deutschen Litteratur des 16. Jh., die ihren Stempel durch den Meistergesang erhalten, suchen wir vergebens nach empfindungswarmer Naturbeseelung; selbst bei dem biedern Hans Sachs und bei einem der ersten Geister seiner Zeit, bei Fischart, ist die Ausbeute gering» (Alfr. Biese, Die ästhetische Naturbeseelung in antiker und moderner Poesie. In: ZfverglLG 1, 1887, S. 416). Über «Hans Sachs und die Minnesänger als tierfreundliche Dichter» ist zu lesen in Edm. Dorers «Nachgelassenen Schriften», hg. von Adolf Graf v. Schack, III, S. 1–15. Wie früher als die Literatur die bildende Kunst unter flandrischem Einfluß zum Studium der Natur zurückkehrt, worauf nicht nur die Liebe zur Natur und allen ihren Geschöpfen auch bei Hans Sachs erwachte, sondern auch eine Erweiterung des Stoffgebietes und selbst eine Vertiefung der Ansichten über das Wesen der Natur Hand in Hand ging, zeigt Th. Hampe in seinem Vortrag «Deutsche Kunst und deutsche Litt. um die Wende des 15. Jh.» Nürnberg 1893. Rez.: R. M. Werner, JbfndLG 4, 1893, I, 12, 3. Über den «Begriff der Vaterlandsliebe bei Hans Sachs» ergeht sich die Greifswalder Diss. 1921 von K. Moninger: die Renaissance schuf diesen neuen oder wieder neuen Begriff, Hans Sachs verstand unter Vaterland seine Vaterstadt, nicht das hl. römische Reich, obwohl es seine Teilnahme beanspruchte des Kaisers wegen. Aber auch Deutschland: «Teutschlant» mehr als 40mal in allen Schriften, «Deutsche lande» etwa 25mal, «das gantz Teutschland», «in deutscher grentz», «teutsche nation», «unser lant», «teutsch vaterlande» usw. und davor viele Dutzende mal «lieb», «hochgeliebt», «hertzenlieb» usw. Herm. Kunich in seiner Besprechung von Johanna Messerschmidt-Schulz, «Die Darstellung der Landschaft in der deutschen Dichtung des ausgehenden Mittelalters», Breslau 1938, im AfdA 58, 1939 = Zs 76, S. 125 ff. betont als schönes Ergebnis ihrer Arbeit den Satz «Hans Sachs hat als erster Dichter das Wort Landschaft im Sinne eines vom Auge aufgenommenen Gesamtbildes gebraucht». Daß die durch Kirche und Leben geschützte heimische Eigenart stark genug ist, auch dem aus Italien kommenden fremden Stoff heimisches Gepräge zu geben, zeigt Carl Drescher, Studien zu Hans Sachs I: Hans Sachs und die Heldensage. B., 1890. Rez.: Ad. Hauffen. AfdA 18, 1892 (Zs 36), S. 144 f.; DLZ 1892, Nr. 22, Sp. 722 f. (Ernst Martin); Lit. Centralbl. 1892, Nr. 24, Sp. 855; M. Rachel, ZfdPhil 26, 1893, S. 272–5; A. L. Stiefel, ZfverglLG, N. F. 6, 1893, S. 145.

Emil Haueis, Ein Lobspruch der Stadt Salzburg von Hans Sachs. Wien, 1894 (Sonderdruck aus den Mitteil. der Ges. f. Salzb. Landeskunde 34, 1894, S. 227–61) bewies, daß die Einkleidung des Gedichtes nicht bloß eine poetische Fiktion ist, sondern Lebensumstände des Salzburger Druckers Hans Baumann enthält. Diese Beobachtung ist für die Beurteilung anderer Gedichte von Wert, wie der Rez. K. Drescher, JbfndLG 5, 1894, II, 4b, 8 feststellt.

Überall spielt das häusliche Leben bei Hans Sachs eine große Rolle; ein spießbürgerlicher Geist tritt in Erscheinung (Ad. Hauffen, Das deutsche Haus in der Poesie. Prag, 1892. Rez.: G. Steinhausen, JbfndLG 3, 1892, I, S. 436). In seiner Arbeit über die «Formen der Anrede im Frühneuhochdeutschen» (Zs f. Wortforschung, 6, 1904) äußert sich Albrecht Keller eingehend über die Anrede bei Hans Sachs, S. 129–74. Fr. Heinemann, Das Scheltwort bei Hans Sachs. Diss., Gießen 1927/28, behandelt Schelten, die aus einem Wort bestehen von überirdischen Wesen, Körperteilen, Tieren, Sachen, und Schelten, die von einem Satz genommen sind.

Max Herrmann, Die Reception des Humanismus, B., 1898 (Rez. Lit. Centralbl. 1899, Sp. 1264–6), äußert sich S. 112f. über Hans Sachs: bei diesem typischen Vertreter des Nürnberger Kleinbürgertums sind Mittelalterliches und Renaissancemäßiges in eine etwas äußerliche Verbindung getreten; Hans Sachs steht hier auf ganz jungem Boden, nicht auf einer alten Tradition. Er wurde geboren gerade als die Reception des Humanismus sich vollzog, und ihre erste Errungenschaft kam dann durchaus dem Patriziate zugute (Pirkheimer will sie diesem vorbehalten!). Die demokratische Reception des Humanismus kostete erst einen neuen Kampf, und ihn hat Hans Sachs mit seiner Schriftstellerei gekämpft.

Daß es dem Humoristen Hans Sachs mehr nur um komische Darstellungen des Menschlich-Allzumenschlichen zu tun ist als um Standessatire, zeigt K. Holl im Reallex. d. deutschen Literaturgesch. 1, 1925, S. 358, § 5. Und daß Hans Sachs, obwohl er für die Häuslichkeit ist, oft die Weiber verspottet, erläutert Waldemar Kawerau in seiner Abhandlung «Lob und Schimpf des Ehestandes in der Litt. d. 16. Jh.» (Preuss. Jahrb. 69, Jan.–Juni 1892, S. 760–81), Rez.: G. Steinhausen (JbfndLG 3, 1892); ferner in Kaweraus Artikel zu Johann Sommers Ethographia Mundi (Vjschr f. LG 5, 1892, S. 186, Anm. 48) über den von Hans Sachs und Joachim Greff häufig gebrauchten Ausdruck Siemann für böses Weib. In seiner Hamburger Diss. «Wesen und Formen der deutschen Schwanklit. d. 16. Jh.», B., 1934, behandelt Gerhard Kuttner die Typen und Stoffe. Sehr zutreffend ist der Satz in Ernst Mummenhoffs Monographie «Der Handwerker in der deutschen Vergangenheit», L., 1901, S. 63f.: ohne die Pflege des Meistergesangs wäre Hans Sachs wohl kaum auf den reichen und einzigen Schatz aufmerksam geworden, der in seinem Herzen ruhte.

Über den Teufel erfahren wir Wichtiges bei Max Osborn, Die Teufelslitt. des 16. Jh., B., 1893 (auch Acta Germ. III, 3. Rez.: ZfverglLG 7, 1894, S. 483f. und Lit. Centralbl. 1894, Sp. 1740f.), sowie bei Gustav Roskoff,

«Gesch. des Teufels», L., 1869, bes. im 2. Bde. Über die Bauern bei Hans Sachs weiß Emil Roggen, Der Bauer in der deutschen Dichtung (Sonntagsblatt des «Bund», Bern 1916, S. 428 ff., 446 ff., 458 ff. und 475 ff.) Wissenswertes, z. B. lobt er des Dichters gute Beobachtung, Fehlen der rohen Tendenz eines Jakob Ayrer. Georg Baesecke in der Rez. von Heinr. Möllers Schrift «Der Bauer in der deutschen Lit. d. 16. Jh.», AfdA 29 (ZfdA 47), S. 153-5, zeigt, daß bei Hans Sachs der alte Typus Bauer herrschte, einen neuen hat er nicht gefunden.

Wohl aber bei Petrus, wie Fritz Cullmann «Der Apostel Petrus in der ältern deutschen Literatur», Diss. Gießen (1918) 1928 in den Gießener Beiträgen zur deutschen Philologie XXII beweist. Ad. Hauffen «Die Trinklitt. in Deutschland bis zum Ausgang d. 16. Jh.» (Vjschr f. LG 2, 1889, S. 481 bis 516) erwähnt S. 498 f., 503, 507 und 511 bis 513 Hans Sachs.

Das in den folgenden Tabellen gezeigte Verhältnis von Meistergesang zu Spruchgedicht hat schon Ernst Martin in seiner Besprechung von Ch. Schweitzer, «Un poète allemand au XVIe siècle» (AfdA 16, 1890, S. 111 bis 113 = ZfdA 24) behandelt: wie Schweitzer finde, falle mehr als die Hälfte der Meistergesänge in die Jahre 1547–56, darauf folge ebenso starke Bevorzugung der Spruchgedichte, offenbar habe der Dichter von da an für die Ausgabe seiner Werke gearbeitet, von welchen die Meistergesänge durch die Schulsatzungen ausgeschlossen waren. Darum habe er so manchen früher in Liederform behandelten Stoff jetzt als Meistergesang bearbeitet; einzelne Widersprüche erklären sich daraus, daß bei der Umarbeitung das Datum nicht mehr genau gesetzt wurde. Ebenso hat Stiefel z. B. in seinem Artikel «Über die Quellen der Hans Sachsischen Dramen» (Germ. 37, 1892, S. 203–30, bes. S. 224 ff.) auf Änderungen von Meistergesang zu Spruchgedicht hingewiesen. Julius Hartmann in seiner Straßburger Diss. 1911 «Das Verhältnis des Hans Sachs zur sog. Steinhöwelschen Dekameronübersetzung» (auch Acta Germ., B., 1912. Rez.: A. L. Stiefel, Litbl. f. germ. und rom. Phil. 34, 1913, Sp. 367–8; derselbe, ZfdPh 45, 1913, S. 517–21 (sehr kritisch); derselbe, JbfndLG 22/3, 1911, 2, S. 635 f.) erwähnt die Kürzungen, zeitlichen Zusammenfassungen, das Streichen des typisch Italienischen, überflüssiger Personen und von Unmoral, Änderungen mancher Unwahrscheinlichkeiten usw.; er zeigt auch, wie Hans Sachs immer seine früheren Dichtungen berücksichtigt hat, was gleicherweise K. Drescher ausführt in seinen Studien zu Hans Sachs I und II 1891, Rez.: M. Rachel, ZfdPh 26, 1894, S. 272 ff.; so entstanden manche Änderungen, weshalb es in den spätern Jahren nicht immer möglich und auch nicht immer notwendig ist, für jede Abweichung eine Quelle namhaft zu machen; denn die größere Belesenheit und literarische Sicherheit des Dichters läßt darauf schließen, daß der Dichter da auch manches aus eigenem Wissen oder Gutdünken und aus der Erinnerung an Gelesenes hinzutat.

In der Besprechung von Ludwig Kellers Darstellung «Aus den Anfangs-
jahren der Reformation» (Monatshefte der Commeniusges. 1899, S. 176–85),
im JbfndLG 10, 1899, II, 2 weist R. Wolkan auf die Beziehungen des Hans
Sachs zu Nürnberger Malern hin, namentlich zu Greiffenberger, Sebold und
Barthel Beheim. Und während Arthur Kopp, «Hans Sachs und das Volkslied», in der Zs f. d. deutschen Unterr. 14, 1901, S. 447 meint, wechselsei-
tige Beziehungen zwischen Hans Sachs und dem Volkslied seien sehr gering,
behauptet sein Rezensent R. Wolkan mit Recht das Gegenteil. Von großem
Werte sind auch die Feststellungen des unermüdlichen A. L. Stiefel im er-
wähnten Artikel ZfdPh 45, 1913 über die Quellenbenützung: in den 85
Fastnachtspielen nennt sie Hans Sachs nur in den zwei letzten, die eigentlich
Lustspiele sind. Im ersten Bande der Fabeln und Schwänke ed. Goetze-
Drescher sind von 200 Gedichten 20 mit Quellenangaben, im zweiten von
187 Gedichten 55; diese 55 sind größtenteils Fabeln, bei denen es der Dich-
ter seltsamerweise liebt, die Quellen anzugeben, d. h. wenigstens eine
Quelle und zwar sehr genau. Für die Meistergesänge stelle ich hier schon
folgende Verhältnisse fest; die Zahlen der ersten Hälfte (Bd. 3 und 4 der erwähnten Ausgabe) d. h. bis April 1549 sind sehr verschieden von denen der
zweiten (Bd. 5 und 6). Die Quellen sind
Bd. 3–4: unbekannt: 34,25%, erforscht: 43,9%, erwähnt: 21,85%
Bd. 5–6: unbekannt: 66%,   erforscht: 27,5%, erwähnt: 6,5%
Wichtig sind die Zahlen des dritten Teils, der von Hans Sachs genannten
Quellen. Auch da handelt es sich meistens um Fabeln mit Aesop, Brant
usw. als Vorlagen. Deutsche Schwankquellen wurden selten angeführt, der
viele Dutzende Male gebrauchte Pauli, Waldis, Wickram z. B. gar nie,
fremdländische wie Boccaccio, das Buch der Beispiele der alten Weisen, die
Gesta Romanorum, Plutarch, Plinius u. ä. teilweise, man konnte mit ihnen
prahlen. Zum zweiten Teile ist zu sagen, daß die zwei ersten Bände vor dem
großen Hans-Sachs-Jubiläum von 1894 herauskamen, fünfter bis sechster
Band aber später, als die großen Quellenforscher Reinhold Köhler, A. L.
Stiefel, Johannes Bolte u. a. nicht mehr lebten und die Begeisterung schon
abgenommen hatte. Auch ändert sich das Bild etwas, wenn man die dreißig
Benutzungen des Eulenspiegel bis 1549 und die zehn spätern in Betracht
zieht oder den Pfarrer von Kalenberg, wo sich die Quelle von selbst ergibt.
Warum gab im späteren Alter Hans Sachs die Quellen weniger häufig an?
Aesop (Steinhöwels) ist ein Beispiel, wie sich der Dichter nach und nach
den Quellen gegenüber freier fühlte.

Daß Hans Sachsens Lateinkenntnisse mangelhaft waren und er auf Über-
setzungen angewiesen war, ist die herrschende Ansicht (F. W. Thon, Das
Verhältnis des Hans Sachs zu der antiken und humanistischen Komödie.
Diss., Halle 1889; Max Rachel, ZfdPh 24, 1892, S. 262–9; A. L. Stiefel,
Litbl. f. germ. u. rom. Phil. 13, 1892, S. 186; Edm. Goetze, Werke 26,

S. 162; Köhler-Bolte, Stoffgeschichtliches zu Hans Sachs, Euph. 3, 1896, S. 356; A. L. Stiefel, Litbl. f. germ. u. rom. Phil. 30, 1909, S. 157–64; P. Cruse, Zum Henno, ZfdPh 42, 1910, S. 344 f.; Creizenach-Hämel, Gesch. d. neueren Dramas; A. Hugle, Einflüsse der palliata (Plautus und Terenz) auf das lateinische und deutsche Drama im 16. Jh. Mit bes. Berücksichtigung des Hans Sachs. Diss., Heidelberg 1920, S. 3 ff.).

Hans Sachs und seinen Zeitgenossen galt Latein als der Gelahrtheit Höchstes (H. H. Rußland, Das Fremdwort bei Hans Sachs. Diss., Greifswald 1933). Wie er auch vom Humanismus beeinflußt ist, sieht man beim Fremdwort, während Luther sich von diesem mehr frei hält; daß Hans Sachs das Fremdwort brauchte, zeigt, daß es auch im Volke gebraucht wurde. Im Todesjahr des Hans Sachs waren 70% der erschienenen Bücher lateinisch geschrieben. Er lernte seine Quellen in der mit Fremdwörtern gespickten Mischsprache kennen, gegen die sich schon Reuchlin wandte.

Kein Wunder, daß z. B. J. Parmentier, Kurze Geschichte der deutschen Litteratur von einem Franzosen, Paris 1894, S. 124 bedauert, daß Hans Sachs zur Sprachverbesserung nicht den geringsten Anlauf nahm; sein Versbau sei unerträglich hart und ohrenzerreißend.

Und schließlich ist noch auf eine wichtige Äußerung Edm. Goetzes hinzuweisen in seiner Besprechung von Wernickes Schrift «Die Prosadialoge des Hans Sachs», Diss., Berlin 1913, in der DLZ 36, 1915, Sp. 1285–7: mit dem Hans Sachsschen «gemeinen Mann» müsse einmal gründlich aufgeräumt werden; man dürfe sich nicht von den jetzigen Rangverhältnissen leiten lassen. Damals achtete man den Künstler noch nicht wie heute.

Diese Übersicht soll Einführung und Ergänzung zum Folgenden sein, wo durch einen Vergleich mit den Quellen Behauptungen bestätigt werden.

Verlag und Verfasser danken der Ulrico-Hoepli-Stiftung für die Beteiligung an den Druckkosten mit tausend Franken. –
Und herzlichen Dank sage ich auch hier meiner Frau für ihre wertvolle Hilfe bei den Korrekturen.

Zürich, Ostern 1956

EUGEN GEIGER

A. FORMUNG ALS MEISTERGESANG

Der Bau des Meistergesanges zwang Hans Sachs manchmal zu unnötigen Verbreiterungen nur des Reimes wegen. So treiben in der Quelle zu MG 3, Dec. IV, 5, die Brüder Handel «in irem laden oder krame», aber sie «drieben den handel / Mit rosin, feigen, mandel» im MG Vers 19f., und MG 509, 6 «Mit samût, seiden, rosin, mandel»; diese reimen beidemal auf «handel», aber im SG vom 7. April 1515 (Werke II, 216) ist «handel» nicht Reimwort, also fallen die Mandeln usw. weg. Oder Cyrillus II, 67, 36 heißt es kurz «ad aquarium incidebat», im SG vom 19. Febr. 1559 Nr. 227, 11 «ein wasser, das zinlawter schin», aber MG 92 vom 1. Juni 1538, Vers 9ff. «Zw einem wasser dare / Důrchsichtig, laûter clare, / Gleich einem lautren průnen, / Aus hertem felß gerůnen»; so breit nur des Reimes wegen, und das SG ist mehr als doppelt so lang! Ferner Cyrillus II, 9, S. 45, 18 ist wohl vom «lupus» die Rede, und SG 231, 39f. erzählt nur von «den wolffen, leben und bern, / Welche dir all zv seczen wern», aber MG 965, 23, um einen Reim zu «hirschen» in Vers 20 zu haben, berichtet «Wolff, leben, peren allenthalb vmb pirschen»; auch hier zählt das SG 124 Verse und der MG nur 57. — Je schwieriger die Reimverhältnisse (wie z. B. beim Schwinden thon Frauenlobs) waren, um so mehr wurde *des Reimes wegen aufgefüllt*. Vers 406f. der Geschichte des Pfarrers vom Kalenberg (Narrenbuch S. 23f.) lesen wir nur «do wurden linßen in im ledig, / Czu den er sprach: getzeinsing auß», MG 325, 7ff. verleiten wieder die Reime zur Breite, «Der pfarer stünd in groser angst; / Wan er het an kein hosen, / Die linsen drangen vmb das loch», und zu «hosen» reimt dann Vers 11 «Die linsen im ueber sein waden flosen». Wickram Nr. 46, S. 87 heißt es «der Jud dranck auff die hitz einen gůten starcken drunck, fieng bald darauff an, heftig zuhůsten», doch MG 1004, 19ff. «Dem Jůden kam in den vnrechten schlůnde / Ein prosemlein; darfan anfing / Er vnd ser hůesten kůnde». Stets finden wir diesen Kampf zwischen Reim und Kürze. – *Nicht immer stellt sich ein Reim leicht ein.* Darum heißt MG 252 der Knecht «Fricz» (was so schön zu «hicz» Vers 26 und zu «spicz» Vers 32 paßt), bei Pauli Nr. 263, S. 175 Cuntz; (17 Jahre später auch im SG 287 Fricz). Bei Pauli Nr. 82, S. 64 ist der eine der beiden Diebe ein Schwabe, sie «solten ... zusamen kumen vff einem kirchoff vff einem grabstein»; bei Hans Sachs sind es im 31. MG vom 29. Febr. 1532 zwei Bachanten, Vers 4 «Der ein ein Schwab was, der ander ein Mercker». Warum? Vers 2 lesen wir «Die hielten haůse in dem dotten kercker», und darauf reimt eben Mercker. In den späteren Bearbeitungen, dem MG 449 vom 1. Jan. 1548 und dem fast gleich lautenden SG vom nämlichen Tage, sowie im SG vom 11. Aug. 1558 bleibt der Dichter beim Märker, weil er wohl jedesmal, wie schon Stiefel, Festschr. S. 95 vermutet, auf den MG vom

Jahre 1532 zurückgeht. In der 13. Historie vom Eulenspiegel S. 19 sind die Bauern «als die marien angelegt»; Hans Sachs läßt sich im nur 57 Verse fassenden 103. MG reimend breit gehen: Vers 22 ff. «Drůgen all frawen klaider an, / Puechsen mit speczereyen. / ... dreyen». Und wie muß der Dichter in den nur zehn kurze Zeilen und vier Reime enthaltenden Gesätzen der «feyelweise» des Hans Folz vom MG 668 des Reimes wegen Sprünge machen! Eulenspiegel Hist. 1 wird erzählt (S. 5), daß «sie dz kind ... wolten geen knetlingen tragen», aber Vers 10 des MG sagt «Hingingen durch das koren» («geboren», «woren»), und wenn sie in der Quelle «Wůschen das kint in eim kessel», geschieht das im MG Vers 23 «in eim tigel» («Eulenspiegel», «sigel»). Dec. IX, 2 wird der jung Edelmann nur «von einer andern nunen» gesehen, aber im MG 263, 15 waren des Reimes wegen «Eins nachtz die kloster frawen / ... haimlichen schawen». – Das neue Reimwort kann aber noch von anderweitigem Nutzen sein. Es soll *ein neuer Begriff damit verbunden* werden. Wenn es in der 48. Hist. des Eulenspiegel S. 76 heißt «ich het lieber den rock gemacht dan den wolff» und MG 686, 36 ff. ändert «Viel lieber het ich gemachet / Ein pawren rock, den diesen wolff; / Die kunst ich durch ain kutterwolff / Gesehen hab; ich pin kain pawer», so will er mit dem «kutterwolff» auch auf die Zauberkunst Eulenspiegels weisen. In der 47. Hist. S. 74 geht der Bierbrauer einfach zu einer Hochzeit, MG 706, 9 aber vornehm wirkungsvoll zu einer Hochzeit «auf dem sal» («zům frůe mal»), und Vers 3 f. nimmt ihn ein Bierbrauer an, «Der war ainer im rat» («stat»), während er sich in der Quelle nur «verdingt ... zu einem bierprüer». Pauli Nr. 513, Anh. 36, S. 414 steht «ES ist ein gewonheit fast überal in Teütsch vnnd Welschen landen», doch Hans Sachs, der den auch als Reimwort bequemen und ihm bekannten Rhein lieben mochte, singt im MG 307 (und so auch im zwölf Jahre spätern SG 210) «vnden an dem Reine» («seine»). Wie auch MG 986 beginnt «EIn rosdawscher want an dem Rein» («sein», «fein») gegenüber Pauli Nr. 111, S. 83 («Vf ein zeit was ein rosztüscher, der wolt ...») und gegenüber dem drei Jahre ältern MG 869. Während Dec. X, 4, S. 603, 6 der Mann die Frau «gen Boloni in sein hauß füret», geleitet er sie im MG 173, 40 großartiger «Pey Bolonia auf sein schlose» («rose»). «Fünfhundert guldin» (Dec. II, S. 78, 31) entsprechen im MG 261, 3 «ducatten» («geratten»). Pauli Nr. 35, S. 36 «war ein mal ein buer», aber MG 242, 1 f. heißt es gewichtiger «EIn pawer sas in ainer pfarr, / War wol ain halber narr». Pauli Nr. 490, S. 285 «haben (sie) wol drei guldin ... inen genumen», MG 621, 12 aber «wart genůmen gelt vnd ros» («Schlos», «gros»). «Ein goltschmit gsell ... kam für eynes meisters gaden» bei Pauli Anh. Nr. 29, S. 409, hingegen im MG 692, 1 ff. wird trotz seiner Kürze ausgeführt «IM Niderlant / War weit erkant / Ein goldschmid gsell ...» In Steinhöwels Aesop S. 286 brachte der Wilde dem Pilgrim «ein kopf mit haißem wyn», jedoch MG 7, 28 f. «ein kopf von golt / Mit sidig heißem

Beispiele der alten Weisen S. 8 sind die Toten «die torechten vnd vnwissenden Menschen», MG 312, 42 ff. «die jugent, / Welche det leben allenthalb / An kunst, weisheit vnd duegent.» Dec. VII, 1, S. 411, 34 «ir man der des selben nachtes nach irer meynunge nicht komen solte kam», doch MG 118, 24 f. weiß «Ir man aber der gewan ein laůn, / Kam spat ...» («capaůn»); und MG 996, 1 f. gibt genau an «EIn pauer in dem Kochers Tal, / Der richt zv ain gůet Martins mal» (Wickram S. 112 «EIn reicher Bauer saß in einem Dorff»).

Diese *Reimwörter* klingen bisweilen höchst *gezwungen*. Man merkt hier die flinke Arbeitsweise des Dichters. MG 313, 16 rühmt der Fuchs den Hahn wie in der Quelle (Buch der Beispiele der alten Weisen S. 87) «Erkennet auch, wen sich verkehrt das wetter», wozu Hans Sachs fügt «Selig sind all dein vetter!» MG 433, 3 wohnt der Aff «in gruenem kle («se») / Auf einem feigen paum»; in der gleichen Quelle ist aber nur der Feigenbaum am Meer erwähnt (S. 122), Und während ebenda S. 56 «zwen ... vff der straß zůsamen kamen», «Gingen» im MG 779, 2 f. «in haisem sůmer / Ein schalck vnd aůch ein frůmer»; der Sommer ist ganz unbegründet. Oder MG 833, 8 ff. das unlogische «zwar»: «Mit einem schwarm der pinen schar / Vmbgaben zwar / Den peren mit růmoren». Sowie MG 853 die vom Dichter beigefügte Zeitbestimmung Vers 3 ff. «sie solte / Verkawffen in der stat   gar spat / Sein ochsen». MG 211, 5 ist der Bauer (Steinhöwels Aesop S. 284 «der pur») unnötig grau: «Ein segen nam der pawer grab, / Segt seinem stier die hörner ab». Besonders in kurzen Verszeilen wird gern selbstherrlich verfahren wie MG 557, 19 ff. «Der esel das / Hort auf der stras: / In has Kam er vnd schlueg ...» Das Reimwort «süptil» spielt eine große Rolle! MG 28, 33 findet der Turmwärter das Loch in der Mauer «süptil» («vil»). MG 991 rückt der Löffeldieb Vers 34 ff. «den löffel suptile / Raus mit dem silbren stile» (Wickram Kap. 70, S. 128» zeucht den seinen herfür»). Gezwungen sind auch manche Reimhäufungen auf -iren, wie MG 993, 21 ff. «so wil ich mit dir disputiren, / Aus der schrift confersiren, / Drin solen judiciren / Vnser gselen ...» (Wickram Nr. 21, S. 38 «so wil ich ... kurtze Disputation mit dir halten»). Ebenso Vers 37 ff. «disputiren» – «argwiren» – «vexiren».

Ganz grundlos und im Gegensatz zur Quelle verwendet Hans Sachs gern das Adjektiv «alt» zum Reimen. MG 130, 1 «GEn holcze fůer ein reicher pawer alt» («walt»), MG 152, 29 «ein waidman alt» («wald»), MG 543, 31 «Eulenspiegel alt» («Anhalt»); MG 915, 3 «ein goldschmid ald» («wald», «kald»), wo der ebenfalls beliebte Flickreim «kalt» vorkommt wie auch z. B. MG 549, 7 ff. «dranck aus eim průnlein kalt» («walt», «Palt», «gestalt») usw.

Unnötig ist, dem Hans Sachs-Kenner den Dichter als außerordentlich gewandten Reimkünstler vorzustellen. Aber seine Sorgfalt ist ungleich, so daß wir neben den tadellosen Reimen, die fast die Regel sind, *verpfuschte*

Reime finden, und zwar in den MG öfter als in den reimtechnisch einfachern SG und in den Dramen.

Die MG-Form ist aber auch schuld, daß Breiten entstehen, weil der Dichter die Gesätze auffüllen muß. So erzählt die Quelle des MG 591, Hugo von Trimbergs «Renner» von 1549, im letzten Fünftel seines Berichtes Vers 14729 ff. «d'richt sp'ch: do sei verlorn / Gütlich waz er ev hab getan, / Do er sich selb' da versan. / Do sp'ch er; sam mir, sele vñ leip / vn slvge man fürbaz alle weib, / die in d'werlde ie wurdē geborn; Ich bete niemant vmb sinen zorn.». Damit füllte Hans Sachs das ganze dritte Gesätz Vers 41–60 aus. Wie eng mit der Auffüllung das Reimbedürfnis verbunden ist, sieht man sehr oft; z. B. schließt das erste Gesätz des MG 256, 13 ff. «Der knab wolt dis der mũeter nicht verjehen, / Erst sie noch weniger ablies, / Dem knaben ain geschenck verhies, / Da er nicht wolt, thet sie droen vnd schmehen», was alles die breite Ausführung des Satzes ist «der knab wolt es lang nit sagen» bei Pauli Nr. 392, S. 329. Pauli Nr. 83, S. 65 «sein mir die brieff verbrunnen» entspricht MG 298, 32f. «Auch ist mir hie der aplas prief verprũnnen / Vnd ist zerschmolczen gar das rote siegel («tiegel»). Cyrillus I, 19, S. 26, 5 «te quis es?» gibt der Dichter wieder MG 335, 5f. «Wer pist, der dw steckst so vol doren / Oben, vnden, hinden vnd voren?». Im letzten Gesätz von MG 421 hat Hans Sachs (cf. Stiefel, Festschrift S. 177) neben Pauli Nr. 206 noch aus andern Quellen entlehnt, um auszufüllen. Im 209 Verse zählenden 4. MG ist überall große epische Breite, aber er stammt aus dem Jahre 1516. Beliebt sind auch schablonenhafte Aufzählungen wie MG 60, 5f. «Deglich er gronen, murren det, / Wart sie oft schlagen, rauffen vnde reißen» (Pauli Nr. 139, S. 101 «er nichtz für gut wolt haben»). Gar gern schließt er mit dem Hauptpunkt, dem springenden Punkt in der Geschichte, wenn er damit ausfüllen kann, z. B. MG 242 (die Katze frißt den Käs statt die Mäuse) = Pauli Nr. 35. Besonders wenn der Inhalt der Gesätze sehr verschieden ist, wünscht er deren Auffüllung; so las er bei Schiltberger S. 82 «hatt der reck in der stat ... im tag ain pürd holtz pracht». Mit dieser Tätigkeit des Riesen in der türkischen Stadt samt ihren 12 000 Bäckern füllt er das erste Gesätz, das zweite handelt von des Riesen Schienbein und das dritte, ebenso in sich abgeschlossen, von der großen Brücke. Am beliebtesten aber ist bei Hans Sachs die Auffüllung mit Lehre und Ermahnung, worüber hinten in Abschnitt E ausführlich gehandelt wird; hier nur ein Beispiel. Pauli Nr. 345, S. 216 erzählt «Der babst lacht und sagt inen er wolt es also lassen bleiben wie vor, vnd Luca wer eines heiligen nam», doch MG 82, 54f. fügt bei «Was grob vnferstanden ist, / Kan nimant wiczig machen».

Auslassungen der MG-Form wegen sind begreiflicherweise am zahlreichsten. Nicht immer hat der Dichter bei seiner ungleichmäßigen Arbeitsweise eine glückliche Hand gehabt. Aber Kunstsinn und Übung halfen ihm meistens. Entbehrliche Einleitungen läßt er gewöhnlich weg; der nicht geschwätzige Pauli erzählt Nr. 221, S. 147 «Vf ein mal was ein alt man witwer, der was reich gewesen, vnd was abkumen das er doch also ein brang treib, als wer er noch wolhabend», doch MG 424 beginnt «AIns mals da war ein alter mon, / Der wolt ein schöne jungfrau han». Im Buch der Beispiele der alten Weisen S. 175 kommen Ärzte, Beschwörer, Astrologen, nachdem die Schlange den Königssohn gebissen; man gibt ihm die Mittel, erst dann sagt der Knabe, nur der unschuldige Verurteilte könne helfen, hingegen MG 915, 35 ff. erzählt kurz «Kroch raus vnd pais des künigs sun, / Der schray: ,Mir niemant hilff mag thun, / Den der vnschuldig pilgram nun'»; welches plötzliche Wissen aber ein wenig komisch wirkt. – Auch läßt Hans Sachs gewöhnlich einen entbehrlichen Schluß weg – wenn nicht Auffüllung der Stollen oder der ganzen Gesätze oder eine Belehrung nötig sind. So MG 153, während Dec. V, 3 die Leute nach der Hochzeit zu Roß nach Rom ziehen und leben «piß in ir alter mit fride und freüden». Und während im Renner 12144 ff. schon eingangs erzählt wird «Auch hete die wirtinne bi d'zit, / Do d'wirt was vz gegangen, / Ein bok in sinen stal gefangen, / vñ vor gestozzen in den garten», wird MG 592 der Bock erst bei Bedarf erwähnt, Vers 23. – Cyrillus I, 19, S. 26, 21 f. werden Aristoteles und David samt Aussprüchen zitiert, nicht aber im MG 335 und im spätern und doppelt so langen SG. – Häufig unterdrückt der MG Stellen der Quelle, nicht aber das spätere, breitere SG. So wird im gleichen MG 335, 41 ff. mit den Sirenen und dem Skorpion verglichen, Cyrillus I, 19, S. 26, 26 ff. und im spätern SG kommt noch der Basilisk dazu. In Jac. Freys Gartengesellschaft Kap. 60, S. 74 trägt die Magd Pantoffeln und tut einen Mißtritt, MG 1019 hat die Pantoffeln nicht, wohl aber das vier Jahre spätere SG.

Starke Pausen am Schluß von Stollen sind den Meistersängern in der Tabulatur nicht vorgeschrieben. Doch dürfen wir sie als Vorzug betrachten; sie verfeinern die Gliederung. Es ist nun bemerkenswert, daß Hans Sachs in der großen Mehrzahl der Fälle stark absetzt. Irgend eine Entwicklung im Laufe der Jahre am Schlusse der Stollen oder unterschiedlich bei Fabeln und Schwänken habe ich aber nicht finden können. Statistik versagt bei diesem volknahen Dichter oft.

In der Jugend hat Hans Sachs mehrere MG mit fünf bis siebzehn Gesätzen geschrieben, und immer sind zwischen den Gesätzen starke logische und musikalische Pausen: mit fünf Gesätzen die MG 1, 2, 17 und 28, sowie der wohl von ihm stammende «Der prior zv Wittenberg» (Goetze-Drescher VI, S. 360 ff.); ebenso die mit sieben Gesätzen, MG 21 und 22, aber nicht im viel spätern MG 813 a. Anh. von 1552. Genaue Pausen sind ferner in den drei MG mit dreizehn Gesätzen zu finden: MG 4 (mit einer Ausnahme), MG 5 und MG 6; ebenso tadellos in den MG 3 und 40 mit fünfzehn und MG 20 mit siebzehn Gesätzen. Also wenigstens bei den MG mit mehr als drei Gesätzen läßt sich für die Jugendzeit bis 1553 eine genaue Beachtung der Pausen feststellen.

In den 937 MG mit drei Gesätzen weisen 209 Gesätze keinen festen Abschluß auf; also 209 von 1874 Gesätzen.

Dieser kleine Mangel steckt je zweimal in 23 MG, also bei 46 Gesätzen. Doch von den 209 verwischten Abschlüssen sind Grenzfälle abzuziehen. Es bleiben etwa 170 Gesätze mit ganz ungenügendem Abschluß. Das sind 11%.

Bei den etwa 89% gut abgerundeter Gesätze ist es nun erfreulich zu sehen, wie Hans Sachs jedem Gesätz einen besonderen Inhalt gibt. Auch da spricht ein Vergleich mit den Quellen für die Gewandtheit des Dichters. Einige Beispiele: MG 591 1) der Mann prügelt die Frau, 2) den Gevatter, 3) der Richter; MG 592 1) der Mann überrascht die Frau, 2) Zwiesprache, 3) der Segen; MG 387 1) Raub, 2) vor dem Kastell, 3) im Kastell. Weitere solche treffliche Beispiele sind die MG 50–53, 55–60, 64–70, 72–78, 80–85, 87–90 usw. – Diese klare Anordnung, die Wesentliches hervorhebt, ist nicht Meistersänger-Schulfuchserei, sie ist Merkmal aller großen Kunst und bei Hans Sachs ein Abglanz davon.

Ein anderer Unterschied zwischen seinen MG und den Quellen und SG ist des Dichters Bestreben, durch kurze Verse einen flotten Fluß zu erzielen. Zu diesem Zwecke verwendet er gern seine 1527 erfundene und laut Zwickauer Generalregister in 51 MG verwendete Spruchweise mit nur weiblichen Reimpaaren und 20 Versen zu je 7 Silben. Erwähnenswert ist, daß Hans Sachs diese einfachen und anmutigen Kurzzeilen sowohl bei lustigen Schwänken als auch bei lehrhaften Stoffen brauchte. Unter den 19 oder 29 von Goetze-Drescher gebrachten MG enthalten zwei Drittel Schwankstoffe und ein Drittel lehrhafte Stoffe. Er ist diesem Tone drei Jahrzehnte lang treu geblieben. Auch bevorzugte er zu diesem Zwecke Tannhäusers Hofton mit 19 regelmäßig wechselnd acht und sieben Silben zählenden Zeilen und einer elfsilbigen. Die 30 MG bei Goetze-Drescher enthalten zum allergrößten Teil Schwankstoffe. Die Radweise des Liebe von Gengen mit ihren 20 Zeilen von sechs bis acht Silben mit männlichem und weiblichem Versschluß ist von Hans Sachs bei etwa 20 MG verwendet worden; darunter ist ein Drittel lehrhaft. Der Unterschied in leichter Anmut gegenüber Quellen wie Cyrillus, dem Buch der Beispiele der alten Weisen oder den Gesta ist recht groß. Auch Muskatblüts Langer Ton (Langer Hofton) mit 22 Zeilen von vier bis acht Silben treffen wir gegen zwanzigmal fast ausschließlich bei Schwankstoffen an. Caspar Ottendörffers Hohe Jünglingsweise mit 19 Zeilen von vier bis acht Silben finden wir bei fünf Schwänken, Hans Vogels Lilienweise, 20 Zeilen mit vier bis acht Silben, in 14 MG, auch da mit drei Ausnahmen in Schwankstoffen. Und nun gar die beiden Töne des Hans Folz, der Teilton und die Feyelweise! Jener hat acht Verse mit vier bis acht Silben und vier Reimpaaren, wovon drei männlich sind; dieser zehn Verse mit vier bis sieben Silben, drei männlichen und einem dreifachen weiblichen Reim. Den MG in diesen beiden Tönen ist eigentümlich, daß auffallend selten dazu eine Quelle zu finden ist, beim Teilton kennen wir sie in zwölf von achtzehn Fällen nicht, bei der Feyelweise in zehn von siebzehn; alle behandeln Schwankstoffe, und die hat Hans Sachs für diese kleinen, anmutigen Gedichtchen wohl oft unmittelbar dem Leben entnommen. – Solche kurzweilige Meistergesänge unterscheiden sich besonders stark von den SG; aber auch vom Meistergesang alten Stils mit biblischen Themen.

Daneben blüht der behagliche Epiker Hans Sachs! Sein Ausdehnungsbedürfnis offenbart sich gelegentlich in der Anhäufung von mehr als drei Gesätzen. Aber nur in der Jugend, wie wir sahen. – Ebenfalls nur in der Frühzeit dichtet er in seinem Langen Ton von 34 Zeilen, wovon 13 mit 11 Silben: 1520, 1530 und zweimal 1540. – Breit wird Hans Sachs auch gern bei gewissen lehrhaften Quellen wie Cyrillus, aber selbst da sieht man den Unterschied zwischen MG und SG; man vergleiche z. B. MG 965 mit SG 231, wo der MG dem Cyrillus geschickt nur das Wesentliche entnimmt.

Denn um Hans Sachsens Arbeitsweise beim MG kennen zu lernen, müssen wir genau untersuchen, wie er sich ausführlichen Quellen gegenüber verhält, wie er auswählt, was er wegläßt, und warum. Wir werden sehen, daß sein Verfahren nicht immer bewundernswert ist; doch als Hauptregel kann gelten, daß er sich mit gesundem Instinkt und kluger Überlegung auf die Hauptlinie beschränkt. Cyrillus I, S. 19, 18ff. bringt eine lange, tiefsinnige Rede des Hahns, MG 334, 33 bis 40 nur deren Kernpunkte. Oft *unterdrückt der Dichter eine Rede* in der Quelle und berichtet nur die Handlung, wie MG 247, 34ff. (Pauli Nr. 41, S. 39 «die knecht schlügen den narren zů dem sal hinusz vnd sprachen: Nar das du die trüsz müsest haben»); MG 450, 19ff. sitzt der Alte ohne weiteres auf seinem «grama», Eulenspiegel Hist. 2, S. 6 spricht er vorher «ich thů doch nemen nüt das wil ich dich offenbar beweisen, gang hin sitz vff dein eigen pferd ...»).

Oder er *unterdrückt eine Frage* und gibt nur das Geschehnis: Pauli Nr. 345, S. 216 «Da sie nun zu des babsts palast kamen, da sahen sie kein thůr, sie fragten wa sie hinyn solten gan»), was MG 82, 42f. kürzt «Vnd sie gingen hin gen hofe. / Man weist sie zw der nidren duer». MG 96, 29ff. spricht gleich Eulenspiegel, in der 92. Historie aber redet ihn zuerst der Pfaff an, auch nachher greift der Pfaff ohne ein Wort in die Kanne (Quelle «der pfaff sagt ...»). MG 904, S. 14ff. spricht der Narr ohne die Frage des Fürsten (Pauli Nr. 50, S. 45) gleich sein Urteil.

Auch die *Antwort* wird manchmal aus Not *unterdrückt*. Wickram Nr. 62, S. 113 antwortet die Bäuerin ihrem Manne, sie liege ganz naß; der Bauer entgegnet «Sagt ich dirs nit nechte, als du der milch so vil essen thettest?», aber MG 995, 44 gibt die Frau keine Antwort.

Wichtige Beweggründe der Vorlage müssen hie und da *geopfert* werden, ohne daß das Ganze unbedingt darunter leidet. MG 387 fehlt die Bemerkung des Dec. II, 2, daß die Frau auf die Nacht den Markgrafen erwartet und darum sehr liebebedürftig ist. Ebenso im MG 143 das Motiv bei Pauli Nr. 45, S. 41 f.: der Edelmann «macht im ein hübschen lidern kolben vnd sprach zů im. Nar disen kolben gib niemans, er sei dan nerrischer dan du bist». Worauf der Narr den Kolben dem Edelmanne gibt. In Steinhöwels Aesop Nr. 60, S. 170 entwischt der Affe, aber der Arzt verschreibt dem Löwen leichte Nahrung, dieser wünscht Affenfleisch, und so wird auch der Aff gefressen, während im MG 24 der Löwe das freimütige Schaf und den schmeichelnden Affen ohne weiteres vertilgt, nur der Fuchs mit seinem «schnaupen» entgeht. Dergleichen Amputationen waren gewiß schmerzlich, aber im MG nötig.

Geringer war der Schaden, wenn der Dichter etwa *Beispiele überging.* MG 969 fehlt so die Stelle bei Cyrillus I, 23, S. 31, 28 f. «Namque fratres Joseph, quem offenderant adolescentes, timuerant et senes»; oder MG 92 aus der gleichen Quelle S. 68 überging die weiteren Beispiele «canis, aspis, spina et piscis». – Noch einige Eingriffe in den Gang der Handlung sollen zeigen, wie Hans Sachs es vermeidet, daß entbehrliche Teilchen den engen Rahmen des MG sprengen. Pauli Nr. 1, S. 15 heißt es, der Junker habe gleich nach seiner Rückkehr wie gewohnt wahrheitsgetreuen Bericht über die Vorgänge verlangt, aber «Der nar schweig stil, vnd wolt nichtz reden, vnd legt ein finger vff den mund, vnd macht mum, mum, mum ...», und erst wie er das Wort Wahrheit hört, spricht er, MG 241, 43 ff. aber spricht der Junker gleich anfangs das Wort, und der Narr erzählt. MG 39 fehlen die Zeilen aus Eulenspiegel Hist. 17, S. 25, wo Eulenspiegel mit dem Spitalmeister abmacht, daß er keinen Pfennig bekommen solle, «wa er die krancken nit grad macht», worauf er 20 Gulden «daruff» erhält. Im Buch der Beispiele der alten Weisen S. 126 hilft der Fuchs dem Löwen, weil er vom Abfall der Beute lebt (MG 781, 3 «Den dawret sein vnrate»), dort kommt der Esel mit einem Wollenweber, hier Vers 13 f. fand der Fuchs bald den Esel, dort hebt ein langes, hier Vers 17 ff. nur ein kurzes Gespräch zwischen Fuchs und Esel an. MG 262 übergeht jene Stelle Dec. IV, 10, S. 304 ff. bis S. 305, 10, wo breit das Schicksal des Glases mit dem Betäubungstrank gezeigt wird, und der Arzt läßt sich überzeugen, usw., lauter Einzelheiten, die köstlich einen Charakter oder einen Zustand ausgemalt hätten.

Läßt Hans Sachs notgedrungen Begründungen weg, wie wir sahen, so *hebt er stärker die Tatsachen hervor;* Cyrillus IV, 2, S. 107, 8–16 begründet der Fuchs seine Abneigung gegen den Menschen, MG 232, 21 hebt die böse Absicht des Menschen hervor. Pauli Nr. 6, S. 18 begründet «wan das ist einem eren man gnůg, der da gest hot, wan er einer trachten me hat, dan so er allein ist, vnd kein gest hat», im MG 129 ist der Edelmann einfach «Gasttrey zw aller zeitte, / Er fisch vnd guet wiltbret pehielt / Auf zw kuenftige geste». Indem derart Tatsachen eine gewisse Selbstverständlichkeit erhalten, erübrigt es sich, zu begründen.

Auch *längere Vergleiche* muß er manchmal der MG-Form opfern. Cyrillus I, 19, S. 26, 26 ff. wird mit dem basiliscus, dem scorpio und mit den Sirenen verglichen, MG 335 41 ff. nur mit den Sirenen und dem Skorpion, während im spätern SG 208 noch der Basilisk hinzu kommt.

Die sonst bei Hans Sachs so beliebte *Aufzählung* muß gelegentlich unterbleiben. Pauli Nr. 499, S. 289 zählt breit auf «Es was ein reichsztag ..., da kamen fünff oder sechs fürsten zů samen ... Der hertzog von Beyern ...», während MG 622, 1 ff. gleich beginnt «HErzog Fridrich / Zu Leipzig ... lag» und die andern Fürsten wegläßt. Pauli Nr. 136, S. 99 gibt die fromme Frau für jeden Tag einen Grund ehelicher Enthaltung an, MG 851 nicht, es würde auch von der Hauptsache, der Kur, ablenken. So wird auch, wohl schweren Herzens, die Aufzählung Ochs, Esel, Kalb, Widder in Steinhöwels Aesop Nr. 97, S. 240 f. im MG 319 verkürzt.

Unnötige Personen läßt Hans Sachs in den MG gern weg. Den Kustos neben dem Pfaffen im Eulenspiegel Hist. 12, S. 17 f. übergeht er im MG 297, weil diese Nebenfigur in der Geschichte gar keine Rolle spielt. Waldis IV, 50, S. 140 fängt mit dem Goldschmied an, den der Rat ein Bergwerk zu prüfen usw. ausschickt; von der Frau nimmt er umständlich Abschied; doch MG 512 ist der Mann überhaupt unsichtbar, weil für den Konflikt nicht er, sondern der Bauer wichtig ist. Solche Umgruppierungen um die Hauptperson beleuchten diese schärfer.

In sehr zahlreichen Fällen opfert er *Vorgeschichten* und kürzt er *Einleitungen* weil unwesentlich. Das Buch der Beispiele der alten Weisen S. 32 malt breit «Der bůl schickt die schererin vnd batt sy, zů erfragen, wie es sinen bůlen ging»; MG 95, 10 spricht die «palwirerin» gleich mit der Frau. MG 387a, 22 ff. übergeht den langen Bericht der gleichen Quelle S. 80, wie der untreue Knecht dem Herrn die Vögel bringt, wie sie diesem gefallen und er sie der Frau gibt; dann kommen die Pilger aus Edom, und hier setzt der MG ein. Dec. VIII, wird S. 490, 7–32 ausführlich erzählt, wie Calandrino der Bachen gestohlen wird, MG 347, 5 genügt der Satz «Stalen sie im ains nachcz den schweinen pachen». Immer wieder treffen wir beim Dichter diesen klaren Blick für das Wesentliche. In der 63. Hist. vom Eulenspiegel S. 95 f. lesen wir zwölf Zeilen lang über die Kaiserwahl, MG 278 erlaubt die Kürze des Tones nur den knappen Beginn «Als zw Franckfurt ein reichstag war»; auch die seltsame Kleidung Eulenspiegels wird übergangen. Das spätere SG 146 folgt wieder der Quelle. In der 30. Hist. S. 45 f. sagt Eulenspiegel der Wirtin, er sei kein Handwerksgesell, sondern er pflege die Wahrheit zu sagen, und es folgt das Gespräch über ihre schielenden Augen, was Beweis seiner Wahrheitsliebe sein soll; erst dann folgt sein Bericht, er

könne Pelze waschen: womit MG 293, 5 ff. beginnt. Dergleichen gehen viele
MG über lange Einleitungen der Vorlage hinweg, wie z. B. MG 433 (Buch
der Beispiele der alten Weisen S. 122f.: der alte Affenkönig wird verjagt
und zieht sich auf einen Feigenbaum zurück), MG 622 (Bericht vom Reichstag und den Fürsten bei Pauli Nr. 499, S. 289), MG 796 (es wird bei Waldis IV, 69, S. 166f., 1–24 zuerst das Leben des Mönchs erzählt), MG 71
(Pauli Nr. 134, S. 97 beginnt breit mit Salomo und seiner Weisheit), MG 74
(die hier fehlende Einleitung bei Pauli Nr. 192, S. 129 findet sich im anders
gebauten MG 464 wieder). Wickram Nr. 50, S. 89 erzählt von unmäßig
fluchenden Bauern «insunderheit was inn das Gottslestern hoch verbotten.
Es halff aber nichts. Zů letst hatt der gůt Juncker ein bedauern mit weib
vnnd kinden, dann er gedacht, die våtter wurden sy gar vmb daß jr bringen.
Also ließ er ein Mandat außgehn, welcher baur meer Gott lestert, den wolt
er nit allein an seinem gůt, sonder auch an dem leib straffen. Das bestůnd
nit lang, es wurden ettlich fellig vnd hart an jrem leib gestrafft, als mit dem
Thurn, Branger, die Zungen beschnitten, auch ettliche, so die sach zů grob
übersahen, wurden an jrem leib gestraffet». Es ist nun sehr bezeichnend für
Hans Sachs, wie er MG 1002, 7ff. kürzt: «So pald er das erfůere, / Vmb gelt
im druecken schůere / Altag.» Ebenso geht er vor bei andern teilweise sehr
behaglichen Einleitungen in der Quelle, wie MG 1003 (Wickram Nr. 68,
S. 125), MG 35 (Steinhöwels Aesop Nr. 147, S. 313f. und SG = Werke IV,
S. 290–4); MG 33 (Steinhöwels Aesop Nr. 94 Extravag. Nr. 14, S. 228);
MG 24 (Steinhöwels Aesop Nr. 60, S. 170); MG 904 (Pauli Nr. 50, S. 45);
MG 289 (Pauli, Nr. 220, S. 145f.) usw.

Wo immer möglich *meidet* Hans Sachs *inhaltlich* eine *Wiederholung*. Im Buch
der Beispiele der alten Weisen S. 35f. gibt der Fuchs dem Raben ein Beispiel
vom fischenden Vogel und dem Krebs; MG 473 läßt er diesen Teil weg,
weil er dann den Grundgedanken des dritten Gesätzes bilden soll. Steinhöwels Aesop Nr. 21, S. 110 bitten die Frösche zweimal, MG 32, 6ff. einmal, und Jupiter gewährt, was für den Sinn der Fabel vollauf genügt; das
viel spätere SG 236 folgt der Quelle, ist aber mehr als doppelt so lang. In
der nämlichen Vorlage Nr. 53, S. 54 setzt Aesop zuerst Zunge auf den Tisch,
und zwar in Essig, dann Zunge mit Knoblauch und Pfeffer und nochmals
Zunge, jedesmal unter dem Protest der Schüler und mit deren Bemerkungen, MG 36, 8ff. «Esopus in zw dische drůeg / Von zůngen clůeg / Drey
auserwelte richte», was ebenfalls für die Lehre genügt; das spätere SG
Nr. 291 folgt wieder der Vorlage. In der Nr. 161, S. 345f. fragt der Narr den
Jüngling zuerst nach dem Pferd, dann nach dem Vogel und zuletzt nach dem
Hund und jeweilen nach deren Bestimmung und Wert, MG 68, 27f. faßt
alles zusammen.

Der Meistergesangsform wegen muß Hans Sachs mehr oder weniger
unwesentliche Schlüsse in der Quelle *streichen*; MG 278 die abrundende Rück-

kehr Eulenspiegels nach Sachsen (Eulenspiegel, Hist. 63, S. 97), MG 528 die sechs Schlußzeilen in Hist. 4, S. 9, wo erzählt wird, wie sich Eulenspiegel vier Wochen lang nicht zeigen durfte, MG 366 von Hist. 80, S. 127 die sieben Zeilen über den Wirt, MG 450 den Schluß in Hist. 2, S. 6, MG 104 den von Hist. 32, S. 50 usw.

Diese notgedrungene Weglassung des Endes müssen wir manchmal bedauern, z. B. wenn Hans Sachs im MG 304 den humanen Schluß in Pauli Nr. 55, S. 47 streicht «er hielt aber den alten apt auch in eren, als auch billich was», oder den humorvollen Endbericht im Buch der Beispiele der alten Weisen S. 59 «Der man gloubt den Worten des wybs vnd gab ir annder gelt vnd schickt sy wider zů dem appotecker», während MG 478, 43 f. nur unnötig noch festgestellt wird «Also den man mit listen daub / Macht vnd thet vberwinden». Auch in solchen Fällen kann neben dem Zwang durch die Meistersängerform auch die oft flinke Art des Dichtens schuld sein.

Recht häufig *läßt* der Dichter *den Schluß* in der Quelle *weg, weil er die Endwirkung der Geschichte störte*. So faßt sich MG 252, 45 f. der Knecht knapp vor dem Höhepunkt kurz, Pauli Nr. 263, S. 175 hält er im ungeeigneten Augenblick noch eine lange Rede. Auch MG 96 kommt die Hauptsache besser zur Geltung, wenn der Pfaff nicht noch wie in der 92. Hist., S. 142 f. vom Eulenspiegel schimpft und Eulenspiegel ihm nachruft, das Geld nicht liegen zu lassen. Ebenso unterdrückt Hans Sachs die hier überflüssigen letzten Zeilen von Dec. I, 3, wo S. 35 der Jude dem Sultan «aller der summe geltz der er nottorft was», freiwillig gab. MG 260 kürzt Hans Sachs nach dem Höhepunkte, wo Dec. IV, S. 264 f. noch eingehend den Vorgang auf dem Rialto und die Bestrafung des Mönchs schildert. In Steinhöwels Aesop Nr. 149, S. 318 steht am Schluß «Mit disen schimpfworten stillet er den Künig, daz er benügig ward vnd vergündet dem sager ze schlaffen», MG 424 a, 43 aber schläft der Erzähler mitten im Satz ein!

Ein Beispiel, wie er *das Schwankhafte stärkt*, weil er kürzt oder kürzen muß, ist MG 307: Pauli Nr. 513 Anh. 36, S. 415 schließt «solchs dem bischoff für kam, strafft jhn der bischoff vmb sein pfründ, vnd verbot jm das bistumb. Darumb dörffen sich zů diser zeit die pfaffen nit pläwen, sonder gott vnd dem Luther dancksagen, das man sie kein mesz mer laszt lesen, als sie yetzund jre tag vnd näcnt volbringen, möcht es sunst auch wol einem geschehen (die tag vnnd nacht vol seind, die frommen geths nit an), ich wil auch niemant geschmächt haben». Was Hans Sachs Vers 54 mit wunderbarer schalkhafter Kürze wiedergibt «Wart sein gelacht». Nichts von Strafe.

Was nicht in *deutsche Verhältnisse* paßt, läßt er mit Rücksicht auf den strengen Bau der Töne ganz gern weg. So wird der Abt Dec. X, 2, S. 591 «alles mit söldnern vmbgeben», MG 70, 17 sind es nach Landesbrauch «Selb drit ein edelmone», und weggelassen sind die Fürsprache des Abtes beim Papste, die Belohnung des Chino von Tacco durch den Papst usw.

Viele Beispiele waren nötig, um die vielerlei Kürzungen wegen der Meistergesangsform zu zeigen.

Aber die Kürzung des Meistergesanges bringt nicht selten Schwächung des Inhaltes mit sich. Cyrillus I, 5, S. 10, 36 schreibt «Quo dicto divisi sunt», nachdem der Rabe, der Fuchs, der Rabe und wieder der Fuchs gesprochen, wogegen sich MG 72, 23 lakonisch äußert: «Der fuchs fůer auf vnd lief gen wald; der rap sprach ...», also im MG sagt der Fuchs nichts! Der Sinn der Quelle ist damit stark geändert, der billige Hohn des Raben ersetzt die Belehrung durch den Fuchs, die Hauptsache wurde der Kürze geopfert. Auch faßt Cyrillus II, 9 das Problem tiefer, MG 965 bringt dann der Kürze wegen kaum das Wesentliche obenhin volkstümlich (besser im spätern SG 231). Wie MG 256: Pauli Nr. 392, S. 239 f. erzählt eindringlich «wust keiner nichtz darumb, da fieng der knab Papirius an zů weinen, vnd sagt wie in sein můter het wöllen zwingen zů sagen vsz dem rat und wie er die hoflich lügin erdacht het. Vnd also ward da geordnet, das kein knab me solt in den Rat gon dan Papirius», aber Vers 41 verwundert sich der Senat nur, «Der mit vernůnft sie abgeweiset het.» Der fünf Jahre spätere MG 670 hat einen längern Ton und folgt der Quelle. Eulenspiegel Hist. 72, S. 114 enthält die Bedingung «welcher nit kem sunder groß not, der müst dem wirt die ürten gar bezalen»; Hans Sachs läßt sie weg, und Eulenspiegel verlangt dann doch die Entschädigung im MG 366. Und im MG 835 kürzt er die Erzählung bei Waldis IV, 99 (66 statt 538 Verse!) zu stark; die nackte Lehre wird Hauptsache. Dec. VI, 10, S. 406, 38 ff. gehen die beiden jungen Leute nach der Predigt zum Mönch Zwiebel und geben die Feder zurück; diese braucht er nächstes Jahr wieder zum gleichen Schwindel! Hans Sachs hat diesen Höhepunkt der Kürze wegen nicht, der Betrug des Mönches ist ihm wichtiger: MG 117. Auch die 66 Verse «Von der edlen frawen Beritola» im MG 629 Anh. sind nur ein dürres Gerippe gegenüber der 14 Seiten füllenden Geschichte im Dec. II, 6; der epische Zauber fehlt. Gleichfalls im zweiten Gesätz von MG 674 verglichen mit der episch behaglichen Breite der «geschicht des pfarrers vom Kalenberg» (Narrenbuch 1270 ff.). Hans Sachs beschreibt im MG 678, 2 ff. das Äußere Markolfs fast ebenso lang wie die Vorlage, das Narrenbuch S. 300, 49 ff.; trotzdem kürzt er nachher so sehr, daß Edm. Goetze in einer Fußnote zum MG S. 117 mit Recht bemerken kann: «Die Zusammenpressung in drei kurze Gesätze hat dem Inhalt so geschadet, daß der Humor gar nicht zum Ausdruck kommt.» Pauli Nr. 3, S. 17 schreibt «der buer, der het ein bletzlin vor dem aug hangen, vnd sein hauszfraw Greta het nur ein aug, vnd ein katz der troff ein aug», aber die gekürzte entsprechende Stelle im MG 98, 24 ff. («nůr dw, / Dein weib vnd aůch dein alte kacz darzw / Habt alle drey nicht mer den nůr drey aůgen») ist schwer verständlich. Oder Pauli Nr. 82, S. 64 schreibt «waren mit einander vberkumen, das der ein

solt ein schaff stelen, vnd der ander ein sack mit nusz», MG 31, 6f. heißt es
unklar kurz «Nach dem hemel der Mercker thet zw nacht aûs gen, / Die weil
der Schwab fras gstolen hassel nûesse»; die drei andern Bearbeitungen,
SG 100, SG 216 und MG 449, folgen der Quelle, aber bei MG 31 weiß man
nicht, worauf schon Stiefel, Festschrift S. 93 ff. hinwies, ob es Vers 31 heißen soll, er habe jetzt die Nüsse gestohlen oder früher; warum unternimmt
er nichts? – Viele Male gelang es ja Hans Sachs, wie wir sahen, vorbildlich zu
kürzen. Wie geschickt preßt er z. B. die 180 Druckseiten zu MG 547
(Wickrams Galmy. Stuttg. Litt. Ver. Nr. 148) in 60 Verse zusammen, u. a.
indem er von den vielen Personen nur eine übernimmt, Galmy. Umgekehrt
ist ein gutes Beispiel von knapper Quelle (Schertz mit der warheyt. 1563.
Bl. XXXIIII') und 52 Verse langem Bar der MG 712.

Unterhaltend und aufschlußreich ist zu verfolgen, wie Hans Sachs den
gleichen Stoff sehr oft mehrmals behandelt. So auch als MG und
als SG. Den MG schrieb er fast immer zuerst und dann das SG. Es sind mir
nur wenige Ausnahmen bekannt und zwar, nach der Zählung Goetzes im
Bd. 25 der Werke, folgende Nummern: 1) Nr. 743. SG 47 vom 7. Sept. 1536 =
Nr. 744. MG 64 vom 13. Sept. 1536. 2) Nr. 741. SG 46 von Juni/Sept.
1536? = Nr. 749. MG 65 vom 13. Okt. 1536. 3) Nr. 403. SG 6 vom
12. Mai 1530 = Nr. 752. MG 68 vom 15. Dez. 1536. 4) Nr. 465. SG 27
vom 6. Mai 1531 = Nr. 1374. MG 158 vom 7. Mai 1544. 5) Nr. 521. SG 23
von 1531/2 = Nr. 1723. MG 202 vom 27. Juni 1545. 6) Nr. 900. SG 54 vom
17. Mai 1539 = Nr. 2071. MG 321 vom 6. Aug. 1546. 7) Nr. 137. SG 1 vom
3. März 1527 = Nr. 2560. MG 445 vom 14. Dez. 1547. 8) Nr. 1131.
SG 70 vom 6. Nov. 1541 = Nr. 2546. MG 441 vom 25. Nov. 1547. 9) Nr.
2542. SG 99 vom 20. Nov. 1547 = Nr. 2566. MG 448 vom 20. Dez. 1547.
10) Nr. 3025. SG vom 22. Jan. 1549 (Werke IV, S. 328–30) = Nr. 3030.
MG 574 vom 5. Febr. 1549. 11) Nr. 519. SG 19 von 1531 = Nr. 3142.
MG 605 vom 25. Nov. 1549. 12) Nr. 650. SG 37 vom 3. Juli 1534 = Nr.
3325. MG 657 vom 19. Mai 1550. 13) Nr. 1258. SG vom 9. Aug. 1543 =
Nr. 2545. MG 440 vom 25. Nov. 1547. 14) Nr. 1010. SG vom 7. Sept. 1540
(Werke II, S. 237–44) = Nr. 2212. MG 353 vom 1. Febr. 1547. – Diese
14 Umwandlungen von SG in MG stammen aus den Jahren 1536 bis
1550. Goetze zählt im 25. Bd. der Werke 6169 Dichtungen aller Art auf, wozu noch einige Nachträge kommen. Hans Sachs hat in ungefähr 211 Malen
MG vor SG und 14 SG vor dem MG mit gleichem Stoff geschrieben;
aber SG vor MG nie mehr nach 1550! Allgemeiner Brauch war es von Anfang an bei ihm, den Stoff zuerst als MG zu behandeln; von 1550 an ausnahmslos. Die Feststellung des hochverdienten Hans Sachs-Herausgebers
Edm. Goetze in Bd. 1, S. 1 Anm., nur in spätern Jahren sei es Regel, daß
Hans Sachs einen Gegenstand zuerst als MG und dann als SG behandle,
ist folgendermaßen zu ergänzen: 1) Hans Sachs dichtet höchst selten ein

SG in einen MG um, und nur bis 1550; es ist eben doch viel einfacher, aus einem MG ein SG zu formen als umgekehrt! 2) Erst von 1550 an kommt es häufig vor, daß er aus einem MG ein SG macht, und zwar vor 1550 bei den 410 MG 13mal = 0,3%, nach 1550 bei den etwa 640 MG 93mal = 14,5%, oder wenn wir die 32 und 5 Doppelbare vom gleichen Tage mitzählen, 1% und 15% vor und nach 1550; dieser Unterschied der Anzahl von MG-SG vom gleichen Tage mit mehr oder weniger gleicher Form vor und nach 1550 ist auffallend: 32 und 5, wo doch die Anzahl der MG vor und nach 1550 sich wie 4 zu 6 verhält. Bei diesen 211 Zwillingsdichtungen, inbegriffen die 37 vom gleichen Tage, fehlen die MG-SG, von denen nur der Titel und die erste Zeile bekannt sind. Sowohl das fleißige Zurückgreifen auf ältere Stücke von 1550 an als auch der Verzicht auf häufigere Doppelleistung am gleichen Tage seit 1550 mag auf Altersbequemlichkeit zurückzuführen sein. – Bei 58 von den 211 MG-SG haben wir es mit ganz oder fast wörtlicher Wiedergabe des MG zu tun. Auch hier hat das Jahr 1550 eine Bedeutung: bis dann hat sich Hans Sachs solche Abschriften gestattet. Es sind dies

1538 MG 91 = SG 49 und MG 96 = SG 52.

1539 MG 104 = SG 56, MG 107 = SG 57 und MG 102 = SG 53.

1540 MG 114 = SG 559, MG 115 = SG 60, MG 117 = SG 61, MG 118 = SG 62, MG 119 = SG 63, MG 121 = SG 64.

1541 MG 134 = SG 68, MG 137 = SG 69.

1542 MG 141 = SG 71, MG 144 = SG Werke XXII, S. 266f.

1543 MG 149 = SG Werke XXII, S. 299f., MG 153 = SG Werke XXII, S. 301, MG 148 Anh. = SG 73, MG 73 = SG 71.

1544 MG 144 = SG Werke II, S. 207ff., MG 156 Anh. = SG 75.

1545 MG 181 = SG 78, MG 233 = SG 79, MG 237 = SG 80, MG 241 = SG 82, MG 249 = SG 83.

1546 MG 263 = SG 85, MG 334 = SG 88, MG 335 = SG 89, MG 338 = SG 92, MG 368 = SG 191.

1547 MG 390 = SG 93, MG 396 = SG 95, MG 413 = SG 96, MG 422 = SG 97.

1548 MG 448 = SG 99, MG 449 = SG 100, MG 451 = SG 101, MG 453 = SG 103, MG 455 = SG 104, MG 497 = SG 105, MG 506 = SG 106, MG 517a = SG 108, MG 525 = SG 109, MG 528 = SG 110, MG 533 = SG 111, MG 534 = SG 112, MG 546 = SG 113, MG 568 = SG 114 (bis Vers 56), MG 571 = SG 115.

1549 MG 572 = SG 117, MG 583 = SG 118, MG 591 = SG 119, MG 592 = SG 120, MG 593 = SG 121, MG 614 = SG 124, MG 615 = SG 125.

1550 MG 632 = SG 126.

Sehr ähnlich von 1550 sind auch MG 638 = SG 129. – Nach 1550 hat Hans Sachs achtmal teilweise einen MG als SG abgeschrieben. Aber von 1555 bei

MG 854 = SG 136 sind zehn Verse eingeschoben; MG 896 ist ein Sonderfall, schon Goetze Bd. VI, S. 97 Anm. schreibt «Es ist als ob Hans Sachs nach der einfachen Formel suchte, und als er sie gefunden, machte er einen Spruch daraus»; die vier Behandlungen dieses Stoffes sind Nr. 3764. MG 790 vom 12. Febr. 1552 in der Sauerweise des Hans Fogl (60 Verse); Nr. 3913. MG 823 vom 12. Nov. 1552 in der Maienweise Jörg Schillers (66 Verse); Nr. 4332. MG 896 vom Mai 1554 im Rosenton Hans Sachsens (60 Verse) und Nr. 4774. SG 154 vom 3. Okt. 1555 (62 Verse) mit einigen Änderungen. Ferner ist viertens SG 172 vom 24. Sept. 1556 mit 70 Versen eine Abschrift von MG 984 vom 14. April 1556 mit 60 Versen, wobei am Anfang zwei und am Ende acht Verse beigefügt werden. Und SG 321 vom 24. Mai 1563 mit 78 Versen ist eine fast wörtliche Abschrift vom MG 1014 vom 24. Mai 1557 mit zwei Zusatzversen im Text und acht am Schlusse. SG 304 von 1563 entspricht dem MG 54 vom 15. Jan. 1536 außer den acht Versen Zusatz und SG 305 von 1563 dem MG 55 von ebenfalls dem 15. Jan. 1536 ohne 20 Verse Zusatz. SG 154 vom 3. Okt. 1555 gleicht sehr dem MG 790 vom 12. Febr. 1552. Also bei diesen acht Fällen nach 1550 begnügte sich der Dichter nicht mit der unveränderten Wiedergabe. Hat das Alter neben der Bequemlichkeit auch größere Reife gebracht? – Es handelt sich bei diesen 211 Doppelwesen stets um geeignete Töne. In 13 von diesen MG gebrauchte Hans Sachs Hans Folzens Abenteuerweise, 20 Zeilen mit je acht Silben, nämlich in den Nr. 54, 55, 91, 117, 237, 249, 334, 368, 455, 497, 568, 593, 148 Anh., in 26 Hans Sachsens Spruchweise, 20 Zeilen mit je sieben Silben, die Nr. 96, 97, 102, 104, 107, 110, 114, 115, 137, 141, 149, 153, 154, 181, 263, 333, 388, 422, 528, 533, 534, 591, 592, 632, 705, 854, in 26 Hans Sachsens Rosenton, 20 Zeilen mit abwechselnd je zweimal acht und zweimal neun Silben, die Nr. 118, 119, 121, 134, 144, 173, 233, 241, 335, 390, 396, 413, 448, 449, 451, 453, 506, 517a, 525, 546, 571, 572, 583, 614, 896, 984. Zu erwähnen sind noch MG 615 in Jörg Schillers süßem Ton, 18 Zeilen mit sechs und sieben Silben, MG 836 in Albrecht Leschens Feuerweise mit Wechsel zwischen sechs, sieben und acht Silben in 17 Zeilen, wo aber die Veränderungen so stark sind, daß kaum mehr von einer Abschrift die Rede sein kann; geschweige bei MG 790 mit Hans Vogels Sauerweise, wo in 20 Zeilen zehn verschiedene Silbenzahlen abwechseln!

Daß ihn zu diesem Doppelspiel *die bequemen Töne* verlockten, sieht man auch daraus, daß er in der Mehrheit der Fälle so vorging, wenn er sie verwendete. Bei Hans Folzens Abenteuerweise bildet nur MG 771 (1551) eine Ausnahme, wo das SG von 1553 sehr stark abgeändert wurde, epische Breite den Dichter lockte. Bei MG 440 und 847 sind die entsprechenden SG nicht erhalten. Seine Spruchweise hat Hans Sachs außer den obigen 26 Fällen noch achtmal angewandt, aber in drei (MG 172, 214 und 434) fehlt uns der MG-Text, in zwei (MG 705 = SG 131 und MG = SG 137) fehlt der

SG-Text, in zwei weitern Fällen (MG 863b Anh. vom 3. Aug. 1553 und MG 1005 vom 14. Juli 1556) hat er den Stoff überhaupt nicht anders behandelt; vielleicht nicht, weil es sich in jenem um eine Moritat, im MG 1005 um ein stark persönliches Erlebnis handelte? MG 92 vom 1. Juni 1538 hat er erst am 19. Febr. 1559 als SG 227 (= Nr. 5298) in ganz anderer Form wiedergegeben (60:124 Verse), wobei auffällt, daß Hans Sachs zwischen dem 2. und 12. Juni überhaupt nichts schrieb. Seinen Rosenton hat er außer in jenen 26 Doppelfällen noch 22mal gebraucht; aber die MG 510, 563, 601, 603 sowie die SG 686, 715, 743, 782, 824, 851, 856 sind noch nicht gefunden und fallen also hier außer Betracht; MG 600, 870 und wahrscheinlich 717 hat er später als Fastnachtspiel behandelt, MG 871 und 936 sind später als SG umgeschrieben worden, jener in das SG 256 vom 2. Juni 1559 (130 Verse!), dieser in die Historia vom 28. Nov. 1554 (Werke XXV, S. 466, Nr. 4557); und MG 321, 353, 441, 574, 605, 657 gehören, wie wir sahen, zu den Ausnahmefällen, wo das SG vor dem MG entstand. Bei den drei folgenden Tönen ist infolge der ungleichen Silbenzahl die wenig geänderte Abschrift Ausnahme. Jörg Schillers Süßer Ton findet sich außer in MG 615 (SG 125) noch viermal in MG, im MG 300 vom 21. Mai 1546 als SG 338 vom 18. Aug. 1563 (54:174 Verse), im MG 431 vom 4. Nov. 1547 als SG 348 vom 28. Sept. 1563 (42:110 Verse), MG 481 vom 6. April 1548 ist nicht anders behandelt worden, und der beliebte Stoff vom MG 515 vom 13. Aug. 1548 noch zweimal, als SG 296 vom 18. Nov. 1562 (54:100 Verse) und als MG 765 vom 22. Aug. 1551 ganz anders, obwohl im gleichen Ton (54:54 Verse). Ebenso dichtete Hans Sachs in Albrecht Leschens Feuerweise außer MG 638 achtmal, wovon die MG 639, 718, 745, 767, 926, 1011, 1021a nicht ein zweites Mal, MG 821 vom 7. Nov. 1552 als SG 309 vom 26. Febr. 1563 (51:170 Verse). Endlich dichtete Hans Sachs in Hans Vogels Sauerweise außer MG 790 zweimal, als MG 500 vom 24. Mai 1548 = SG 180 vom 12. Nov. 1557 (60:170 Verse) und MG 994 vom 6. Juni 1556 = SG 294 vom 2. Juli 1562 (60:150 Verse); den Stoff von MG 790 vom 12. Febr. 1552 aber brachte er noch dreimal verschieden, als MG 823 und 896 in andern Tönen sowie als SG 154. – Also der gleichmäßige Ton mit gleich langen oder fast gleich langen Verszeilen veranlaßte ihn, die MG als SG in seine Spruchbücher einzutragen, oft mit geringen Änderungen; um so ausschließlicher bei einem Ton, je einheitlicher dieser war, während ja die MG nicht veröffentlicht, d. h. gedruckt wurden.

Von diesen 58 gleichlautenden MG = SG stammen 32 jeweilen *vom gleichen Tage*, nämlich MG 102 = SG 53 (17. März 1539), MG 110 = SG Werke XXII, S. 215f. (4. Okt. 1539), MG 117 = SG 61 (22. Juni 1540), MG 118 = SG 62 (22. Juni 1540), MG 119 = SG 63 (23. Juni 1540), MG 121 = SG 64 (1. Sept. 1540), MG 134 = SG 68 (25. Sept. 1540), MG 137 = SG 69 (23. Okt. 1541), MG 144 = SG Werke XXII, S. 266f. (21. Febr. 1542),

MG 149 = SG Werke XXII, S. 299f. (9. Aug. 1543), MG 153 = SG Werke XXII, S. 301 (16. Nov. 1543), MG 156 = SG 75 (15. Febr. 1544), MG 173 = SG Werke II, S. 204–6 (26. Nov. 1544), MG 181 = SG 78 (7. Febr. 1545), MG 233 = SG 79 (10. Sept. 1545), MG 237 = SG 80 (22. Sept. 1545), MG 241 = SG 82 (10. Dez. 1545), MG 249 = SG 83 (17. Dez. 1545), MG 263 = SG 85 (30. Jan. 1546), MG 333 = SG 87 (17. Nov. 1546), MG 334 = SG 88 (18. Nov. 1546), MG 390 = SG 93 (5. Aug. 1547), MG 396 = SG 95 (25. Aug. 1547), MG 413 = SG 96 (16. Okt. 1547), MG 422 = SG 97 (21. Okt. 1547), MG 449 = SG 100 (1. Jan. 1548), MG 451 = SG 101 (30. Jan. 1548), MG 453 = SG 103 (8. Febr. 1548), MG 455 = SG 104 (21. Febr. 1548), MG 571 = SG 115 (31. Dez. 1548), MG 148 Anh. = SG 73 (7. Aug. 1542) und vielleicht noch MG 156 Anh. = SG 75 (15. Febr. 1544). Ganz genau gleich ist keine Wiederholung, immer gibt es orthographische oder andere Änderungen und in zwölf von diesen 32 Fällen zwei, in drei Fällen vier und in je einem 16 und 18 Verse Zusatz. Auch hat schon Goetze in Anm. zu MG 233 und 263 darauf hingewiesen, wie im SG sechs- und siebensilbige Verse erhalten blieben; so fällt auch das unorganische –e auf (sinde: sind, hinause: hinaus).

Außer Brauch und Bequemlichkeit beim Dichter *beweisen* die meisten Veränderungen den zeitlichen Vorrang der MG bei diesen Doppelschöpfungen. Gewöhnlich sind die neuen Ausdrücke im SG Verbesserungen. Ein eingehender Vergleich dieser Unterschiede führt zum Ergebnis, daß die SG später sind. Hier folgen einige Proben.

MG 102	SG 53
8. Vnter die wandelschellen.	Vnter die altar schellen.
29. Im saůs so lang mocht leben.	So lang im saus mocht leben.
37. Vnd det den Pfenning hafen.	Vnd det sein pfening haffen.
39. Pis er wůrt entlich lere.	Pis er in machet lere.
52. In kranckheit darfon fůere.	In armůet darfon fůere.

Verse 8 und 39 sind im SG deutlicher, 29 im SG rhythmisch besser und folgerichtig, 39 ist im SG aktiv, also flüssiger, 52 die Änderung treffend trotz der Wiederholung, d. h. gerade ihretwegen. Der Rest ist Schreibweise.

MG 110	SG Werke XXII, S. 215f.
14. Man auf stünd, wůesch sein hende.	15. Man auffstund, wuesch die hende.
21. Als man des vrsach fraget.	22. Als man in ursach fragt.
25. Aber mit meinen dritten Nem ich mir icz der sitten.	26. Aber mit meinen driten Nem ich mich itz der sitten.
27. Das ich dis abencz spete.	1. Das ich des abentz spet.
28. Heint keinen hewchler drete.	2. Auf kainen hewchler dret ...

Vers 15 des SG ist einfacher, 22 persönlicher, 26 richtiger. (S. 216) 1 genügt die Zeitangabe, 2 richtiger.

MG 117	SG 61
15. Die schliechen in sein herberg nein, Zw stelen im das hailtum sein.	Die schliechen in die herberg nein, Zw stelen im das hailtum sein.
30. Ein predig lang darfan anfing, Wie sant Gabriel het verzet Diese fedren zw Nasaret.	Ein genspredig darfan anfing.
50. Er nam die kolen an der stet Vnd iglichem weib mit an- dacht, Ein schwarcz creucz auf den schlayer macht.	Er nam die kolen an der stet, Eim iglichen weib mit andacht, Ein schwarcz creucz auf den schlayer macht.
57. Des ist Deutschlant ... Lang zeit worden gemartert.	Des ist Deutschlant ... Lang zeit worden petrogen.

15 ist im SG der Stil glatter, und Hans Sachs vermeidet die Wiederholung, 30 ist im SG viel drastischer, 50 fand er wohl die unverbundene Folge der beiden Sätze kräftiger, 57 ist «petrogen» der richtige Ausdruck.

Bei solchen Betrachtungen stoßen wir immer auf die Wahl der Töne: warum benutzte der Dichter jeweilen gerade diesen Ton? Eine Erörterung der Frage muß sich nicht nur auf die Fabeln und Schwänke, sondern auf alle MG beziehen. Darum ist in folgender Übersicht nicht Goetze-Dreschers Ausgabe der Fabeln und Schwänke, sondern der ganze 25. Bd. der Bibl. des Litt. Ver., ed. Keller-Goetze zugrunde gelegt worden. Ein Überblick über die Namen der Töne zeigt, welche Töne der Dichter für weltliche oder biblisch-geistliche Stoffe bevorzugte, welche für ruhige Erzählungen, welche für heitere Schwänke usw. Schon Karl Goedeke hat in der Einleitung zum ersten Teil der Dichtungen von Hans Sachs diese Frage leicht angetönt, andere auch, aber sie ist noch nie untersucht worden.

	Weltliche Stoffe		Geistl.-bibl. Stoffe		Summe
	Erzählungen	Schwänke	Psalmen	Übrige	
Andres s. Enders 1. Barz, Heinrich Langer Ton			592, 1499, 1786, 3437	219	5.

Die kursiven Zahlen bezeichnen Fabeln, die kleinen Ziff. rechts oben (z. B. 4191[2]) Gesätze.

2. Beckmesser, Six Chorweise			52, 62, 1500, 1787, 2452, 3372, 3624, 4100	4578	9.
Neuer Ton	1680, 2356, 4552, 4946		479, 1160, 1334, 2108, 2752, 3193, 3816, 4009		12.
3. Beheim, Michel Verkehrter Ton	2759, 2760, 2761, 3080, 4111	2762, 2919, 2950, 2984, 3288, 3570, 3775, 3848, 4176, 4333, 4536, *4751*			17.
4. Betz, Caspar Geflochtener Ton			3488, 3797, 3949, 4216, 4674		5.
Überlanger Ton			4858		1.
Ge-, Verschränkter Ton	3466, 3531, 4132, 4189, 4366, 4503, 4690, 4732, 4734, 4999	4928	3442, 3457, 3484, 3511, 3545, 3561, 3583, 3704, 3749, 3750, 3757, 3889, 3986, 4507, 4607, 4662, 4907 (17)	3458	29.
5. Bogner, Hans Steigweis	4478	812, 2118, 2374, 2793, 2916, 3120, 3235, 3387, 3563, 3971, 4882, 5263 (12)			13.
6. Brennberger Hofton	1, 2, 2357, 2960, 3453, 4071, 4944 (7)	*1776*, 2104, 2870, 3766, 4550 (5)			12.

7. Buchner, Wolff					
Feuerweis	284, 295, 1840, 1909, 2228, 2235, 2435, 2661, 3000, 3009, 3031, 3642, 3993, 4417, 4669 (15)			1789	16.
8. Drabolt, Jeronimus					
Gulden Tagweis			4666		1.
Linder Ton			454, 1610, 2125, 2415, 2460, 3267, 3818, 4070 (8)	1525, 4577	10.
9. Drexel, Baltes (= Friedel)					
Drette Friedweise	1033, 1357, 1460, 2328, 3040, 3088	2474, 3492, 3499, 3859, 3961	946, 1044, 1047, 1165, 1240, 1361, 1557, 1658, 2561, 2614, 2707, 3483, 3505, 3695, 3727, 3745, 3748, 3909, 4292, 4305, 4384, 4453, 4639, 5090	860, 2000, 2607	38.
10. Duller, Raphael					
Krönter Ton	2797		803, 808, 1509, 1764, 1893, 1939, 1994, 2422, 3184, 3542, 3593, 3804, 3870, 3908, 3916, 4372, 4433, 4723, 5040, 5169 (20)	1761	22.
Überkronter Ton			2556		1.
11. Ehrenbot					
Frau Ehrenton	291, 304, 664, 1365, 1366, 1439,	41, 42, 43, 576, 731, 1208, 1921,	44, 155, 506 (3)		

	1671, 1780, 2254, 3923, 4409 (11)	2005, 2517, 2537, 2711, 2920, *3177*, 3461, 4182, 4827, 5436 (17)			
Fürstenton	1794, 1819. 1830, 2069, 2285, 2702, 2705, 3077, 3592, 4123, 4151, 4365, 4895 (13)		3359, 3396, 3432, 4022	1793	31.
Spiegelton	894, 897, 898, 928, 937, 974, 1239, 1391, 1440, 1625, 2184, 2330, 2806, 3246, 3536, 4154, 4742 (17)	899, 901, 903, 950, *983*, 1056, 1107, 1746, *1765*, 1910, 2039, 2176, 2187, 2211, 2389, 2514, 2571, 2641, 2776, 2962, *3051*, 3276, 3348, 3386, 3463, 3516, 3524, 3573, 3793, 3867, 4254, 4325, 4538, 4563, 4652, 4941, 5004, 5053, 5260 (39)			18.
12. Eislinger, Ulrich Langer Ton			232, 233, 1085, 1153, 1166, 1245, 1300, 1315, 1359, 1494, 1598, 1599, 1827, 1952, 2007, 2267, 2391, 2693, 3167, 3179, 3313, 3395, 3479, 3843,	2598, 2601	56.

			3847, 4137, 4358, 4861 (28)		30.
Maienweise	739, 944 1068, 1294, 1629, 1821, 1919, 2173, 2247, 2732, 3013, 3087, 3332, 3598, 4127, 4287 (16)	999, *3976*, *4593*, 4673	1075, 2338		22.
Überlanger Ton			1606, 1636, 1652, 3892, 4191³, 4585³ (6)	1628	7.
13. Enders, Heinrich					
Hirsenweis			4335, 4661		2.
Hornweis	3633, 3910, 4957		3998		4.
Lerchenweis			4508, 4599, 4643, 4670, 4679, 4760, 5230 (7)	4342, 4689, 4716, 4721	11.
Pfauenweis			3675, 4700,		2.
Sommerweis			4445, 4867		2.
Unbenannter Ton			4672		1.
Feitten Ton s.: Veit					
14. Fleischer, Peter					
Löwenweis	3738, 3755, 4622	3426, 3477, 3582, 3638, 3880, 4288, 4564	3415, 3584, 4088, 4663		14.
15. Folz, Hans					
Abenteuerweis	933, 979, 1482, 1604, 2572, 3017	712, 713, 749, 837, 990, 1255, 1824, 1911, *2154*, 2264, *2545*, 2586, 2609, 2728, 2997, *3061*, 3687, 3977, 4387, 4854 (20)			26.

Baumton	2190, 2431, 2925, 3327, 4076, 4494	4932	1457, 1806, 2817, 3817		11.
Blutweis	726, 1380, 1687, 2380, 2636, 3647, 4407, 4902	1984, 3149, 3362, 3879			12.
Chorweis			327, 397, 436, 462, 1332, 3405, 3810, 4075	218, 250, 358, 385, 391, 426, 452, 490, 1078, 1542, 1998, 2147, 2426, 2603, 4555, 4982 (16)	24.
Feyelweis	1846, 3011,	1970, 2272, 2533, 2721, 3148, 3236, 3285, 3370, 3685, *3936*, 4269[1], 4321, 4355, 4356, 4451, 4489, 4795 (17)			19.
Freier Ton	335		51, 178, 244, 274, 300, 321, 326, 394, 464, 472, 500, 551, 553, 554, 577, 672, 682, 982, 1303, 1452, 1632, 1826, 2088, 2313, 2590, 3186, 3773, 4003, 4434, 4618, 4876[1]	2358	33.
Hanenkrat	1267, 1697, 2074, 2324, 2366, 3283, 4036	3716, 4919	4427		10.

Hoher Ton			444, 573, 612, 1210, 1431, 1438, 1486, 1603, 2365, 2618, 2706, 3137, 3201, 3678, 3979, 4319, 4731 (17)	2091, 2605
				19.
Kettenweis				4829	1.
Langer Ton	4038, 4498		205, 206, 230, 312, 1314, 1799, 2403, 2820, 3314, 3819, 4916 (11)	2090
				14.
Passional			71, 2668, 3151, 3382, 3829	4098, 4579
				7.
Schrankweis			255, 256, 392, 569, 1444, 1474, 1481, 1752, 2102, 2167, 2375, 2688, 3116, 3807, 3888, 3900, 4375, 4769, 4842, 4848, 4873, 5031 (22)	2143, 4677
				24.
Strafweise			685, 1475, 1476, 1478, 1709, 2139, 2362, 2686, 3242, 3686, 4192, 4425, 4471, 4596, 5010	
				15.
Teilton (Geteilter Ton)	589, 1466, 1498, 2654, 2763. 2800, 3090, 4710	320, 1108, 1126, 1375, 1565, *1756*, 1905, 2036, 2177, 2218, 2392, 2447,	289, 442, 445, 447	

		2532, 2979, 3574, 3937, 3959, 4326 (18)			30.
16. Franck, Michel					
Gülden Kreuzweis			5406		1.
Junger Ton			5017		1.
17. Frauenlob, Heinrich					
Blauer Ton	1177	772, 1376, 1579, 1969, 2220, 2512, 2723, 2943, 3164, 3555, 3931, 4329, 4850			14.
Blühender Ton	333, 473, 545, 550, 1199, 1409, 2226, 2724, 3211, 3565, 4371	539, 590, 607, 2471, 2907, 3474, 3929 (7)	260, 511, 4634	571	22.
Froschweis	1552, 1688, 2741, 3585, 4050, 4424	1740, 2142, 3308, 4913	1264, 2378, 3607		13.
Geiler Ton	1863, 2053, 2320, 2927, 4118	2498, 3154, 3653, 4303, 4856	1783, 1828, 3904	2116	14.
Grundweise	60, 666, 1268, 1281, 1282, 1308, 1663, 2482, 4509, 4678	603, 814, 939, 1725, 1916, 2050, 2148, 2213, 2563, 2625, 2671, 2771, 2861, 2951, 3147, 3580, 3629, 3636, 3911, 3950, 3987, 4190, 4217, 4261, 4334, 4587, 4983 (27)	4665, 4747		39.
Grüner Ton	1180, 1269, 2021, 2080, 2390, 3070, 3081, 4105,	615, 1374, 1580, 1726, 1968, 2221, 2651, 2866,			

		3460, 3838, 4307, *4749* (12)			20.
Gülden Radweis			200, 393, 440, 460, 493, 2862, 3424, 3800, 4077, 4506	1810, 2135, 2445, 4976	14.
Gülden Ton			30, 282, 552, 3317, 4299, 4703		6.
Hagenblüt	737, 794, 961, 1067, 1293, 1462, 1463, 1618, 1853, 2079, 2286, 2360, 2780, 3550, 3794, 4346 (16)	933, 1443, *1754*, 1946, 2062, 2600, 3036, 3857	2145, 2989, 4691, 4712		28.
(Ge-)krönter Ton			1060, 1510, 1792, 2042, 2421, 2773, 3335, 3721, 4090, 4465, 4958		11.
Kupferton	1197, 1686, 2323, 2734, 2991, 3214, 3994, 4430	*2060*	516, 1520, 3691, 4782		13.
Laiton	1522, 4072		236, 273, 450, 461, 470, 593, 611, 1091, 1328, 1784, 2020, 2354, 2407, 2629, 2704, 2770, 2781, 3257, 3364, 3512, 4945, 5089	4464	25.
Langer Ton	35, 39		382, 1455, 1849, 2112, 2405, 2745, 3274, 3723,		

Neuer Ton			4019, 4461, 4894², 4912 2010, 2245, 2850, 3435, 3825, 4080, 4533	891, 1809	14.
Ritterweise	757, 1179, 1343, 1781, 2018, 2222, 2748, 3243, 4044, 4468, 4879	3761			9.
(Ge-)schwinder Ton	517, 2359, 4048	781, 1655, 1656, 1695, 2043, 2308, 2722, 2986, 3209, 3357, 3661, 3806, 4271, 4748, 4865	261		12.
Später Ton	1464, 1502, 1633, 1866, 2123, 2291, 2733, 4133, 4393, 4759	840, 841, 842, 1999, 2557, 2930, 3170, 3403, 3417, 3622, 3975			19.
Spiegelton	613, 1367, 1619, 3091	1111, 1731, 1914, 2046, 2210, 2495, 2672, 2872, 3341, 3347, 3616, 3683, 3952, 4186, 4327, 4816	492, 503a		21.
Tagweise	4053, 4117, 4971		3115, 3337, 3338, 3770, 4522, 4841, 4906		22.
Überkrönter Ton			3330		10.
Überzarter Ton			249, 258, 259	211, 224, 1790, 1795, 4729	1.
Vergessener Ton	456, 938, 1147, 1173, 1467, 1491,	769, 868, 1729, 1967, 2219, 2646,			8.

	1586, 2078, 2481, 3073, 3244, 3493, 3706, 3710, 3736, 3840, 3874, 3965, 4668, 5005, (20)	4258, 4569, 4696			29.
Würgendrüssel	1182, 1450, 1672, 1864, 2023, 2322, 2692, 2823, 2882, 2926, 3071, 3603, 4388 (13)	3939	159, 1362, 3464, 4099, 4617		19.
Zarter Ton	3284	2412, 4929	1796, 2130, 2767, 3654, 4031, 4390		9.
Zugweise	1667, 3033, 4671	770, 1209, 1373, *1727*, 1971, 2047, 2201, 2480, 2628, 2903, *3049*, 3600, 3630, 3943, 4376 (15)	4180		19.
Friedel, Baltas oder Walthas s.: Drexel					
18. Füllsack, Kunz Reuterton	1040, 1048, 1515, 4060, 4549, 5237	1051, 1713, 1770, 1986, *2225*, 2503, 2622, *2977*, 3166, 4923			16.
19. Gothart, Jorg Loser Ton	3494				1.
G(e)ringsgwant s.: Ringsgwant					
20. Grießer (Grüeser), Hans Verhochter gulden Ton		5938a			1.
21. Hans von Mainz Freudweise			439, 515, 954, 1220, 1705, 2230,	427, 1975	

			2832, 3056, 3271, 3731, 3988, 4270, 4766		15.
22. Hans von Nörlingen Hohe Pluet(Blüht)weis			3869, 4561, 4970		3.
Lange Kornblühweise	4483		5403	4336	3.
23. Harder, Konr. Süßer (senfter) Ton	1001, 1066, 1295, 1471, 1587, 2574, 2740, 3135, 4144, 4575, 4793, 4987 (12)	*744, 1720,* 1977, 2059, *2149, 2207,* 2302, *2494,* 2623, 2899, 3318, 3577, 3928, 4353, 4654 (15)		512	
					28.
24. Heid, Hans Kälberweise	1626, 2317, 2663, 3014, 3709, 4046, 4487, 4628, 4657, 4928	1978, 3146, 3363	625, 1043, 1437		
					16.
25. Herwart, Michel Bloßer Ton			835, 1461, 1693, 1954, 2229, 2827, 3433, 3822, 3878, 4491, 5032, 5153, 5241		13.
Braune Herbstweise			2085, 3926		2.
Deutscher Discubuit			869, 3718		2.
26. Hilprant, Bastian Hohe Morgenweise	4454	*4499*	4473, 4545, 4620		5.
Schlangenweise	4281, 4310		4302, 4314		4.
Trachenweis	3907, 4625				2.
Unbenannter Ton	4576				1.
27. Hopfgarten Langer Ton	3596, 4148	548	3322, 3323, 3342, 3345, 3355, 3732, 3921, 4129, 4338, 4512, 4815		14.

28. Hülzing Hagelweise (Holzweise)	3097	716, 1489, 1571, 1737, 1972, 2306, 2470, 2718, 2843, 3487, 3917, 4183, 4412, 4687			15.
29. Kanzler Gülden Ton	1020, 1021, 1456, 1501, 1874, 1875, 1995, 2075, 2348, 2701, 2995, 2996, 3566, 3989, 4156, 4368, 4369, 4890 (18)	292, 1089, 1125, 3171	443, 3083		24.
Kurzer Ton	5438				1.
Langer Ton	3445, 3446, 3506, 3594, 3844, 4344		4091, 4147, 4580, 4852		10.
30. Ketner, Fritz Frauenton	2933, 3752, 4887, 5224		265, 313, 345, 378, 481, 1344, 1393, 1545, 1836, 2024, 2166, 2208, 2831, 3250, 3899, 4247, 4266, 4667	2261	23.
Hoher Ton	793, 1378, 1674, 1865, 2287, 3924, 4405	786, 1948, 2541, 2719, 2968, 3713, 4872	1207, 3153		16.
Osterweise	792, 829, 1188, 1342, 1523, 1641, 1820, 1920, 2253, 2544, 2736, 3188, 3649, 4398, 4785, 4891		4010, 4140		18.

Paratreien			3152, 4241, 4291, 4296, 4357, 4915, 5094	239, 1785, 2568, 4218, 4293, 4394, 4481	14.
31. Klieber, Jakob (Schlecht) langer Ton			2109, 2311, 2670, 3181, 3776, 4026, 4581	799, 1524, 1742	10.
32. Klingsor Schwarzer Ton	1518, 4416	763, 807, 1202, 1673, 1762, 1913, 2105, 2271, 2496, 2643, 2971, 3042, 3422, 3525, 3631, 3898, 4172, 4609, 4692, 4977			22.
33. Konrad von Würzburg Abgespitzter Ton	4962		1648, 1811, 2394, 2768, 3383, 3828, 4074, 4527	2144	10.
Hofton	1298, 1426, 1692, 2034, 2321, 3095, 3604, 4404, 4758, 4939	1676, 3799	987, 1451, 2874, 4021, 4136	2608	18.
Morgenton	2316, 2785, 3079, 4900	1723, 1739, 2057, 2972, 3699, 3860, 4439			11.
34. Krelein, Paul Mönchweise		2709, 2713			2.
35. Lesch, Albrecht Feuerweise	3333, 4737, 4954	3256, 3258, 3554, 3613, 3660, 3914, 4252, 4511, 4986, 5320	4135		14.
Gesangsweise			271, 344, 409, 1201, 1601, 1613, 2237, 2515,	673, 791, 2099	

			2855, 3269, 3303, 3558, 4032, 4513, 4961		18.
Zirkelweise	1856, 2044, 2172, 2327, 2547, 2934, 2949, 3008, 3084, 4150, 4414, 4828	2725, *3657*	4030		15.
36. Leutzdörffer, Hans Geteilte Krugweise		4551	4525, 4886		3.
37. Liebe von Gengen Radweise	687, 798, 1388, 1678, 2289, 2659, 2842, 3155, 4153, 4347, 5006	714, 752, 815, 1915, *2469*, 3728, 3933, 4449, *4752*			20.
38. Lochner, Christoph Klagweis	3206, 3207, 3261, 3306, 3320, 3344, 3388, 3398, 3995, 4401	3774, *4878*		3183	13.
39. Lorenz, Michel Plüeweis	1039, 1117, 1118, 1151, 1172, 1299, 1320, 1321, 2066, 2205, 2923, 2938, 3045, 4040, 4452		1139, 1964, 2192, 2269, 2349, 2649, 2851, 2937, 3100, 3367, 3475, 3510, 4295, 4598		29.
Plumbweise	1140, 3016		1556		3.
40. Maienschein Langer Ton			157, 231, 246, 268, 314, 384, 402, 540, 1074, 1449, 1602, 1630, 2251, 3204, 3419, 3456, 3792, 4013, 4477, 4863	2098, 2597, 2782	23.

Mainz s.: Hans von Mainz

41. Marner, Ludwig

Gülden Ton	1015, 1233, 1297, 1492, 1608, 2248, 2700, 3086, 3523, 3754, 3996, 4157, 4257, 4460, 4642, 4788	1987, 2511, 3035, 5428	507		21.
Hofton	1025, 1271, 1346, 1418, 1609, 2081, 2191, 2355, 3881, 3886, 4121, 4381, 4636	719, 733, 1112, 1835, 1908, 2209, 2637, 3038, 3517, 3572, *3581*, 4171, 4528, 4950			27.
Kreuzton	1829, 1841, 1993, 3634, 3882, 4364	2041	1771, 2270, 2464, 2655, 2990, 3180, 4120, 4170, 4685		16.
Langer Ton			25, 26, 27, 46, 48, 49, 264, 474, 700, 1526, 1769, 2132, 2398, 2818, 3266, 3812, 4066, 4544, 4894[2], 4926		20.
Süßer Ton	1878, 1879, 1882, 2033, 2120, 2121, 2465, 2664, 2892, 3029, 3331, 3852, 4363	4168	4115, 4857		16.

42. Mügling, Heinrich

Grüner Ton	1184, 1429, 1503, 1508, 2068, 2502, 2660, 2829, 3129, 4367	457, 777, 1831, 1926, 2179, 2216, 3587, 3991, 4505, 4866		20.

Hofton	54, 478, 1389, 1842, 1843, 2249, 2449, 3092, 4370 (9)	498, 499, 1976, 2127, 2708, 2819, 3361, 3562, 3782, 3905, *4181*, 4638 (12)	302, 303, 505, 643, 801, 1000, 1514	495	
					29.
Kurzer Ton	53, 1198, 1354, 1574, 1851, 2913, 3141, 4337, 4444	658, 1981, *2150, 2303,* 2304, *2845,* 3641, 3963	3391, 4316		
					19.
Langer Ton	1519, 1564, 1585, 1640, 2889, 3069, 3074, 3602, 3867	544, 715, 870, 881, 1132, *1134,* 1138, 1158, *1274,* 1631, 1716, 1816, 1932, 1933, 1934, 2215, 2513, 2653, 2828, 3085, 3098, 3645, 4345, 4859, 4894[1], (2828 = Poppe)	169		
					35.
Traumweise	1178, 1860, 1861, 1961, 2273, 2690, 3134, 4027, 4403, 4897	2521, *3763*	626		
					13.
43. Müller von Ulm					
Engelweise			3393, 4268, 4627		
					3.
Schneeweise	4360	4697	3981, 3984, 4997		
					5.
44. Münch von Salzburg					
Chorweise			148, 301, 343, 379, 441, 591, 632, 686, 1052, 1086, 1323, 1547, 2089, 2168, 2416, 2830,		

Langer Ton		287, 365	3005, 3260, 3626, 3803, 4006, 4547, 4600, 4653, 4846		25.
			3438, 3777, 4830		5.
45. Muskatblüt					
Langer (Hof-) Ton	3431	37, 1150, 1430, 1570, 1719, 2012, 2369, 2371, 2624, 2917, 3161, 3485, 3646, 3787, 3941, 3980, 4374, 4524, 4621			20.
Neuer Ton			930, 1804, 2183, 2382, 2467, 3356, 3823, 4079, 4534		9.
46. Nachtigall, Konrad					
Abendton	2368, 2787, 5238	1749, 2138, 3237, 3730, 4925	174, 674, 1477, 4448	4029	13.
Engelweise			5151		1.
(Ab)geschiedener Ton	311, 560, 1087, 1174, 1681, 1844, 2028, 2689, 2691, 4397 (10)	3539, 4187	50, 146, 508, 945, 1327, 2274, 3082, 4020, 4784 (9)	559	22.
Geteilter Ton	2807		294, 308, 331, 558, 604, 605, 661, 1013, 1019, 1080, 1152, 1226, 1290, 1310, 1422, 1423, 1554, 1614, 1659, 2082, 2129, 2203, 2314, 2591,		

			2667, 2772, 2939, 3252, 3373, 3480, 3549, 3590, 3837, 4015, 4275, 4619, 4646 (37)		38.
Hoher Ton	1684, 2342, 2795, 3346, 3656, 4446, 4705		510, 1511, 1760, 2126, 4008		12.
(Kurze) Tagweis	3449, 4312	4455, 4514	4715, 4979, 5081		7.
Kurzer Ton	1382, 1690, 1857, 2242, 2243, 4422	1918, *2717*, 3160, 3349, 3644, *3935*	2910, 4714	774	15.
Laiton			57, 145, 156, 194, 204, 272, 338, 398, 491, 570, 595, 1292, 1301, 1708, 2162, 2334, 2588, 2867, 3162, 3251, 3481, 3514, 3541, 3620, 3765, 4011, 4138, 4428, 4497, 4743, 5033, 5299	170, 1190, 2093	35.
Langer Ton	3106		549, 556, 1194, 1291, 1319, 1505, 1506, 1848, 2009, 2246, 2529, 2576, 2619, 2684, 2815, 2856, 2864, 3057, 3105, 3540, 3588, 3669, 3956, 3983, 4443, 4490, 4633, 4651,		

			4885, 5042, 5301, 5400, 5897		34.
Senfter Ton	1211, 1392, 2333, 2698, 2779, 3708, 4035, 4423	751, 1711, 2534, 3168	280, 341, 513, 4733		16.
Starker Ton			173, 179, 214, 248, 276, 306, 401, 1081, 1521, 1741, 2364, 2757, 2945, 3203, 3238, 3290, 3720, 3997, 4276, 4951	2097	21.
47. Nestler von Speier Unbekannter Ton			161, 223, 1057, 1767, 2335, 2395, 3245, 3785, 4023, 4493, 4876², 4931	2111	13.
48. Nunnenbeck, Lienhard Abgeschieden Ton	601, 730, 796, 1363, 1675, 2032, 2283, 2695, 3378, 4001, 4676		642, 728, 884, 1017, 1699, 3194, 3369, 3490, 4112, 4290, 4594, 4644, 4680, 4721, 4849, 5039 (16)		27.
Gülden Schlagweis			58, 296, 1345, 2451, 3423, 3821, 4640	1801, 2096, 2611	10.
Hemerweise			768, 2777		2.
Kurzer Ton	1839, 2238, 4466, 4903		738, 2106, 3262, 3784, 4069	1803, 2094, 2613, 2783	13.
Langer Ton			1311, 1566, 2458, 2656,		

			3358, 4114, 4562, 4949, 5088		9.
Neue Chorweise			2774		1.
Zeherweise			767, 2336, 2792, 3187, 3791, 4083	1802, 2169	8.
49. Örtel, Hermann					
Laiton			298, 1360, 1372, 1424, 1553, 1555, 1660, 1661, 2083, 2233, 2396, 2483, 2558, 2816, 2897, 3212, 3621, 3915, 4515, 4698, 5200	281, 1187, 3802	24.
Langer Ton			2397, 2434, 2499, 2621, 2833, 3247, 3350, 3814, 4025, 4558		10.
50. Otendorfer (Oberdorfer, Ofendorfer), Kaspar					
(Hohe) Jünglingsweise	2244, 2294, 4093, 4432, 4629	2048, 2232, 2710, 3150, 3694			10.
Langer Ton			2677		1.
Partz s.: Bartz					
Peckmesser s.: Beckmesser					
Peheim s.: Beheim					
Petz s.: Betz					
51. Pfalz von Straßburg					
Rohrweise	583, 585, 831, 1248, 1280, 1402, 1468, 1470, 1507, 1572, 1750, 1959, 2171, 2266, 2479, 2658, 4402	586, 817, 3052, 3498	932, 953, 2838, 4194, 4645		26.
Pogner s.: Bogner					

52. Poppe					
Kreuzton			5399		1.
Langer Ton	1083, 2133, 2293, 3434, 3707, 4052	*1275,* 1704, 2828, 4530, 4898 (2828 = Mügling)			11.
Puechner s.: Buchner					
53. Puschmann, Adam					
Hänflingsweise			4909, 5035, 5277		3.
Klingender Ton			4963, 5082		2.
Kurze Amselweise			6091a		1.
54. Ratgeb, Hans					
Hohe Lindenweise			5418		1.
55. Regenbogen					
Blauer Ton	771, 1176, 1876, 1877, 2128, 2381, 3714, 4049, 4161, 4467, 4901	2673, 3277, 3365			14.
Brauner Ton	1883, 2346, 2764, 3032, 3605, 4395	2019, 2980, 4746	3448, 3999, 4103		12.
Briefweise	1302, 1607, 2252, 2696, 2999, 3213, 3360, 4162, 4400, 4572, 4896	588, 1937, 3652, 3973			15.
Donnerweise	4323, 4500		4510, 4853		4.
Grauer Ton	780, 1183, 1691, 2175, 2347, 2765		262, 316, 318, 1385, 1957, 3002, 3249, 3771, 3948, 4063, 4472, 4740		18.
Gülden Ton	1196, 1396, 2250, 2716, 3692, 4041	718, 1710, 1772, 1988, 2485, 3169, 4435, 4855			14.
Kurzer Ton	283, 596, 756, 795, 1175, 1305, 1442, 1573,	*1730, 1755,* 1917, 2185, *2974,* 3159, 3530, *3934*			

	2051, 2430, 2575, 2742, 4396, 4711 (14)				22.
Laiton	1062, 1664, 2282, 3099		383, 952, 1322, 1513, 1834, 2025, 2865, 3673, 3901, 4142, 4228, 4604	2612	17.
Langer Ton			36, 221, 227, 251, 329, 332, 620, 981, 1247, 1611, 2100, 2204, 2466, 2577, 2878, 3138, 3315, 3719, 3871, 3873a, 4143, 4373, 4744, 4894[4]	1962	25.
Süßer Ton	1026, 1396, 1858, 2339, 2796, 2928, 4059, 4313	*360, 1945, 3805*	1645, 3275, 4664	775	15.
Tagweise	3418, 3595, 4418		3447, 3854, 4116, 4146, 4781		8.
Überlanger Ton			323, 989, 1512, 1774, 2056, 2444, 2837, 3402, 3811	4097, 4559	11.
56. Ringswant, Paul					
Bauernton			1869, 2022, 2376, 2652, 2859, 3195, 3786, 4028, 4541, 4922		10.
Osterweise			766, 827, 1082, 1700, 2052, 2418, 2639, 3278,		

			3628, 3978, 4361, 4770[2], 4956		13.
Versetzter Ton				486, 487	2.
57. Römer					
Gesangsweise	760, 1055, 1246, 1276, 1306, 1317, 1331, 1356, 1395, 1504, 1559, 1832, 2326, 2343, 2419, 2604, 2810, 2811, 2881, 2940, 3064, 3065, 3076, 3108, 3130, 3248, 3465, 3520, 3662, 3877, 4155, 4410, 4940 (33)	542, *575*, *579*, 602, *608*, 680, 758, 1042, 1458, 1703, *1722*, 1922, 2004, 2206, 2379, *2478*, 2678, 2935, 2954, 2964/5, 3047, 3093, 3094, 3132, 3176, 3291, 3375, 3515, 3546, 3609, 4159, 4324, 4681, 5018, (34)	117, 132, 210, 361, 430, 431, 437, 1309		75.
Schrankweise	2401, 2420, 2697, 4007	2918, *3717*, 4438, 4921	3140, 4141		10.
58. Sachs, Hans					
Bewährter Ton	203, 1884[9], 2484, 4655	477	124, 128, 130, 139, 140, 141, 142, 147, 150, 151, 158, 167, 171, 172, 176, 180, 181, 185, 192, 199, 201, 202, 212, 216, 217, 220, 222, 245, 266, 277, 293, 342, 368, 381, 455, 485,	129, 138, 166, 2181	

			724, 988,		
			1014, 1064,		
			1157, 1219,		
			1318, 1398,		
			1445, 1537,		
			1775, 1867,		
			2064, 2163,		
			2275, 2540,		
			2550, 2589,		
			2836, 2876,		
			3198, 3767,		
			3890, 4102,		
			4174, 4301,		
			5030 (63)		72.
Dienstweise	21				1.
Dreizehn Töne	1884				1.
Ehweise	22				1.
Fremde Tagweise	11				1.
Fremder Ton	23				1.
Freudweise	6, 8				2.
Gesangsweise	334, 336,		65, 67, 68,	240, 921,	
	1884[5]		79, 131,	1059, 2161,	
			247, 322,	2581	
			339, 367,		
			374, 446,		
			797, 913,		
			948, 1002,		
			1053, 1090,		
			1216, 1335,		
			1533, 1814,		
			1859, 1941,		
			2113, 2340,		
			2551, 2784,		
			2860, 2893,		
			3004, 3128,		
			3190, 3287,		
			3513, 3535,		
			3575, 4084,		
			4119, 4195,		
			4463, 4601,		
			4688, 4787,		
			4870, 4871,		
			5012, 5025,		
			5148, 5318		57.
Gülden Ton	822, 1098,	4173	24, 28,	1744	
	1099, 1100,		126, 253,		

	1127, 1145, 1146, 1167, 1217, 1242, 1251, 1252, 1260, 1277, 1368, 1530, 1679, 1736, 1884[2], 2027, 2031, 2432, 2731, 2751, 2804, 3400, 3529, 3868, 4110, 4904 (30)	1997, 2197, 2345, 2988, 3003, 3022, 3614, 4340		44.
Herzweise	17, 18			2.
Hofweise	3			1.
Hohe Bergweise		38, 56, 1115, 1116, 1272, 2151, 2450, 2840, 3385, 3795, 4087, 4542		12.
Hohe Tagweise s.: Morgenweis				
Klagweise	9			1.
Klingender Ton	547, 562, 581, 584, 820, 821, 832, 833, 1283, 1364, 1868, 1884[10]	370, 380, 415, 438, 459, 471, 484, 509, 557, 582, 825, 947, 1137, 1538, 1943, 2276, 2538, 2665, 2778, 2841, 2905, 2909, 2987, 3006, 3021, 3197, 3299, 3430, 3527, 3544, 3606, 3677, 3682, 3891, 3895, 4179, 4635, 4727, 5011 (39)	389, 406, 407, 563, 564, 660, 723, 1578, 1743, 2158, 2160, 2539, 2582, 4278	65.

Kurzer Ton	1237, 1341, 1370, 1436, 1490, 1534, 1647, 1884[6], 2280, 2425, 2799, 2955, 3024, 4104, 4126, 4208	*225, 279,* 337, 750, 865, 1110, 1575, *1721,* 1927, 1947, *2061,* 2188, 2510, 2564, *2726,* 3301, 3470, 3586, 3601, 3759, 3896, 4523, 4606, 4943, 5264 (25)	72, 73, 76, 237, 1142, 1417, 4791	208, 2596
				50.
Langer Ton		*74, 371*	115, 116, 149, 193, 207, 235, 317, 670, 671, 676, 853, 958, 968, 986, 1073, 1215, 1326, 1412, 1535, 1616, 1873, 1884[7], 2026, 2117, 2193, 2257, 2852, 3109, 3428, 3712, 4000, 4101, 4479, 4683, 4955, 5041 (36)	121, 2579 2599
				41.
Leidweise	14			1.
Meidweise	20			1.
Morgenweise (Hohe Tagweise)	63, 66, 160, 1884[4], 3427, 4584, 4994, 5424 (8)		64, 81, 1527, 2016, 3340, 3781, 4014, 4175 (8)	209, 226, 776, 1192, 1532, 1973, 2446, 2595 (8)
				24.
Neuer Ton	187, 188, 189, 197		114, 119, 127, 153, 164, 165, 168, 175, 182, 186, 195, 315,	113, 699, 1045, 1421, 1980, 2300, 3521 (7)

			494, 578, 580, 677, 678, 883, 892, 910, 911, 917, 935, 957, 963, 965, 998, 1028, 1036, 1072, 1133, 1162, 1170, 1171, 1266, 1278, 1307, 1312, 1384, 1415, 1419, 1420, 1496, 1536, 1560, 1612, 1884[8], 1891, 2087, 2101, 2202, 2305, 2580, 2616, 2826, 2834, 3072, 3199, 3253, 3384, 3468, 3537, 3538, 3576, 3611, 3625, 3703, 3893, 3967, 4017, 4160, 4196, 4411, 4426, 4456, 4626, 4708, 5008, 5147		90.
Rosenton	(13), 996, 1003, 1005, 1027, 1031, 1034, 1037, 1069, 1076, 1092, 1094, 1096, 1122, 1148, 1168, 1234, 1249, 1397, 1399, 1410, 1413, 1432, 1434,	992, 994, 1007, 1120, 1155, 1257, 1285, 1287, 1324, 1548, 1596, 1900, 2071, *2156*, 2212, 2387, 2413, 2491, 2546, 2566, 2569, 2584, 2592, 2794,	1159, 1218, 1383, 2769, 5170	1193	

	1541, 1550, 1682, 1694, 1702, 1884[13], 1928, 1930, 2029, 2067, 2114, 2351, 2462, 2476, 2500, 2509, 2530, 2535, 2679, 2712, 2739, 2863, 2868, 2992, 3068, 3110, 3324, 3343, 3352, 3353, 3354, 3366, 3532, 3533, 3739, 4279, 4959, 4998, 5075, (63)	2825, 2858, 2888, 2952, 2981, 3019, 3023, 3030, 3044, 3117, 3119, 3124, 3142, 3156, 3325, 3326, 3496, 3548, 3553, 3610, 3740, 3919, 4018, 4163, 4193, 4215, 4269[3], 4332, 4548, 4877, 5051 (55)			124.
Scheidweis	16				1.
Sehnweis	10				1.
Sieben Töne	77				1.
Silberweis	55, 75, 708, 755, 1296, 1348, 1845, 2295, 2373, 2805, 2808, 2821, 3026, 3060, 3739, 3925, 4094, 4177, 4469, 4495, 4516, 4517, 4755 (23)	70, *254*, *565*, 618, 644, 706, *1717*, 2103, 2489, 2490, 2640, 3307, *3404*, 3462, 3744, 4262, 4502, 4935, (18)	29, 696, 929, 2758, 3379	1529, 2001	48.
Sommerweis	12				1.
Spruchweis	845, 847, 854, 856, 858, 861, 862, 924, 1243, 1568, 1884[12], 2037, 2239, 2647, 2822, 3027, 4178,	*839*, 857, 864, 885, 893, 902, 918, 960, *975*, 1128, 1136, 1539, *1745*, 1812, 1935, *2152*, 2383, *2507*,	1416, 3835	843, 920	

	4408, 4790 (19)	2525, 2902, 2914, 2915, 3053, 3054, 3208, 3518, 3559, 4065, 4942 (29)			52.
Tagweise	15, 4197				2.
Trauerweise	5				1.
Trostweise	7				1.
Überhohe Bergweise	1884[3]		1531, 4933		3.
Überlanger Ton	270, 1313, 1884[11]		779, 1186, 1333, 1337, 1338, 1340, 1377, 1540, 1590, 1925, 3185, 3920, 4191[1], 4470, 4582, 4585[1] (16)	2288, 2594, 3789, 4057, 4881	24.
Verwegenweise	19				1.
59. Sechner, Jörg					
Raisig Freudweise			1862, 1953, 2423, 2448, 2755, 3122, 3632, 3756, 4073, 4200[2], 4242, 4730, 4770[1]		13.
60. Schiller, Jörg					
Hofton	969, 978, 1638, 2801, 4611	362, 363, 388, 496, 497, 503, 759, *818*, 1119, 1404, 1718, 1906, 2008, 2045, *2224*, 2384, 2475, 2523, 2632, 3048, 3547, 3760, 3932, 4539, 4824, 5262			31.
Hoher Hofton		4429			1.

Maienweise (Morgenweis)	1634, 2747, 4908	1979, 2241, 2552, 2911, 3392, 3579, 3918, *4437*	4145		12.
Süßer Ton	788, 790, 1204, 1270, 1347, 1353, 1427, 1446, 1639, 1852, 2240, 2798, 2994, 3096, 3845, 4128, 4349, 4745 (18)	2013, 2522, 2676, *2846*, 3157, 3658			24.
61. Schmid, Jeronimus Hohe Gartweise	4107, 4406, 5212		3617, 3670, 3671, 3672, 3676, 3862, 4188, 4284, 4475, 4531, 4605, 4720, 4810, 5026, 5037, 5324	4725	20.
62. Schmid, Paul Hohe Knabenweise			4726, 4838, 4869, 5001, 5313	4694	6.
Neue Blumweise			5016		1.
Verschieden Ton	4792		4809, 5339		3.
63. Schneider, Mathes Erwelter Ton			5426		1.
64. Schrot, Martin Narrenweise			3118, 3123, 4130, 4519		4.
Schrotweise	3440, 3441, 4707	3627	3113, 3339, 3945, 4285, 4656		9.
65. Schwarz, Hans Vermonter Ton			606, 1479, 1480, 2424, 2839, 3255, 3826, 4081, 4574	2136	10.

66. Schwarzenbach, Onophreus					
Fröhliche Morgenweise			5261		1.
Grober (grauer) Ton			4647		1.
Hoher Ton			4839, 4864		2.
Kleeweise			4768	4566	2.
Kreuzton			5401, 5402		2.
Maienplümweise				4648	1.
Mohrenweise			3886, 4184, 4521		3.
Neuer Ton			3798, 4185, 4520, 4953		4.
Paratweise			4773, 4847		2.
67. Schweinfelder, Bastian					
Abgeschiedener Ton			3007, 3015, 3055, 3351, 3684, 3894, 4134, 4248, 4436, 4592, 4675, 4875, 5014, 5029, 5036, 5175		16.
68. Sieghart					
Pflugton	811, 830, 888, 1472, 1584, 1838, 2284, 2869, 3126, 3270, 3319, 3737, 3741, 3841, 3883, 3903, 4282, 4341, 4348, 4597	1447, 1990, 3497, 4283, 4328		2607	26.
69. Singer, Caspar					
Freier Ton	4061	*2973*	2853, 3334, 3416, 3830, 4984		7.
Heller Ton			1018, 3439, 4131		3.
Langer Ton			257, 1872, 2140, 2400, 2754, 3192, 3779, 3902, 4109, 4543, 4934		11.

Lieber Ton	69, 1624, 4055, 4485, 4985	717, 2070, 2372, 2802, 3259, 3722, 4914			12.
Schlechter Ton	1881, 2189, 3420, 4969	3780, 4064	40, 346, 2404, 2857		10.
70. Spörl, Jörg Dankweise				5128	1.
71. Stilkrieg, Lorenz Steigweise		962, 1643, 1651, 1654, 3450			5.
Überlanger Ton			4695, 4699		2.
72. (Alter) Stolle, Stephan Alment	762, 810, 971, 1261, 1582, 1837, 1960, 2084, 2263, 2645, 2657, 2946, 3087, 3864, 4122, 4359, 4571, 4739	761, 970, 2063, 2524, 3112, 3560	3103, 3202		26.
Blüt-(Blut-)ton	1358, 1714, 2505, 3866, 4106, 4420	1759, 1992, 2304, 2687, 2873, 3111, 3374, 3615, 3643, 4056, 4615	3726, 3746		19.
73. (Junger) Stolle Hoher Ton	278, 722, 1516, 1698, 1870, 3172, 3688, 4149, 4399, 4892	2730, 2978, 3849	2134		14.
74. Tannhäuser Hauptton			263, 3436, 4139, 4975		4.
Hofton	972, 1084, 1497, 4152, 4362	242, 805, 806, 836, 890, 1109, 1238, 1558, 1728, 1747, 1903, 2180,			

			2214, 2406, 2461, 2627, 2848, 2871, 3039, 3377, 3381, 3569, 3790, 3972, 4860		30.
Traibolt s.: Drabolt					
75. Ungelehrter Langer Ton			4292, 4565, 4684		3.
Schwarzer Ton	1124, 2119, 2281, 2361, 2947, 3467, 3648, 3863, 3873, 4459, 4738	1408, 2635, 3043, 4315	475		16.
76. (Bruder) Veiten Ton	351, 534, 662, 663				4.
77. Vogel, Hans Drei Töne	2065	2268	2399		3.
Engelweise			1623, 1650, 1653, 1701, 1833, 1938, 2165, 2198, 2260, 2310, 2325, 2350, 2429, 2473, 2528, 2615, 2681, 2894, 2901, 2906, 2908, 3058, 3136, 3200, 3279, 3286, 3305, 3406, 3443, 3459, 3476, 3508, 3543, 3557, 3591, 3619, 3801, 3938, 4250, 4287, 4300, 4658, 4659, 4724, 4811, 4822, 4868	2164	48.

Frischer Ton	2746, 4450	1989, 1991, 2040, 2199, 2268², 2439, 2559, 2674, *3528*, 4918	2459, 3268, 4089	
				15.
Gefangen Ton			2555, 2565, 2790, 2890, 3263, 3824, 4570, 4660, 4874, 5174	4062
				11.
Glasweise	1061, 2086, 2341, 2703, 3597, 4389, 4899	3174	1808, 4012, 5265	1058
				12.
Hundweise	2880, 3421, 3858, 4413	2296, 2847, 3856, 4701		
				8.
Jungfrauweise	2803, 3012, 4124, 4306	2560	4973	
				6.
Klagweise	2875, 3282, 4067, 4972		2879, 2891, 3827, 4518	
				8.
Kurzer Ton	1241, 1617, 2441, 3608, 3650, 4167	1273, *1753*, 1773, 1902, 2006, 2520, 2675, 2735, *2844*, 3028, 3897, 4331, 4458, *4750*, 4761, 5127	2262	
				23.
Langer Ton			2231, 2694, 3254, 3808, 4086, 4553, 4960, 4996	
				8.
Lilienweis	2331, 4039, 4392	1798, *1807*, 1817, 1818, 1966, 2234, 2268³, 3173, 3182, 3659, 4269²	1797, 1958, 1985, 2015, 2337, 2402, 4650	
				21.
Rebenweise	1847, 2352, 2438, 2442, 2456, 2644, 2922, 4158	1956, 2453, 3144, 3762, 3985, 4309, 4317, 4378, 4612	1822, 1823, 2279, 2367, 2620, 3796	
				23.

Sauerweise	855, 1065, 1850, 2072, 2344, 3067, 3233, 4051 4501,	2750, 3764, 4920	859		
					13.
Schallweise	2809, 2931, 3265, 4092, 4556	*3769*	4637		
					7.
Schatzton	1620, 1621, 1622, 1649, 2877, 3175, 4042, 4125, 4889	2049, 2312, 2506, 2634, 3502, 3507, 4352			
					16.
Schwarzer Ton	1892, 1898, 2058, 2455, 2631, 2638, 2849, 3063, 3131, 3735, 3742, 3751, 3906, 4383, 4540, 4631	1899, 2200, 2268[1], 2440, 2454, 2824, 2983, 3034, 3501, 3571, 4166, 4330	2472		
					29.
Strenger Ton	2277, 2744, 2786, 3189, 4045, 4273	3768, 4930			
					8.
Süßer Ton			887, 1955, 2073, 2258, 2278, 2791, 3264, 3564, 3964, 4568, 4818, 4845, 5038, 5319		
					14.
Überlanger Ton			1715, 1732, 2516, 3578, 4191[1], 4585[2], 4702		
					7.
Verwirrter Ton			2898, 3425, 4085, 4537, 4823	3788	
					6.
Vogelweise			1595, 2433, 2562, 2789, 3414, 3820, 4068, 4200[1], 4496, 4586,	2170	

			4591, 4632, 4770[a]		14.
78. Vogel, Michel					
Drei Töne			4024		1.
Harte Steinweise			3681, 3758		2.
Hopfenweise	4095, 4573	3519, 3637, 4917			5.
Lange Feldweis			3651, 4200[a]		2.
Starke Osterweise	4054		4304		2.
Überlanger Ton			4722		1.
Unbenannter Ton	5243				1.
Unverkehrter (hoher) Ton			3865, 3947		2.
Zornige Morgenweise			4529		1.
79. Vogelsang					
Gülden Ton	215		228, 229, 269, 297, 310, 347, 574, 683, 1195, 1349, 1706, 1895, 2428, 2753, 3125, 3127, 3778, 4033, 4164, 4289, 4736, 4844, 4876[a]	241	25.
Walthas s.: Drexel					
80. Walther (von der Vogelweide)					
Feiner Ton	2410, 2729, 3037, 4379, 4952	2408, 2411, *2486*, 2642, *2900*, 3050, 3241, 3316, 3471, 3551, 3850, 4583, 4682, 4978	3139, 3329, 3390, 4108		23.
Kreuzton		2912	359, 1637, 1779, 1944, 2256, 2468, 3078, 3715, 4005, 4385, 4462, 4884 (12)	773, 985, 1235, 2146, 2174, 2487, 2488, 2602, (8)	21.
Langer Ton			330, 408, 453, 1212,		

		1336, 1484, 1493, 1707, 2077, 2318, 2669, 2896, 3163, 3772, 4002, 4486, 4862			17.
81. Wenck, Balthasar					
Kleeweise	3839	*2956, 2958,* 2959, 3165, 3599, 3725, 3875, 4377		4713	10.
82. Wesel, Lorenz					
Zankweise		4484			1.
83. Wild, Bastian					
Gülden Schlagweise		4718			1.
Jungfrauweise		4719			1.
Krönter Ton		4613			1.
Nasse Gesangsweise		4610			1.
Überlanger (ewiglanger) Ton				4717	1.
Wilder Ton		4614			1.
84. Wirt, Kaspar					
Lange Schlagweise		3552, 5300, 5323, 5326, 5376			5.
85. Wolfram (von Eschenbach)					
Flammweise	977, 1191, 1763, 4819	778, 1448, 1657, 1983, 2290, *2519,* 2633, *2963,* 3145, 3623, 3942, 4431			16.
Gülden Ton	804, 809, 914, 936, 959, 1253, 1254, 1352, 1401, 1473, 1665, 1855, 2003, 2122, 2223, 2443, 2714, 2884, 3178, 3399, 3401, 3711,				

	4037, 4441, 4704				25.
Hönweise	725, 1379, 1453, 1689, 1880, 2743, 2749, 3635, 4311	616, 617, 641, 785, *1135*, 1403, *1748*, 1904, 1996, 2217, 2315, 2393, 2626, 3001, 3158, 3302, 3310, 3444, 3568, 3724, 3927, 4616, 4693, 4709 (24)	369		
					34.
Kreuzton	955, 956,			985, 2487	4.
Kurzer Ton	679, 690, 943, 1304, 1589, 1666, 2017, 2255, 2427, 2737, 2813, 3336, 3922, 4165, 4382, 4797 (16)	694, 1316, *1758*, 3046, 3612, 4546	1495, 2107, 3371		
					25.
Langer Kreuzton	813, 1394, 1459, 1662, 1854, 2002, 2236, 2662, 2883, 3133, 4391, 4794	2186, *3729*, 3853, 4169	1263		
					17.
Langer Ton	34		1800, 2182, 2417, 2788, 3380, 3815, 4078, 4560		
					9.
Vergolter Ton	597, 754, 1163, 1284, 1386, 1454, 1685, 2720, 3851, 4419 (10)	675, 1724, 1982, 2035, 2265, *2518*, 2985, *3041*, 3496, 4488, 4883 (11)		984	
					22.
86. Zorn, Fritz Grefferey	681, 819, 826, 1189, 1355, 1465,	3311, 3312	514, 1262		

	1777, 1778, 1907, 2329, 3368, 3705, 3887, 4207, 4706			19.
Unbenannter Ton	4888	177, 275, 1203, 1350, 1712, 2437, 2814, 3104, 3107, 3813, 3990, 4047, 4264, 4274, 4351, 4504, 4603, 4641, 4728, 4808, 5003, 5149	2095	
				24.
Verborgener Ton		154, 299, 309, 324, 458, 566, 567, 721, 1181, 1289, 1577, 2076, 2227, 2307, 2543, 2617, 2756, 3240, 3783, 4016, 4350, 4756		
				22.
Verhohlener Ton	45	111, 112, 143, 152, 162, 163, 183, 184, 190, 191, 305, 328, 377, 404, 466, 476, 504, 824, 1050, 1351, 1646, 1668, 2436, 2683, 2904, 3102, 3589, 4034, 4297, 4630	1963, 3509	
				33.
Zugweise		31, 125, 144, 234, 252, 307,	1974	

			319, 325,	
			387, 395,	
			502, 568,	
			1200, 1371,	
			1488, 1644,	
			2259, 2319,	
			2650, 3304,	
			3639, 3668,	
			4004, 4298,	
			4649, 4840,	
			5000	28.
87. Zwinger, Peter	2332, 4058	2092, 2775,	1265, 1805	
Hofton		3309, 3747,		
		4457, 4927		10.
Roter Ton	80, 2548,	765, 912,		
	3075, 4096,	1054, 1441,		
	4277, 4735	1485, 1625,		
		1768, 2011,		
		2178, 2309,		
		2497, 2666,		
		2885, 2942,		
		3010, 3321,		
		3472, 3495,		
		3522, 3567,		
		3930, 4354,		
		4786, 5235		30.

Die Übersicht lehrt uns vieles.

Ungefähr in der Hälfte dieser MG haben Name und Inhalt des Tones nichts Gemeinsames, wie gewöhnlich bei den Meistergesängen. Wo es doch geschieht, mag Freude an Scherz und Spiel Hans Sachs dazu geführt haben, einen Zusammenhang herzustellen. Darum finden wir diesen auch häufiger in weltlichen als in geistlich-biblischen Gesängen.

Mehr oder weniger deutliche *Anklänge* sind zahlreich. So handelt Bastian Hiltprants hohe Morgenweise 4499 (Ausgabe Goetze-Drescher 923) vom Lob des Fliegens, und Hopfgartens Langer Ton ist, wie andere «Lange Töne», geeignet für eine lange Geschichte, wie z. B. Schwank 548 (31); in Hans Hülzings Hagelweise kommen Unglück und Verderben wie Hagelschlag, und stets ist da jemand auf dem Holzwege, denn sie heißt auch Holzweise; so in den MG 716 (58), 1489 (171), 1972 (276), 2306 (378), 2470 (404), 2718 (490), 2853 (512), 3487 (693), 3917 (822), 4183 (866), 4412 (910), 4687 (957) und in der Fabel 1737 (211), aber der Stromschluß ist verschieden gut. – MG 3631 (753) in Klingsors Schwarzem Tone lockt der Nigromanticus aus Lyon die Katzen mit Zauber. – Über Frauenlobs Blauem Tone schwebt etwas wie ein blauer Dunst. Contes bleus. Man müsse den Schein wahren: MG 772 (76); 1376 (165) unterscheidet zwischen Schein und Tatsache, Vers 46 im MG 1579 (179) lehrt «Also manch man grausam erscheint», ohne es zu sein, MG 2512 (424a) macht der Poet dem König einen blauen Dunst vor, MG 2723 (494) der Sprecher den Bauern, MG 2943 (543), Eulenspiegel dem Grafen von Anhalt; MG 3164 (620) handelt vom «schentlich liegen»; die Lehre von MG 3555 (719) ist «Darůmb sol noch kain mensch so thůmb / Gottes wercken nach grůnden» – der Schein genügt. MG 3931 (829) bringt der Traum den Mönch ins Elend, Vers 45 f. heißt «Also wer helt auf traůmes kůnst, / Macht der dewfel ein plaben důnst». Diesen macht MG 4850 (975) der Edelmann den Städtern: Eselfleisch ist nicht Hirschfleisch, «has vnd vngůenst / Oft machet aim ain plaben důnst» (45 f.); wie die Juristen MG 1969 (273). – Alle MG in Kanzlers Güldenem Tone bringen vornehme Leute, 292 (12) die Venus, 1089 (126) den «prunczet edelman», 1125 (135) handelt von «pischoff vnd fürsten», 3171 (626) vom Bischof. – Auffallend ernste Töne mit hoher Moral finden wir in allen MG mit Heinrich Frauenlobs Hagenblut; sie haben Plutarch oder die Emblemata des Alciatus als Quelle, sie warnen und geben Lebensregeln. Bei Frauenlobs Zugweise mag Zug die Bedeutung Winkelzug, Kunstgriff haben. – MG 4511 (926) in Albert Leschens Feuerweise läßt sich ein Weib ein Teufelskleid machen, «das / det auch ausspeien feuer». – In Michael Beheims Verkehrtem Tone leisten die Diebe MG 2984 (565), 24 einen «verkerten aid», und in allen diesen zehn MG geschieht stets etwas verkehrt: 2762 (501) deckt der Narr das verkehrte Vorhaben des Fürsten auf, 2919 (538) gibt der tolle Knecht sein verkehrtes Vorhaben auf, 2950 (544) gewinnt Eulenspiegel durch seine verkehrte Haltung vor dem Altar die Wette, 3288 (644) spielen zwei Schälke einander einen Streich, die Bäuerin 3570 (727), hat einen verkehrten Wunsch, der Landsknecht 3775 (795) sieht das Verkehrte seiner Tat ein, der Fuhrmann 3848 (805) aß aus Versehen das «zöllein» aus dem «ars» des Kindes; bei der mit Willen vergewaltigten Hausmaid 4176 (863), bei der belauschten buhlenden Maid 4333 (897), in der Antwort des Ochsen an den Wolf 4751 (968), immer geschieht etwas verkehrt. Aber 496 (23) «Der verkert pawer» ist in Schillers Hofton geschrieben! – MG 4856 (978) im Geilen Ton Frauenlobs heißt es Vers 15 vom Edelmanne «Den sein Gai(l)hait pezwunge». – In Frauenlobs Schwindem Tone MG 3661 (768) «det (das pferd) schwind zůmb dreck schmecken», «Drumb wo eylent / Noch ainer rent / Spricht man: der lauft eim schůester gleich». «Ach wie pin ich in meines herczen grůnde / So sendiclich verwůnde» beginnt das Liebesduett MG 603 (407) in Frauenlobs Grundweise; Hans Sachs verwendet sie ganz frei, MG 814 (86) meint den eigentlichen Grund der Zärtlichkeit der Bäuerin, MG 939 (113) den des Verhaltens des Diogenes, MG 2633 (464) den der Heimkehr des jungen Bauers, MG 2861 (518) den der 52 Wiegen, MG 2951 (545) den Grund, warum Dieb Dieb bleibt. Weshalb folgt MG 3580 (734) der Bettler nicht dem Rat? Warum will die einzahnige Achtzigjährige der Sache auf den Grund gehen im MG 3911 (820)? Überall öffnen sich Abgründe in der Menschenseele, MG 1916 (253) beim betrügerischen Vormund, in den MG 2625 (459), 2771 (502), 3931 (829), 4190 (869), 4587 (943), 4983 (1010), man liebt die Wahrheit nicht, gibt dem Teufel schuld statt sich selbst; MG 3929 (751) ist ein Traum Grund für alles. – Und mit Heinrich Frauenlobs Spiegelton ist es wie mit dem des Ehrenboten; MG 2672 (477), 24ff. heißt es «Im buch der alten weisen stat, / Das daran man ein spiegel hat, / Weil mancher mensch auch ander leut wil schmehen, / Vnd wen er sich selber ansech, / Fünd er vil mer, das im geprech». So sollen auch MG 1111 (131) der Schwindel mit dem Testament und MG 3347 (660) der mit dem Bettel der Mönche ein Spiegel sein. – Des Ungelehrten Schwarzen Ton treffen wir wie in MG 1408 (162) in MG 2635 (466), wo «der ain gsel sprach ‚Die schwarczen kunst / Kan ich der zawbereye‘».

Manche Töne verwendet Hans Sachs *ironisch*-scherzhaft, und zwar besonders in den Schwänken. So Brennbergers würdigen «Hofton» zwölfmal, ernst siebenmal bei Erzählungen und fünfmal bei Schwänken: von jenen sind zwei früheste Buhllieder, eine ist nicht erhalten, und die vier restlichen handeln von König Sueno (MG 2357), von Kaiser Constantius (MG 4071), von König Romulus (MG 4944) und – vom Einhorn (MG 3453), also vornehmen Leuten. Aber die fünf Hofton-Schwänke erzählen ironisch vom Bauer, der Bäuerin, dem Schmied, von Bär und Adler und einer Tochter. Hier wirkt der feierliche Hofton ironisch. – Hans Vogels Lilienweise benutzt der Dichter in den drei Erzählungen vornehmen Inhalts in gleicher Weise: «Als Aristotimus regirt» (MG 2331), «Tiranney des kaiser Theodosii» (4039) und «Esculapium schlug der doner» (MG 4392). Aber von den elf Schwänken sind die starke Hälfte gar nicht lilienhaft, MG 1807 (232) handelt vom «faist schwein mit dem fuchs», MG 1966 (270), 3173 (627) sind Prügelszenen unter Bauern, 3182 (631) heißt «die vol rot» («Zwainzig gselen sasen peim wein»), 3659 (766) erzählt von süßer Liebe im übel riechenden Taubenschlag, 2268³ (370³) ist «Der sechsisch pierthurnier» und 4269² (878) «der scheisend schueknecht». Alles ironisch in der Lilienweise. – In 13 Erzählungen braucht Hans Sachs den Süßen Ton Marners bei Metamorphosen, Freundschaft, Treue, «starck getrew lieb», Jammer des Juden usw.; aber im Schwank 4168 (858) ironisiert er die Süße: «Die mueter kuplet dem pfarer die tochter». – Ähnlich die acht Erzählungen in Regenbogens Süßem Tone, wogegen im Schwank 1945 (265) «Cupido mit dem hönig» spöttisch das Unsüße im Süßen gezeigt wird. – Und im Süßen Tone Hans Vogels schrieb Hans Sachs den biblischen MG 2791 «Der sauerteig». –

Im MG 3577 (732) «Der dewffel mit des pfeuffers sel» im Süßen Tone Harders spricht der Teufel Vers 35 f. «Des pfewffers gaist / Schmeckt gleich wie menschen kot». – Des Ehrenboten Frau-Ehrenton braucht er 31mal. Zu Ehren der Frau die MG 44 «Ave maris stella», 41 (4) Gismunda, 42 (5) Constancia, 43 (6) Andreola, alle aus dem Jahre 1516; sodann die brave Frau in den MG 731 (62), 3461 (683), 2005 (295); die Ehe als Friedensmittel 2711 (487), die keusche Jungfrau Brasilla 1365, die «perawbt edelfraw aus Casconia» 4182 (865), Cloelias «erlich dat» 4409; daneben einige frauenlose, dann aber leicht ironisch die listige Frau 576 (34), 3461 (683), 4827 (974), die neugierige Mutter des Papirius 1921 (256), und endlich finden wir diesen ehrbaren Ton stark ironisch mit Schweinereien in Schwänken wie 2537 (438) «Der alt scheyßer» und 2920 (539) «Ewlenspiegel schais auf den disch». – Vom Spiegelton des Ehrenboten sagt Karl Goedeke (Dichtungen von Hans Sachs I, XXXVI), er sei an sich ernst und würdig, werde aber mit Vorliebe für heitere, z. T. derbe Schwänke gebraucht und müsse durch den Gegensatz zum Stoffe dessen Wirkung verstärkt haben; eine große Zahl beabsichtige diesen Zwiespalt zwischen Gegenstand und Melodie. In der Tat hat Hans Sachs von den 56 Liedern im Spiegelton des Ehrenboten nur 17 mit ernstem Inhalt, die einen Spiegel der Natur (z. B. die MG 974 und 1239) oder des Menschen bilden. Die andern 39 wirken ausnahmslos scherzhaft oder wie 5053 (1015) «Des hantwerck schantlappen» ironisch. – Hoftöne nun hat er in sieben Formen gedichtet. Der Konrads von Würzburg ist recht würdig; von den 18 Baren erzählt die Hälfte Taten vornehmer Leute: MG 1298 Hannibal, 1692 Jugurtha, 3095 Landesherr Hasmundi, 4404 Herkules, 4758 «der mechtig künig Arcturus», 4939 der «weibisch künig Sardanapalus», 987 und 1451 König David, 2608 Gott, 3799 vornehme Bürger, 4136 Märtyrer usw., ganz ohne Gegensätzlichkeit; wohl aber im Schwank 3799 (801) «Die purgerin im korb»! – Von den 27 Hofton-Liedern Marners sind 13 ernste Erzählungen und 14 Schwänke; jene behandeln auffallenderweise nur Respektspersonen, von denen die Hälfte Fürsten sind: MG 1418 künig Clearchus, 1609 Ulisses, 2081 künig Cleomenes, 2355 künig Kanutus, 4121 pischoff Stephanus und 4381 Herkules; auch die andern sechs sind gehobenen Standes, Weise, Römer, Griechen, Städter und – Engel. Aber die 14 Schwänke spielen (mit Ausnahme von MG 1908 = 247 «Der doctor mit der nasen») in untern Ständen bei Köchinnen, Abenteurern, Mönchen, Eulenspiegel, Schwab und Bayer, Webern, Seilern, Glasern, Wagnern und Bauern. Also wieder wird bei den Schwänken ein steifer Ton ironisch verwendet. – Das Gleiche beim Hoftone Müglings. Von den 21 weltlichen MG sind neun Erzählungen und zwölf Schwänke; jene erzählen von einer Herzallerliebsten, von Philosophen und von Menschen, die in Tiere verwandelt wurden, die Schwänke aber von Bauern, Krämern, Eseltreibern, Bäuerinnen, Schneidern usw.: wieder

Nichtübereinstimmung von ernstem Ton und schwankhaftem Stoff zur Erhöhung der Heiterkeit. – Der feierliche «Lange Ton» oder «Lange Hofton» Muskatsblüts findet sich in der einzigen Erzählung MG 3431 «Veretrey der stat Praunschweig», die 19 andern MG sind Schwänke mit einem sehr gemischten Publikum, ganz unfeierlich. – Seinen eigenen Hofton verwendete Hans Sachs nur in der Erzählung «Venus der lieb ein künigin» (3). – Auch bei den 31 Hofton-Dichtungen Jörg Schillers ist hierin ein Unterschied zwischen den fünf Erzählungen und den 26 Schwänken sichtbar: dort vornehme heidnische Frauen und Männer, Scipio usw., hier Bauern, Narren, Pfaffen (MG 2008 «Der pfaff schais mitten int kirchen» – im Hofton!). – In Tannhäusers würdevollem «Hofton» finden sich 30 Lieder. Fünf davon sind Erzählungen mit dem Meergotte Protheus (972), dem «künig Pirrus» (1084), dem «gekrönt jüngling Trebonius» (1497), dem «füersten Hipacratis» (4152) und «Hecate, der helisch göttin» (4367); aber in den 25 Schwänken wimmelt es bunt vom listigen Neidhart, Eulenspiegel, von Narren und Pfaffen bis zum «unhöflich pawer» MG 2461 (402). – In Walthers Kreuzton dichtete Hans Sachs 21 MG, wovon 20 biblisch fromme. Wie sticht da der einzige Schwank 2912 (532) unfromm ab, «Die prunczet pewerin». – In Baltas Friedels (Drexels) «dretter Friedweise» endlich sind von Hans Sachs 38 MG vorhanden, davon 27 mit biblischen Stoffen; sie wie auch die sechs Erzählungen weltlichen Inhalts sind fast ausnahmslos friedlich, von diesen letzten MG 1357 «Die sieben alter des menschenlebens», 1460 «Veturia die getreue und weise Römerin», 3040 «Die vier feint des friedes» und 3088 «Künig Sueno mit dem pischoff Wilhalm», aber ironisch die beiden MG 1033 «Der dotschleger Xerxis» und 2328 «Künig Hella fraßen die raben»; auch der einzige Schwank 3859 (811) «Die hand aus dem grabe, ein erschröcklich geschicht von der kinderzucht» ist in Form und Inhalt gegensätzlich-ironisch, was vielleicht zeigt, daß der Dichter den Aberglauben nicht ernst nahm. Oft lacht aus den Augen des Schulmeisters und Predigers Hans Sachs der Schalk! – Wenn er MG 3675, 4700 die Pfauenweise des Heinrich Enders braucht, will er etwa in der «Disputacio des volckes ob Christo» nach Ev. Johannis Kap. 7 das hochmütig dumme Volk geißeln und in den «6 we über die phariseer» deren Hochmut? – Ironisch sind die drei Töne in MG 4269 (878) «Ein stinckend par in 3 wolschmecketen thönen (Der scheisent schůeknecht). Das 1. gesecz: In der feielweis H. Folzen. Das 2. gsecz: In der lilgen weis Vogels. 3. Im rosenthon Hans Sachsens.» – In Fritz Ketners Frauenton dichtete er MG 2933 «Das wildhawend schwein»... – Ein ganz zierlicher Ton ist die «hohe Jünglingsweise» Caspar Ottendorfers des artigen Schwankes MG 3694 (772) «Das peichtend nünlein», aber auch des Schwankes MG 2048 (311) «Der münich mit der saw». – Ironisch ist auch MG 4360 «Ampedolces verprent sich» in der Schneeweise Müllers von Ulm und gewiß auch MG 1840 «Phebus erscheust Coronem» in Wolff Buchners Feuerweise. Und wie im Schwank MG 1970 (274) «Der narr mit dem wintmachen» in Hans Folzens feyelweis der Kardinal erhitzt von der Jagd heimkommt, befiehlt er dem Narren, Wind zu machen; der Narr «hueb auf das recht paine / Vnd det ein lauten schais im sal, / Das er gab ainen widerhal» (Vers 26ff.).

In Hunderten von Fällen ist aber ein Gegensatz zwischen Ton und Inhalt nicht oder wenig sichtbar. Dann ist es ein reizvolles Spiel, zu fühlen und zu finden, wo Harmonie ist, und wo sich Form und Geschehnis nicht decken sollen zum Scherz und zur Bildung einer Ironie. Auch ohne Melodie; denn diese ist meistens unbekannt, und wo sie vorliegt, ist sie nicht jedermann leicht zugänglich. Ich möchte sagen: wer dieses Spiel kann, kennt Hans Sachs.

Sehr oft aber stoßen wir auf eine *wirkliche Übereinstimmung* zwischen dem Namen des Tones, dem Titel des MG und dessen Inhalt. Zum Vergleich führe ich diese MG an, Erzählungen (E), Schwänke (Sch) und geistlich-biblische (B), nach Übersicht S. 34ff.

1) Buchner, Wolff. Feuerweise. 1909. Die verprent stat Saguntum (E).
2) » » » 2228. Camilli fewerschlacht (E).
3) » » » 3031. Die drey im dotten-fewer (E).
4) » » » 4417. Der kost par verprent tempel zu Epheso (E).
5) Ehrenbot. Frau-Ehrenton. 1365. Brasilla die kewsch junckfraw: «Hört zu ain erenkewsche dat» (E).
6) » » 4409. Erlich dat der römischen maid (E).
7) » Fürstenton. 1794. Die drey flüchtigen füersten (E).
8) » » 1819. Die drey getrewen fürstin (E).
9) » » 1830. Drey ungluckhaft füersten (E).
10) » » 2069. Der thirann Phrahartes (E).
11) » » 2285. Der arg kaiser Cajus Caligula (E).
12) » » 2702. Der gros wucherer Cleander: «Als kaiser Comodus regirt» (E).
13) » » 2705. Leben und ent des kaisers Vitelli (E).
14) » » 3077. Künig Sueno lest sein vater umpringen (E).
15) » » 3592. Die Juden mit des kaisers piltnus (E).
16) » » 4123. Der verprent tempel Jouis: «Als Theodosius regirt» (E).
17) » » 4151. Der teuer füerst und hauptman Epaminondas (E).
18) » » 4365. Regina ein künigin Libie (E).
19) » » 1179. Die ritterlich junckfraw Camilla (E).
20) » » 3396. Sechs gotlos künig Israel (B).

21) Ehrenbot. Fürstenton. 3432. Elisa mit König Benhedat und Hasa (B).
22) » » 4022. Prophezey wider den fürsten Gog (B).
(Ähnlich MG 1793, 4895 u. a.)
23) Fleischer Peter. Löwenweise. 3738. Die kaiserin mit dem leben (E).
24) » » » 3426 (680). Des leben guetige natur (Sch).
25) Folz, Hans. Baumton. 2925. Drey jungfrawen werden zu erlbaumen (E).
26) » » » 1459. Die drey cristlichen paum (B).
27) » » » 1806. Der guet und pos paumb (B).
28) » » Blutweis. 726. Silla der mordisch Römer (E).
29) » » » 2636. Die pluetigen doten payn (E).
30) » » » 4407. Das pluet opffer Dione (E).
31) » » » 3879 (814a). Die drey hencker (Sch).
32) » » Passional. 2668. Die frucht des leiden Cristi (B).
33) » » Strafweise. 4425. Straff der junckfraw schwecher (B).
34) Frauenlob. Blühender Ton. 3565. Das plüent felt (E).
35) » Froschweise. 3585. Die pawren in frösch verkert (E).
36) » » 1740 (213). Der frosch mit dem ochsen (Sch).
37) » » 2142 (329). Der untrew frosch (Sch).
38) » » 1264. Die frösch pharaonis (B).
39) » Ritterweise. 757. Der ritter Hanibal wider die Römer (E).
40) » » 1179. Die ritterlich junckfraw Camilla (E).
41) » » 2018. Drey ritterlich spruech künig Pirri (E).
42) » Spiegelton. 613. Der herzen-spiegel (E).
43) Friedel. Dretta Friedweis. 3040. Die vier feint des friedes (E).
44) Gotthart, Jorg. Loser Ton. 3494 (694). Drey los person (Sch).
45) Heid, Hans. Kälberweise. 625. Das gulden kalb (B).
46) » » » 1437. Das kalb Aaronis (B).
47) Hilprant, Bastian. Schlangenweise. 4281. Der Schlangenstreit (E).
48) » » » 4310. Dreyerley giftig art der schlangen (E).
49) » » Drachenweise. 4625. Der gros trach zu Babel (E).
50) Kanzler. Gülden Ton. 2075. Die golt ameisen (E).
51) » » » 3566. Die goltinsel Spagnola (E).
52) Krelein, Paul. Mönchweise. 2709 (485). Der münnich mit dem dinten-glas (Sch).
53) » » » 2713 (488). Der reich pawer mit den müni-chen (Sch).
54) Lesch, Albrecht. Feuerweise. 4954. Vulcanus der fewer-got (E).
55) Leutzdörffer, Hans. Geteilte Krugweise. 4551 (938). Ewlenspigel mit der haffnerin (Sch).

56) Leutzdörffer, Hans. Geteilte Krugweise. 4525. Der gebrochen krug Jeremie (B).

57) » » » » 4886. Jeremias, der prophet, mit dem haffner (B).

58) Locher, Christoph. Klagweise. 3206. Die klagenden muetter (E).

59) Mügling, Heinrich. Traumweise. 1178. Drey wunderlich traum (E).

60) » » » 1961. Der traum Timonis (E).

61) » » » 2273. Künig Ciri erschrocklicher traumb (E).

62) » » » 2690. Dreyerley treum kaiser Augusti (E).

63) » » » 3134. Die drey warhaften traum (E).

64) » » » 2521 (430a). Traumb von leben (Sch).

65) Regenbogen, Süßer Ton. 1945 (265). Cupido mit dem honig (Sch).

66) Ringsgwant, Paul. Osterweise. 3978. Ein Osterpeschlues (B).

67) Sachs, Hans. Gülden Ton. 2731. Das gulden puch kestlein Alexanders (E).

68) » » » » 3400. Der gulden traum Antigonis (E).

69) » » » » 1997. Das golt Salomonis (B).

70) » » Rosenton. 1069. Dreyerley art der rossen (E).

71) » » » 3533. Florio im rosenkorb (E).

72) » » Überhohe Bergweise. 1531. Der perg Sinay (B).

73) » » » » 4933. Der Weinperg gottes (B).

74) Schrot, Martin. Narrenweise. 3118. Von narren (B).

75) » » » 3123. Von narren und weisen (B).

76) » » » 4519. Ein lob von den narren (B).

77) Ungelehrter. Schwarzer Ton. 1408 (162). Die geschwerczet rot (Sch).

78) Vogel, Hans. Engelweis. 1701. Gideon mit dem engel (B).

79) » » » 1833. Der englische grus (B).

80) » » » 2198. Die gesamelten engel (B).

81) » » » 2615. Die 7 engel mit 7 plagen (B).

82) » » Gefangen Ton. 2555. Die gefencknus Petri (B).

83) » » Glasweise. 1061. Die mordisch drunckenheit Alexandri magni (E).

84) » » » 3174 (628). Sant Johanes segen (Sch).

85) » » Hundweise. 3858. Der pluthund herzog Prennus (E).

86) » » » 2296 (374). Warumb hund und kaczen vnains send (Sch).

87) » » » 2847 (516). Der hungrig hund mit dem wolff (Sch).

88) Vogel, Hans. Jungfrauweise. 3012. Die junckfraw Psyche (E).

89) » » » 4306. Die junckfrau Pura ein marterin (E).

90) » » » 2560 (445). Die achtzehn schön ainr junckfrawen (Sch).

91) » » Klagweise. 2875. Die tirannisch dotenklag künig Herodis (E).

92) » » » 2879. Die klag Mathatie uber das volck Juda (B).

93) » » » 4518. Klag uber das eitel leben (B).

94) » » Rebenweise. 2438. Bachus wirt zwir geporen (E).

95) » » » 1822. Trunckenheit Noe (B).

96) » » » 1823. Vier art des rebensaft (B).

97) » » Schwarzer Ton. 2200 (346). Die schwarzen edlen stain (Sch).

98) » » Verwirrter Ton. 2898. Der thurn (die verwirrung) zu Babel (B).

99) » » Vogelweise. 2562. Die rain = und unrainen vögel (B).

100) Vogel, Michael. Harte Steinweise. 3681. Die zwölf stain (B).

101) » » Hopfenweise. 3519 (706). Der hopff im pier (Sch).

102) » » Lange Feldweise. 3651. Die feltschlacht Juda mit dem hauptman Seron (B).

103) Walther v. d. Vogelweide. Kreuzton. 2186 (342). Drey ler vom creucz (B).

104) » » » 2488. Crewz der gemain, 129. psalm (B).

105) Wolfram v. Eschenbach. Langer Kreuzton. 2186 (342). Die 9 ungeerten crewz (Sch).

Diese Art Spielerei wandte Hans Sachs bei biblisch-geistlichen Stoffen in jedem 57. Falle an, bei den Schwänken in jedem 54. und bei den ruhigern Erzählungen in jedem 24. Falle. Beliebt waren Töne, die einen brauchbar bildhaften Namen hatten. – Nur Spiel war es wohl nicht; die besondere Wirkung wurde auch verstärkt.

Bei diesen 105 MG handelt es sich wirklich um das, was der Name des Tones verspricht: um Fürsten, Ritter, Narren, Frösche, Rosen usw.

Seltener war der *Anfangsvers nur äußerlich entscheidend bei der Wahl des Tones oder der Ton für den Anfang.* So MG 63 Ein maister straff: «Man kent den hohen dage» in der Morgenweise (Hohe Tagweis) des Hans Sachs. MG 81: 1523 zw Nürnberg. Die nachtigal: «Wacht auf, wacht auf, es taget» im gleichen Ton. Ebenso MG 160 Die «nachred»: «Eins morgens frue vor tage». In der Zugweise Frauenlobs MG 1373 Das pfaffenay im pet: «Ains tages zog ain priester vberlande». MG 1374 «Der ainsidel mit aignem sin» im Grünen Tone Frauenlobs beginnt «Es wont in einem walde». MG 1532 Der 63 psalm; gros vertrawen zu got: «Früe so wil ich aufwachen» ist in der Morgenweise des Hans Sachs geschrieben. MG 1687 Katilina der aufrüerisch: Der plutgirig Katilina in der Blutweise des Hans Folz. In der Morgenweise des Konrad von Würzburg MG 1739 (212) Die danzeten fisch: «Ein fischer ging frw aus an ainem morgen». Ebenso MG 2057 Der hirt mit dem leben: «Eins morgens frwe ein alter leb ausginge». MG 1847 Pentheus wirt ain wild saw: «Als man hilt dem weingot» lesen wir in der Rebenweise des Hans Vogel. MG 2199 (345) Der gros fresser: «Frisch war ains mals die winter zeit» steht im Frischen Tone des Hans Vogel; MG 2744 Pompey schelten und widergelten: «Als Pompeyus der gros gar strenge» im Strengen Tone Hans Vogels; MG 2790 Der engel auf dem roten ros: «Als Ysrael gefangen lag» im Gefangen Tone des Hans Vogel; MG 3284 Cleopatra die unkeusch künigin: «Cleopatra die künigin zart» im Zarten Tone Frauenlobs; MG 3687 (771) Der koler mit dem spülwecken: «Nun hört ein gute abenteuer» in der Abenteuerweise des Hans Folz; MG 4499 (923) Der zweyfalter mit dem schnecken: «EIn morgen frw / Da kame» in der Hohen Morgenweise des Bastian Hilprant; MG 4673 (954) Dewffl wil nit allein schwarz sein: «Ains mals im Mayen ich zu nacht» in der Maienweise Eyslingers; MG 4930 (1001) Der pfarrer mit den ligenden paurn: «EIn pfarer auf aim dorff sase, / Der gar ser schelten wase» im Strengen Tone Hans Vogels. Und noch in weitern Fällen.

Es fällt auf, daß Hans Sachs für die etwa 135 *Fabeln* den in 54 Schwänken gebrauchten Rosenton nicht geeignet fand. Unter den 124 MG im Rosentone finden wir nur eine Fabel und nur sechs biblisch-geistliche Stoffe. Der Rosenton ist sein eigentlicher weltlicher Erzählerton. Lehrhaft, für Fabeln geeignet ist z. B. der Spiegelton sowohl des Ehrenboten als auch der Frauenlobs, wie denn überhaupt Frauenlob mit 11 von 25 Tönen bei den Fabeln vertreten ist. Oft finden wir farbige Töne: Frauenlobs Grünen Ton sechsmal, Klingsors Schwarzen Ton viermal, Zwingers Roten Ton; sodann die Maien(Morgen)weise Eyslingers, Hilprants, Konrads von Würzburg und Schillers, die kurzen Töne Müglings viermal, Regenbogens, des Hans Sachs, Hans Vogels und Wolframs; die Süßen Töne Harders, Regenbogens und Schillers. Hans Sachs benützt von den eigenen Tönen den Kurzen sechsmal, die Silberweise viermal und die dem Rosentone verwandte Spruchweise fünfmal. Daneben herrscht auch bei der Wahl der Töne für Fabeln viel Willkür. Den gleichen einfachen, schwerfälligen oder vielfältigen, kunstreichen Ton braucht er oft bei MG ganz entgegengesetzten Inhalts.

Im allgemeinen *wechselt* Hans Sachs gern bei den Tönen ab. Man vergleiche nur in der Übersicht S. 34ff. die Schwänke in Frauenlobs Grundweise oder die Erzählungen in dessen Vergessenem Tone, Nachtigalls biblische Erzählungen im Geteilten Tone, Laiton, Langen Ton, Römers Erzählungen und Schwänke in der Gesangsweise, des Hans Sachs biblische MG im Bewährten Tone, in der Gesangsweise, im Klingenden und Neuen Tone, seine Erzählungen und Schwänke im Rosenton: die einzelnen MG folgen sich in ungefähr ähnlichen Abständen.

Manchmal benutzt er den *gleichen Ton unmittelbar nachher* wieder; etwa in drei Dutzend Fällen bei biblischen Stoffen, besonders in frühern Jahren. Aus 1526 die MG 115f., 128–130; aus 1527 138–142, 150f., 162f., 164f., 166f., 171f., 180f., 183f., 186–189, 190f.; aus 1528 201–203, 205f., 216f., 228f., 232f.; aus 1530 406f.; aus 1531 430f.; aus 1532 566f.; dann aus 1544 1337f. und 1505f.; aus 1548 2937f.; aus 1550 3322f.; aus 1551 3670f.; aus 1552 3749f.; 1555 4658f.; 1556 4870f. und dann nur noch aus 1559 5401f; mehrere aller dieser vom gleichen Tage.

Bei weltlichen Inhalten ähnlich in etwa viereinhalb Dutzend Beispielen, wo verwandte oder gleiche Themen vorlagen, darunter in gegen 16 Fällen am gleichen Tage (bei den biblischen nur 406f., 430f., 2937f. und 4658f.). Eine Aufzählung zeigt, daß Hans Sachs auch hier in spätern Jahren das Verfahren ändert; sogar 1551 bis 1556, wo viele MG entstanden, meidet er diese Wiederholung.

1518: MG 63, 64 und 66: Strafe und Warnung, 65–68 (ohne 66): Wunder.

1519: MG 72f. und 76: die Seele.

1526: MG 113f.: der Gerechte.

1531: MG 458f.: Überlistung.

1532: MG 562–564: von Feindschaft.

1533: MG 616f.: Narren- und Menschenfresser.

1535: MG 662f.: kaiserliche Feldzüge in Afrika. 670f.: drei Tote – drei Feinde. 677f.: Karfreitag–Ostern.

1537: MG 805f:. List.

1538: MG 832f.: Agrippina und Cleopatra als Huren. 840f.: verschwundene Ware.

1539: MG 910f.: Moses.

1540: MG 955f.: drei Kaiser.

1541: MG 1098f.: Liebe.

1542: MG 1145f.: Midas–Paris. 1170f.: Karfreitag–Ostern.

1543: MG 1251f.: Pompejus–Caesar. 1253f.: tote Könige.

1544: MG 1320f.: Cyrus–Astyages. 1365f.: keusche Jungfrauen. 1419f.: Hochzeit. 1422f.: Apokalypse. 1479f.: Kinderlehre.

1545: MG 1620f.: Scythien–Babylonien. 1660f.: Pfingsten. 1817f.: Edelmann. 1822f.: Wein. 1860f.: Göttinnen.

1546: MG 1932f.: Buhlerei mit Hindernissen. 2120f.: Treue.

1547: MG 2242f.: Agesilaos–Pausanias. 2487f.: Freud der gemain–Crewz der gemain. 2538f.: Sünder.
1548: MG 2759f.: Philosophie. 2810f.: Athen und Parmenio. 2914f.: Narrheit. 2958f.: Gewalt. 2995f.: Römer.
1549: MG 3053f.: Rauferei unter Gevattern. 3064f.: Könige. 3093f.: fahrende Schüler.
1550: MG 3206f.: Krieg. 3272f.: Tod. 3324f.: Träume. 3337f. und 3340f.: Lebensregeln. 3352f.: Odysseus. 3445f.: Morde. 3457f.: die Armen.
1554: MG 4368f.: Semiramis. 4516f.: Minerva und Mars.

Hie und da verwendet er am gleichen Tag zweimal den gleichen Ton zur Hebung der Gegensätzlichkeit. So MG 820f.: Circe–keusche Dido. 970f.: verschiedenartige Freunde. 1117f.: Treue – Untreue. 1797f.: Christus – die neun Schwaben. 1876f.: Pomona-Hure. 2489f.: Treue – Untreue. Alles Beispiele aus frühern Jahren.

Manchmal liegt ein etwas größerer Zwischenraum zwischen den unmittelbaren Wiederholungen, z. B. MG 486f. 20. Juli–11. August, 559f. 23.–29. Juni, 581f. 13.–18. Juni, 585f. 24. Juni–9. Juli, 604f. 4. Februar bis 21. März, 856f. 1.–27. Oktober usw.

Es fällt auf, daß Hans Sachs bei den so beliebten Metamorphosen-Gesängen (vgl. MG 861f., 878, 1260, 1469, 1839, 1846f., 1850, 1853, 1856-8, 1863–6, 1874f., 1879–82, 2294, 2420, 2425, 2441, 2449, 2821–3, 2925–8, 3108, 4487f., 4495, 4788, 4908 und 4998) nicht häufiger Töne wiederholt; nur bei vier MG über Verwandlungen geschieht es: 861 «Aragnes wart ein spinn» und 862 «Der Acteon wirt ein hirs», sowie 1874 «Galathea wirt ain pach» und 1875 «Künig Pictus wirt ain specht».

Damit sind wir bei den Stoffen angelangt. Eine Übersicht über die Stoffe der MG des Hans Sachs ist aufschlußreich. Ohne die später zu erwähnenden Buhllieder in «hof dönlein», die eines Meisternamens entbehren, aber samt denen mit Hans Sachsens Namen und den paar Drei, Fünf, Sieben usw. Tönen zählen wir 301 Töne (Hans Sachs gibt in der Summa von 1567 275 Meistertöne an), von welchen nach folgender Zusammenstellung 66 nur für weltliche und 110 nur für geistliche Stoffe verwendet wurden, mehrheitlich für weltliche Stoffe 78, mehrheitlich für geistlich-biblische Stoffe 42 Töne, fünf für gleich viele, also zusammen 125 Töne für beiderlei Stoffe.

I. Nur für weltliche Stoffe wurden benützt:

1. Beheim, Verkehrter Ton 17mal.
2. Bogner, Steigweise 13.
3. Brennberger, Hofton 12.
4. Ehrenbot, Spiegelton 56.
5. Folz, Hans, Abenteuerweise 26.
6. »   »   Blutweise 12.
7. »   »   Feyelweise 19.
8. Frauenlob, Blauer Ton 14.

9. Frauenlob, Grüner Ton 20.
10.   »   Ritterweise 12.
11.   »   Später Ton 21.
12.   »   Vergessener Ton 29.
13. Füllsack, Reuterton 16.
14. Gothart, Loser Ton 1.
15. Hilprant, Drachenweise 2.
16.   »   Unbenannter Ton 1.
17. Hülzing, Hagelweise 15.
18. Kanzler, Kurzer Ton 1.
19. Klingsor, Schwarzer Ton 22.
20. Konrad von Würzburg, Morgenton 11.
21. Krelein, Mönchweise 2.
22. Liebe von Gengen, Radweise 20.
23. Marner, Hofton 26.
24. Mügling, Grüner Ton 20.
25. Muskatblüt, (Langer) Hofton 20.
26. Ottendorffer, (Hohe) Jünglings-
    weise 10.
27. Poppe, Langer Ton 11.
28. Regenbogen, Blauer Ton 14.
29.   »   Briefweise 15.
30.   »   Güldener Ton 14.
31.   »   Kurzer Ton 22.
32. Sachs, Hans, Dienstweise 1.
33.   »   »   Dreizehn Töne 1.
34.   »   »   Ehweise 1.
35.   »   »   Freier Ton 1.
36.   »   »   Fremde Tagweise 1.
37.   »   »   Fremder Ton 1.

38. Sachs, Hans, Freudweise 2.
39.   »   »   Herzweise 2.
40.   »   »   Hofweise 1.
41.   »   »   Klagweise 1.
42.   »   »   Leidweise 1.
43.   »   »   Meidweise 1.
44.   »   »   Rosenweise 1.
45.   »   »   Scheidweise 1.
46.   »   »   Sehnweise 1.
47.   »   »   Sieben Töne 1.
48.   »   »   Sommerweise 1.
49.   »   »   Tagweise 2.
50.   »   »   Trauerweise 1.
51.   »   »   Trostweise 1.
52.   »   »   Verwegenweise 1.
53. Schiller, Hofton 31.
54.   »   Hoher Hofton 1.
55.   »   Süßer Ton 24.
56. Singer, Lieber Ton 12.
57. Tannhäuser, Hofton 30.
58. (Bruder) Veiten Ton 4.
59. Vogel, Hans, Hundweise 8.
60.   »   »   Schatzton 16.
61.   »   »   Strenger Ton 8.
62. Vogel, Michel, Hopfenweise 5.
63.   »   »   Unbenannter Ton 1.
64. Wolfram, Flammweise 16.
65.   »   Gülden Ton 25.
66. Zwinger, Roter Ton 32.

II. Mehrheitlich für weltliche Stoffe:

1. Lorenz, Plüeweise 15 weltliche und 14
   biblisch-geistliche im Verhältnis 1,07.
   (Lorenz gesamt 17:15 = 1,12)
   (Vogel, Hans 161:138 = 1,16)
   (Regenbogen 100:75 = 1,3)
2. Nachtigall, Geschiedener Ton
   12:9 = 1,3.
3. Nachtigall, Kurze Tagweise 4:3 = 1,3.
   (Lesch, Albrecht 27:20 = 1,35)
4. Nachtigall, Hoher Ton 7:5 = 1,4.
5. Kanzler, Langer Ton 6:4 = 1,5.
6. Singer, Schlechter Ton 6:4 = 1,5.

7. Nachtigall, Abendton 8:5 = 1,6.
   (Konrad von Würzburg 24:15 = 1,6)
8. Folz, Hans, Baumton 7:4 = 1,75.
9. Konrad von Würzburg Hofton
   12:6 = 2.
10. Lorenz, Plumbweise 2:1 = 2.
11. Vogel, Hans, Drei Töne 2:1 = 2.
12.   »   »   Glasweise 8:4 = 2.
13.   »   »   Lilienweise 14:7 = 2.
    (Marner 67:32 = 2,09).
14. Mügling, Hofton 21:10 = 2,1.
    (Muskatblüt 20:9 = 2,2)
    Frauenlob 287:122 = 2,28)

15. Frauenlob, Kupferton 9:4 = 2,35.
16. Sachs, Hans, Gülden Ton
    31:13 = 2,38.
17. Fleischer, Löwenweise 10:4 = 2,5.
18. Frauenlob, Geiler Ton 10:4 = 2,5.
19. Ehrenbot, Fürstenton 13:5 = 2,6.
20. Regenbogen, Süßer Ton 11:4 = 2,75.
21. Frauenlob, Würgendrüssel 14:5 = 2,8.
22. Vogel, Hans, Rebenweise 17:6 = 2,8.
23. Enders, Hornweise 3:1 = 3.
24. Nachtigall, Senfter Ton 12:4 = 3.
25. Vogel, Hans, Frischer Ton 12:4 = 3.
26. Regenbogen, Brauner Ton 9:3 = 3.
27. Frauenlob, Froschweise 10:3 = 3,3.
28. Römer, Schrankweise 8:2 = 4.
29. Nachtigall, Kurzer Ton 12:3 = 4.
30. Zwinger Hofton 8:2 = 4.
31. Pfalz von Straßburg, Rohrweise
    21:5 = 4,2.
32. Frauenlob, Blühender Ton 18:4 = 4,5.
33. Heid, Kälberweise 13:3 = 4,4.
    (Kanzler 28:6 = 4,66)
34. Sachs, Hans, Kurzer Ton 42:9 = 4,66.
35. Walther, Feiner Ton 19:4 = 4,75.
36. Vogel, Hans, Jungfrauweise 5:1 = 5.
37.   »   » Schallweise 6:1 = 6.
38. Frauenlob, Hagenblüt 24:4 = 6.
39. Folz, Hans, Teilton 26:4 = 6,5.
40. Sachs, Hans, Silberweise 41:7 = 5,85.
41. Marner, Süßer Ton 14:2 = 7.
42. Ketner, Hoher Ton 14:2 = 7.
43. Wolfram, Kurzer Ton 22:3 = 7,1.
    (Mügling 104:14 = 7,4)
    (Tannhäuser 30:4 = 7,5)
44. Ketner, Osterweise 16:2 = 8.
45. Römer, Gesangsweise 67:8 = 8,3.
    (Wolfram 133:16 = 8,4)
46. Mügling, Kurzer Ton 17:2 = 8,5.
47. (Alter) Stolle, Blutton 17:2 = 8,5.

48. Zorn, Grefferey 18:2 = 9.
49. Wenk, Kleeweise 9:1 = 9.
50. Folz, Hans, Hanenkrat 9:1 = 9.
51. Ehrenbot, Ehrenton 28:3 = 9,1.
52. Frauenlob, Spiegelton 20:2 = 10.
    (Ottendorffer 10:1 = 10)
53. Eyslinger, Maienweise 20:2 = 10.
    (Alter Stolle 41:4 = 10,2)
54. Kanzler, Gülden Ton 22:2 = 11.
55. Schiller, Maienweise (Morgenweise)
    11:1 = 11.
56. Lochner, Klagweise 12:1 = 12.
57. Sachs, Hans, Spruchweise 48:4 = 12.
58. Mügling, Traumweise 12:1 = 12.
59. Vogel, Hans, Sauerweise 12:1 = 12.
60. (Alter) Stolle, Almentweise 24:2 = 12.
61. Lesch, Feuerweise 13:1 = 13.
62. (Junger) Stolle, Hoher Ton 13:1 = 13.
63. Lesch, Zirkelweise 14:1 = 14.
    (Ehrenbot 98:7 = 14)
64. Buchner, Feuerweise 15:1 = 15.
65. Ungelehrter, Schwarzer Ton 15:1 = 15.
66. Wolfram, Langer Kreuzton 16:1 = 16.
67. Frauenlob, Zugweise 18:1 = 18.
68.   »   Geschwinder Ton
    18:1 = 18
69. Frauenlob, Grundweise 37:2 = 18,5.
70. Sachs, Hans, Rosenton 118:6 = 19,6.
    (Zwinger 40:2 = 20)
71. Marner, Gülden Ton 20:1 = 20.
72. Vogel, Hans, Kurzer Ton 21:1 = 21.
73. Wolfram, Vergolten Ton 21:1 = 21.
74. Sieghart, Pflugton 25:1 = 25.
75. Harder, Süßer Ton 27:1 = 27.
76. Vogel, Hans, Schwarzer Ton
    28:1 = 28.
77. Wolfram, Hönweise 33:1 = 33.
78. Mügling, Langer Ton 34:1 = 34.
    (Schiller 68:1 = 68)

III. Gleichviele weltliche und geistlich-biblische Stoffe

1. Hilprant, Schlangenweise 2:2.
2. Regenbogen, Donnerweise 2:2.
3. Vogel, Hans, Klagweise 4:4.

4. Vogel, Michel, Starke Osterweise 1:1.
5. Wolfram, Kreuzton 2:2.

(Ketner 36:34)

(Sachs, Hans 383:342 = 1,12)

(Singer 23:20 = 1,15)

1. Schrot, Schrotweise 5:4 = 1,25.
2. Marner, Kreuzton 9:7 = 1,28).
   (Folz, Hans 142:102 = 1,4)
   (Vogel, Michel 10:7 = 1,4)
3. Nunnenbeck, Abgeschieden Ton
   16:11 = 1,4.
4. Müller von Ulm, Schneeweise
   3:2 = 1,5.
5. Münch von Salzburg, Langer Ton
   3:2 = 1,5.
6. Betz, Verschränkter Ton 18:11 = 1,6.
7. Regenbogen, Tagweise 5:3 = 1,6.
   (Hilprant 12:7 = 1,7)
   (Eyslinger 39:20 = 1,95)
8. Sachs, Hans, Morgenweise 16:8 = 2.
   (Walther 40:20)
9. Beckmesser, Neuer Ton 8:2 = 2.
10. Regenbogen, Grauer Ton 12:6 = 2.
11. Sachs, Hans, Überhohe Bergweise
    2:1 = 2.
12. Leutzdörffer, Geteilte Krugweise
    2:1 = 2.
13. Frauenlob, Zarter Ton 6:3 = 2.
14. Hans von Nörlingen, Lange Korn-
    blüheweise 2:1 = 2.
15. Schmid, Paul, Verschieden Ton
    2:1 = 2.
    (Betz 24:11 = 2,2)
    (Schrot 9:4 = 2,25)
16. Nunnenbeck, Kurzer Ton 9:4 = 2,25.
17. Frauenlob, Tagweise 7:3 = 2,3.
18. Drexel (s. Friedel) 27:11 = 2,45.
19. Singer Freier Ton 5:2 = 2,5.
    (Nachtigall 157:57 = 2,75)
    (Müller von Ulm 6:2 = 3)

20. Regenbogen, Laiton 13:4 = 3,25.
    (Nunnenbeck 55:15 = 3,3)
21. Hopfgarten, Langer Ton 11:3 = 3,6.
22. Friedel (Drexel), Drette Friedweise
    27:7 = 3,8.
    (Beckmesser 17:4 = 4,2).
23. Sachs, Hans, Klingender Ton
    53:12 = 4,4.
24. Ketner, Frauenton 19:4 = 4,75.
    (Hans von Nörlingen 5:1 = 5)
    (Zorn 108:20 = 5,4)
25. Schmid, Jeronimus, Hohe Gart-
    weise 17:3 = 5,7.
26. Frauenlob, Langer Ton 12:2 = 6.
27. Folz, Langer Ton 12:2 = 6.
    (Enders 19:3 = 6,3)
28. Sachs, Hans, Überlanger Ton
    21:3 = 7.
29. Wolfram, Langer Ton 8:1 = 8.
30. Konrad von Würzburg, Abgespitzter
    Ton 9:1 = 9.
    (Schmid, Paul 9:1 = 9)
31. Frauenlob, Laiton 23:2 = 11,5.
32. Sachs, Hans, Bewährter Ton
    67:5 = 13,4.
    (Münch von Salzburg 28:2 = 14)
33. Sachs, Hans, Gesangsweise 53:3 = 17,7.
34. Sachs, Hans, Langer Ton 38:2 = 19.
35. Walther, Kreuzton 20:1 = 20.
36. Duller, Krönter Ton 21:1 = 21.
37. Sachs, Hans, Neuer Ton 85:4 = 21,25.
    (Duller 22:1 = 22)
38. Zorn, Unbenannter Ton 23:1 = 23.
    (Vogelsang 24:1 = 24)
39. Folz, Hans, Freier Ton 31:1 = 31.
40. Zorn, Verhohlener Ton 32:1 = 32.
41. Nachtigall, Langer Ton 33:1 = 33.
42.   »   Geteilter Ton 38:1 = 38.

V. Nur für biblisch-geistliche Stoffe

1. Barz, Langer Ton 5.
2. Beckmesser, Chorweise 9.

3. Betz, Geflochten Ton 5.
4. Drabold (Traibolt), Gulden Trag-
   weise 10.

5. Drabold (Traibolt), Linder Ton 1.
   (Drabold = Traibolt 11)
6. Duller, Überkronter Ton 1.
7. Eyslinger, Langer Ton 30.
8. » Überlanger Ton 7.
9. Enders, Hirsenweise 2.
10. » Lerchenweise 11.
11. » Pfauenweise 2.
12. » Sommerweise 2.
13. » Unbenannter Ton 1.
14. Folz, Hans, Chorweise 24.
15. » » Hoher Ton 19.
16. » » Kettenweise 1.
17. » » Passional 7.
18. » » Schrankweise 24.
19. » » Strafweise 15.
20. Franck, Gülden Kreuzweise 1.
21. » Junger Ton 1.
   (Franck 2)
22. Frauenlob, Gülden Radweise 14.
23. » Gülden Ton 6.
24. » Gekrönter Ton 11.
25. » Neuer Ton 9.
26. » Überkrönter Ton 1.
27. » Überzarter Ton 8.
   Friedel s. Drexel
28. Grießer (Grüeser), Verhochter gulden Ton 1.
29. Hans von Mainz, Freudweise 15.
30. Hans von Nörlingen, Hohe Blutweise 3.
31. Herwart, Bloßer Ton 13.
32. » Braune Herbstweise 2.
33. » Deutscher Discubuit 2.
   (Herwart 17)
34. Ketner, Paratreien 14.
35. Klieber, Langer Ton 10.
36. Lesch, Gesangsweise 18.
37. Maienschein, Langer Ton 23.
38. Marner, Langer Ton 20.
39. Müller von Ulm, Engelweise 3.
40. Münch von Salzburg, Chorweise 25.
41. Muskatblüt, Neuer Ton 9.
42. Nachtigall, Engelweise 1.
43. » Laiton 35.
44. » Starker Ton 22.

45. Nestler von Speier, Unbekannter Ton 13.
46. Nunnenbeck, Gülden Schlagweise 10.
47. » Hemerweise 2.
48. » Langer Ton 9.
49. » Neue Chorweise 1.
50. » Zeherweise 8.
51. Örtel, Laiton 24.
52. » Langer Ton 10.
   (Örtel 34)
53. Ottendorffer, Langer Ton 1.
54. Poppe, Kreuzton 1.
55. Puschmann, Hänflingsweise 3.
56. » Klingender Ton 2.
   (Puschmann 5)
57. Ratgeb, Hohe Lindenweise 1.
58. Regenbogen, Langer Ton 25.
59. » Überlanger Ton 11.
   (Ringsgwant 25)
60. Ringsgwant, Bauernton 10.
61. » Osterweise 13.
62. » Versetzter Ton 2.
63. Sachs, Hans, Hohe Bergweise 12.
64. Schechner, Raisig Freudweise 13.
65. Schmid, Paul, Hohe Knabenweise 6.
66. » » Neue Blumenweise 1.
67. Schneider, Erwelter Ton 1.
68. Schrot, Narrenweise 4.
69. Schwarz, Vermonter Ton 10.
70. Schwarzenbach, Fröhliche Morgenweise 1.
71. Schwarzenbach, Grober Ton 1.
72. » Hoher Ton 2.
73. » Kleeweise 2.
74. » Kreuzton 2.
75. » Maienplümweise 1.
76. » Mohrenweise 3.
77. » Neuer Ton 4.
78. » Paratweise 2.
79. Schweinfelder, Abgeschiedener Ton 16.
80. Singer, Heller Ton 3.
81. » Langer Ton 11.
82. Spörl, Dankweise 1.
   (Silkrieg 7)
83. Silkrieg, Steigweise 5.
84. » Überlanger Ton 2.

<table>
<tr><td>85. Tannhäuser, Haubton 4.</td></tr>
</table>

85. Tannhäuser, Haubton 4.		

85. Tannhäuser, Haubton 4.
86. Ungelehrter, Langer Ton 3.
87. Vogel, Hans, Engelweise 47.
88. » » Gefangen Ton 11.
89. » » Langer Ton 8.
90. » » Süßer Ton 14.
91. » » Überlanger Ton 7.
92. » » Verwirrter Ton 6.
93. » » Vogelweise 14.
94. Vogel, Michel, Drei Töne 1.
95. » » Harte Steinweise 2.
96. » » Lange Feldweise 2.
97. » » Überlanger Ton 1.
98. » » Unverkehrter Ton 2.

99. Vogel, Michel, Zornige Morgen- weise 1.
100. Walther, Langer Ton 17.
101. Wesel, Zankweise 1.
102. Wild, Gülden Schlagweise 1.
103. » Jungfrauweise 1.
104. » Krönter Ton 1.
105. » Nasse Gesangsweise 1.
106. » Überlanger Ton 1.
107. » Wilder Ton 1.
  (Wild 6)
108. Wirt, Lange Schlagweise 5.
109. Zorn, Verborgener Ton 23.
110. » Zugweise 28.

Die 124 Töne für beiderlei Stoffe wurden in 61 (56+5) Fällen *zuerst* bei weltlichen Erzählungen, in 63 zuerst bei geistlich-biblischen *gebraucht*. Für die obige Gruppe II (mehrheitlich weltliche Stoffe) ergibt sich für weltliche und geistliche Stoffe folgendes Bild:

	zuerst			zuerst			zuerst	
	weltlich	geistlich		weltlich	geistlich		weltlich	geistlich
1.	15:14		20.	11:4		42.	14:2	
2.		9:12	21.		5:14	43.	22:3	
3.	4:3		22.		6:17	44.	16:2	
4.		5:7	23.	3:1		45.		8:67
5.	6:4		24.		4:12	46.	17:2	
6.		6:4	25.	12:4		47.	17:2	
7.		5:8	26.	9:3		48.		2:18
8.		4:7	27.		3:10	49.	9:1	
9.		6:12	28.	8:2		50.	9:1	
10.	2:1		29.		3:12	51.	28:3	
11.	2:1		30.		2:8	52.		2:20
12.		4:8	31.	21:5		53.	20:2	
13.		7:14	32.		4:18	54.	22:2	
14.	21:10		33.		3:13	55.	11:1	
15.		4:9	34.		9:42	56.		1:12
16.		13:31	35.	19:4		57.	48:4	
17.		4:11	36.	5:1		58.		1:12
18.		4:10	37.	5:1		59.	12:1	
19.		5:13	38.	24:4		60.	24:2	
			39.		4:26	61.	13:1	
			40.		7:41	62.	13:1	
			41.	14:2		63.	14:1	

64.	15:1	3.	4:4
65.	1:15	4.	1:1
66.	16:1	5.	2:2
67.	18:1		
68.	1:18		
69.	37:2		
70.	118:6		
71.	1:20		

Gruppe IV

(mehrheitlich geistliche Stoffe)

zuerst
weltlich:geistlich

72.	22:1	1.	5:4
73.	22:1	2.	9:7
74.	25:1	3. 11:16	
75.	1:27	4.	3:2
76.	28:1	5. 3:2	
77.	1:33	6.	18:11
78.	1:34	7. 3:5	

Gruppe III

(gleichviele welt-liche und geistliche Stoffe)

zuerst
weltlich:geistlich

1.	2:2
2.	2:2

8. 8:16	
9.	8:4
10.	12:6
11.	2:1
12.	2:1
13.	6:3
14.	2:1
15. 1:2	
16.	9:4

17.		7:3
18.		27:11
19.		5:2
20.		13:4
21.	3:11	
22.		27:7
23.		53:12
24.		19:4
25.		17:3
26.	2:12	
27.		12:2
28.	3:21	
29.	1:8	
30.		9:1
31.		23:2
32.		67:5
33.		53:3
34.	2:38	
35.		20:1
36.		21:1
37.		85:4
38.		23:1
39.		31:1
40.	1:32	
41.		33:1
42.		38:1

Hier fällt auf, wie häufig die mindere Zahl 1 ist, d. h. wie häufig Hans Sachs einen Ton nur versuchsweise auch für die andere Gattung braucht, also z. B. Siegharts Pflugton 25mal bei weltlichem Inhalt und nur einmal zwischenhinein bei einem Psalmstoff, Dullers Krönten Ton 21mal bei geistlich-biblischen Stoffen und nur einmal weltlich. In Gruppe II wurde bei den zuerst für weltliche Inhalte verwendeten Tönen 19mal je ein Versuch unternommen mit einem geistlichen Thema, aber bei den für geistliche Stoffe verwendeten nie; umgekehrt in der mehrheitlich geistlichen Gruppe IV bei den zuerst für weltliche Stoffe verwendeten Tönen nie, bei den zuerst für geistliche Stoffe verwendeten zehnmal probeweise mit einem weltlichen Inhalt. Also bei Gruppe II 19 weltlich:0 geistlich, bei Gruppe IV 0 weltlich:10 geistlich. Das bedeutet: bei den hauptsächlich für weltliche Stoffe gebrauchten Tönen, Gruppe II, hat Hans Sachs dort, wo er den betreffenden Ton zuerst für weltliche Stoffe verwendete, 19mal ihn auch je einmal mit Zögern bei geistlichen Stoffen versucht; wo er solche Stoffe zuerst bei geistlichen Inhalten anwandte, brauchte er sie ohne Zögern sehr häufig auch bei weltlichen. Bei den hauptsächlich für geistliche Themen gebrauchten Tönen aber, der Gruppe IV, die er zum ersten Male für weltliche Stoffe verwendete, brauchte er sie ohne Zögern auch bei geistlichen Stoffen, aber sogar dort, wenn auch nur zaghaft, wo sie zuerst bei geistlichen Stoffen verwendet wurden.

Also man kann sagen: die Freude an der Anwendung von Tönen für weltliche Stoffe überwiegt; 1) im ersten Fall in Gruppe II hat Hans Sachs den mehrheitlich weltlichen Ton zuerst für weltliche Stoffe und immer wieder, 19mal, versuchsweise bei geistlichen Themen angewandt, 2) im zweiten Fall der Gruppe II brauchte er den zuerst bei geistlichen Themen angewandten mehrheitlich weltlichen Ton ohne weiteres für weltliche Stoffe, 3) im ersten Fall von Gruppe IV hat er den mehrheitlich geistlichen Ton ohne Zögern nach anfangs weltlichen Stoffen auch bei geistlichen gebraucht, 4) im zweiten Fall dieser Gruppe hat er den mehrheitlich geistlich gebrauchten und zuerst bei geistlichen Inhalten verwendeten Ton mit Zögern, aber immer wieder, elfmal, für geistliche Inhalte bevorzugt.

Mit den zögernden Versuchen in der erstmaligen Anwendung eines Tones verhält es sich anders. In Gruppe II ist nirgends ein einmaliger schüchterner weltlicher Anfangsversuch sichtbar, Hans Sachs fährt jeweilen gleich mit weltlichen Geschichten weiter; aber achtmal erfolgt zuerst ein Versuch mit geistlichen Stoffen, und jedesmal wurde dieser endgültig aufgegeben. Bei Gruppe IV wurde bei mehrheitlich geistlichen Inhalten dreimal zuerst mit einem weltlichen Stoff ein Versuch gemacht, mit einem geistlichen aber nie, d. h. Hans Sachs brauchte den Ton gleich mehrfach für geistliche Stoffe. Also sowohl in der mehrheitlich weltlichen Gruppe II als auch in der mehrheitlich geistlichen Gruppe IV wurden nur in den nicht mehrheitlichen Stoffgebieten Versuche gemacht. Bei Gruppe II erfolgt die Entscheidung für weltlichen Inhalt deutlich, bei Gruppe IV für geistlichen. Auch hier eine Vorliebe für Verwendung der Töne bei weltlichen Stoffen.

Auffallend sind diese Unterschiede auch deshalb, weil ja die Melodien mit ihren langen, ernsten Tönen gar nicht so stark von einander abweichen. Also kam es mehr auf die Metrik an.

Bei Gruppe II hat Hans Sachs 891mal einen Ton zuerst für weltliche Stoffe gebraucht und dann nur 114mal für geistliche, also etwa 13%; bei 146 zuerst für geistliche Stoffe gebrauchten 636mal auch für weltliche Stoffe, also über viermal mehr. Bei Gruppe IV ist das Verhältnis umgekehrt, 38:163, d. h. viermal mehr, und 531:56, d. h. rund 10%. Das stimmt mit obigem Vergleich: in Gruppe II, wo er zuerst weltliche Töne wählte und 19mal zögernd den Versuch machte, den Ton bei geistlichen Stoffen zu verwenden, haben wir hier das zögernde Verhältnis 891:114; bei zuerst für geistliche und frisch drauflos dann auch für weltliche Stoffe gebrauchten Tönen nun das aufsteigende Verhältnis 146:636. Bei Gruppe IV die zuerst für geistliche und dann munter auch für weltliche Stoffe verwendeten Töne, jetzt das Verhältnis 38:163; wo er dort bei zuerst geistlichen Stoffen elfmal zögernd bei weltlichen Versuche machte, jetzt 531:56. Hans Sachs unterscheidet zwischen hauptsächlich weltlichen und hauptsächlich geistlich-biblischen Tönen. Alles das ist wohl so zu erklären, daß bei Gruppe II die weltlichen Töne sehr weltlich empfunden wurden und ebenso bei Gruppe IV die geistlichen sehr geistlich, während bei der mehrheitlich weltlichen Gruppe II die geistlichen Töne auch für weltliche Themen verwendbar erkannt wurden (nicht aber so sehr weltliche für geistliche), wie bei der mehrheitlich geistlichen Gruppe IV die weltlichen auch für geistliche Stoffe (aber geistliche weniger für weltliche). Eine Nachprüfung der einzelnen MG beweist die Richtigkeit dieser Unterscheidung im allgemeinen; denn haarscharfe Grenzen sind bei Hans Sachs nicht zu ziehen zwischen weltlichen und geistlichen Inhalten, zwischen Schwänken und Erzählungen und Fabeln. Die in Minderheit befindlichen geistlichen MG enthalten meistenteils mehr erzählende als rein geistliche Inhalte, wie auch die kleinen weltlichen Minderheiten bei mehrheitlich geistlichen Tönen ernstere Inhalte haben, wie wir noch sehen werden.

Neben andern Meistersängern mit geistlichen und weltlichen Tönen gehören in die Gruppe der 66 mit nur weltlichen Stoffen Beheim, Bogner, Brennberger, Drabold, Gothart, Hölzing, Krelein, Liebe von Gengen und Bruder Veit, in der Gruppe der 110 braucht Hans Sachs nur für geistliche Inhalte die Töne von Barz, Franck, Friedel, Grüeser, Hans von Mainz, Klieber, Klingsor, Maienschein, Nestler von Speier, Oertel, Puschmann, Ratgeb, Ringsgwant, Schechner, Paul Schmid, Schneider, Schwarz, Schwarzenbach, Schweinfelder, Stilkrieg, Wesel und Wirt.

In den Tönen mir nur weltlichen Stoffen finden wir 732 MG, in denen mit nur geistlichen 894 MG. Die fünf Töne mit gleich zu gleich herrschen in 22 MG. Die mehrheitlich weltliche Einheit birgt neben 1425 MG mit weltlichen noch 264 mit geistlichen Stoffen, die mehrheitlich geistliche neben 803 geistlichen MG noch 140 weltliche. Also haben wir stets ein starkes Mehr der einen Stoffart bei der betreffenden Sorte gemischter Töne. Wieder ein Zeichen, wie sehr Hans Sachs zwischen weltlichen und geistlichen Tönen einen Unterschied macht.

Es lohnt sich, noch einen Blick auf die MG zu werfen, bei denen Hans Sachs ausnahmsweise für weltliche Stoffe Töne verwandte, die er sonst nur bei geistlich-biblischen Stoffen brauchte. Eine Untersuchung dieser 140 Dichtungen bringt weitere Gesichtspunkte für die Wahl der Stoffe durch den Dichter. In den 125 MG erzählenden Inhalts unter diesen wird in 35

MG getötet: 562, 584, 601, 730, 832, 1030, 1062, 1183, 1283, 1522, 1664, 1691, 1829, 1841, 2238, 2484, 2807, 3099, 3106, 3466, 3595, 4117, 4132, 4148, 4360, 4406, 4418, 4454, 4466, 4503, 4676, 4707, 4792, 5212 und 5224. In zwölf MG (202, 780, 2282, 2283, 4001, 4061, 4189, 4498, 4690, 4732, 4734, 4887) wird schwer gekämpft. Elend herrscht in MG 2356 (Hungersnot) und 4953 (Büchse der Pandora). Fünf MG (66, 796, 1363, 4038, 4072) erzählen von Märtyrern und Christenverfolgung; 39 und 4999 von Bitterkeit der Liebe, von Strafe 45, 2175 und 4552, von der Singschule 34, 35, 63, 4655, 4962, von ernster Treue und Weisheit 270, 335, 581, 1460, 1868, 2032, 3418 4903 und 4946, von Untreue 66, 2347, 3088, 4366, von hoher Tugend 334, 336, 547, 821, 1313, 1364, von Untugend 833 (Cleopatra) und 1820 (Circe). Oder Hans Sachs holt christlich-historischen Stoff bei Eusebius (4053) oder Josephus (3596). Auch die Summae seiner Gedichte MG 4584, 4994 und 5424, sein Lied auf die Nürnberger Dichter MG 187 und die drei Traum-lieder MG 188, 189 und 197 schreibt er in einem ernsten Ton. Ironischer Gegensatz spielt MG 3752 über den Wüterich Nero und 2933 über «Das wildhawend schwein», beide im Sanften Frauenton Fritz Ketners. Tragisch nimmt Hans Sachs wohl die Metamorphosen nach Ovid MG 1839, 1884[4, 5, 9, 10, 11], 3531, 4888. Ernste Lehren enthalten außerdem MG 160, 215, 1357 1993, 2328, 2765, 3040, 3284, 3427, 3440, 3441, 3634 und 3882. Schließlich gehören wohl auch MG wie 1680, 2695, 3378, 4364, 4971 usw. hieher.

Aber selbst in den 14 Schwänken dieser Gruppe der 140 waltet der Ernst vor. Ausgesprochen lehrhaft sind MG 74 (Goetze Bd. 3, Nr. 2) «Die fünff fabel wider 5 laster», 371 (90) «Die füechsch geselschaft», 548 (31) «Die pachanten im kercker, ein stampaney» (Unglück durch Trunkenheit), 2412 (395 a) «Die ungleichen kinder Eve», 2973 (557) «Der alt kranck ver-acht leb», 3627 (750) «Der zimermon lest sein sun studiren», 3859 (811) «Die hand aus dem grabe, ein erschröcklich geschicht von der kinderzucht», 4499 (923) «Der schneck mit dem zweyfalter», 4697 (961) «Das klain fisch-lein», 4929 (1000) «Der Haincz mit sant Niclas»; MG 2041 (306) ist betitelt «Der ritter mit dem dotten haupt», 477 (22) steht «Der pawer im fegfewer» höllische Angst aus, 4928 (999) «Der schneider mit dem flaisch» gibt es er-zieherische Prügel, und 2912 (532) wirkt «Die prunczet Pewerin» im Feinen Kreuzton Walthers offensichtlich ironisch. – Also man darf die Regel auf-stellen, daß Hans Sachs die Töne, die er mehrheitlich bei biblisch-geist-lichen MG verwandte, in weltlichen MG nur dann heranzog, wenn diese einen ernsten Inhalt hatten.

Umgekehrt könnte man von den 264 biblisch-geistlichen MG unter den mehrheitlich weltlichen Tönen erwarten, daß sie weltlich heitern Inhalt haben. Aber es läßt sich schwerlich etwas allgemein Bestimmtes über die in Minderheit befindlichen biblisch-geistlichen Töne sagen. Es trifft auch gar nicht zu, daß etwa in den Fällen, wo weltliche Töne auch bei geistlich-biblischen Themen gebraucht werden, weniger Schwankstoffe zu finden sind; treffen wir doch bei 22 solchen Tönen die Schwankstoffe zahlreicher als die Erzählungsstoffe und diese nur in 36 Fällen zahlreicher als die Schwankstoffe, während sie sich in drei Fällen die Waage halten und nur bei fünf Tönen Schwänke fehlen. Gelegentlich können wir ja gerade hier die Gründe begreifen, aus denen Hans Sachs die Wahl traf. So wenn er MG 3396, 3432, 3559 und 4022 bei Fürsten den Fürstenton des Ehrenboten braucht, 1457 «Die drey cristlichen paum» und 1806 «Der guet und pos paumb» den Baumton Hans Folzens, 3183 den 6. Psalm in der Klagweise Christoff Lochners umschreibt, 625 das goldene Kalb («Als auf dem perg Sinay war pey got»), 1437 das Kalb Aarons in der Kälberweise Hans Heidens, 4010 vom 29. März in der Osterweise Fritz Ketners anwendet; oder etwa wenn 442, 445 und 447 zusammen die gleiche Quelle und den gleichen Ton haben. So lassen sich noch da und dort Spuren von Gründen entdecken. Bei geistlichen MG mag der Einfluß des alten MG noch nachgewirkt haben. Aber bei der Mehrzahl der biblisch-geistlichen MG in Minderheit stehen wir damit nicht immer auf einem ganz sicheren Boden. Wir könnten uns deswegen den Kopf zerbrechen. Aber ich halte es für unnötig, da Hans Sachs, wie wir sahen, mehrheitlich weltlich gebrauchte Töne ungehemmter auch für geistliche Stoffe brauchte als umgekehrt und er gern einfach gefühlsmäßig verfuhr und Regeln ohne Ausnahmen oft in den Wolken geschrieben stehen.

Da die meisten nicht weltlichen MG einen Erzählungsinhalt haben, sind die Grenzen zwischen beiden Stoffarten, z. B. über Josephus oder Eusebius hinaus, nicht immer genau zu ziehen. Hans Sachs ist schon 1516 dazu gekommen, den Ehrenton des Ehrenboten, den er MG 41 (Goetze Bd. 3, Nr. 4), 42 (5) und 43 (6) schwankweise anwandte, auch MG 44 im «Ave stella maris» zu gebrauchen und umgekehrt den Fürstenton des Ehrenboten vom Psalm 146 in Nr. 1793 von Gott auf weltliche Fürsten im MG 1794 vom gleichen Tage zu übertragen und in mehreren weiteren Fürstentönen zu verwenden.

Ebenso verdient Aufmerksamkeit eine Übersicht über die Häufigkeit der MG des Hans Sachs und ihr Verhältnis zu dessen Spruchgedichten. Dazu ist es eine Aufstellung sämtlicher Werke des Hans Sachs nötig. Sie erfolgt mit einigen Ergänzungen und andern Änderungen auf Grund der Zusammenstellung Goetzes im 25. Bd. des Stuttg. Litt. Ver. Bei den MG sind einzeln aufgeführt: geistlich-biblische Stoffe (I), die Fabeln und Schwänke (II) und die übrigen weltlichen (III); bei den Spruchgedichten die Sprüche (IV), davon geistliche in Klammern, die Schwänke (V), die Historien (VI), die Kampfgespräche (VII), die Fastnachtspiele (VIII), die Tragödien (IX) und die Komödien (X). Die letzte Zahl gibt die Jahressumme.

	Meistergesänge			Spruchgedichte								
	I	II	III	IV	(IV)	V	VI	VII	VIII	IX	X	
1513	1	1	22	—	—	—	—	—	—	—	—	24
1514	4	—	—	—	—	—	—	—	—	—	—	4
1515	3	—	1	—	—	—	1	1	—	—	—	6
1516	2	4	5	—	—	—	—	—	—	—	—	11
1517	9	—	3	1	—	—	—	—	1	—	—	14
1518	5	—	4	1	—	—	—	—	1	—	—	11
1519	2	1	—	—	—	—	—	—	—	—	—	3
1520	5	1	3	—	—	—	—	—	—	—	—	9
1521	—	—	—	—	—	—	—	—	—	—	—	—
1522	—	—	—	—	—	—	—	—	—	—	—	—
1523	1	—	—	1	—	—	—	—	—	—	—	2
1524	8	—	—	7	(7)	—	—	—	—	—	—	15
1525	—	—	—	1	(1)	—	—	—	—	—	—	1
1526	32	—	—	4	—	—	—	—	—	—	—	36
1527	52	—	5	4	—	1	1	—	—	—	—	63
1528	77	4	7	2	(1)	2	—	—	—	—	—	92
1929	47	4	10	5	(2)	—	2	—	—	—	—	68
1530	37	6	—	7	(3)	5	3	—	1	1	3	63
1531	62	7	3	20	(10)	14	3	2	—	1	3	115
1532	29	10	13	6	(4)	4	5	1	—	—	2	70
1533	8	8	2	8	(4)	4	—	1	—	—	—	31
1534	6	3	—	14	—	7	1	—	—	—	2	33
1535	16	3	8	9	(3)	1	1	1	2	—	—	41
1536	5	15	14	7	(1)	5	2	1	2	—	2	53
1537	14	17	18	5	(4)	1	—	2	—	—	—	57
1538	10	13	22	4	(1)	1	2	2	2	—	—	56
1539	11	15	7	13	(1)	6	9	2	2	—	—	65
1540	36	9	25	10	(2)	7	5	1	2	—	—	95
1541	33	22	32	16	(3)	3	11	—	—	—	—	117
1542	19	2	27	3	—	1	3	2	—	—	—	57
1543	28	9	39	16	(2)	3	3	1	—	—	—	99
1544	112	19	119	11	—	3	8	2	2	—	—	276
1545	122	78	115	19	(10)	6	5	2	1	2	1	351
1546	107	87	54	11	—	6	2	1	—	—	2	270
1547	127	108	116	12	—	7	3	1	—	—	1	375
1548	150	125	142	17	—	14	—	—	—	1	2	451
1549	61	55	62	3	(1)	1	—	1	1	1	3	188
1550	120	65	56	16	(4)	15	5	—	8	1	3	289
1551	84	85	44	2	(1)	—	—	—	11	5	4	235
1552	99	61	42	9	—	1	—	—	5	6	2	225
1553	132	36	85	12	(1)	10	5	—	14	5	6	305
1554	127	67	108	5	—	5	2	—	9	2	2	327
1555	126	28	39	11	(1)	15	3	—	2	7	3	234

	Meistergesänge			Spruchgedichte								
	I	II	III	IV	(IV)	V	VI	VII	VIII	IX	X	
1556	75	42	41	6	—	10	3	1	3	7	10	198
1557	21	2	2	19	(2)	18	20	—	4	5	7	98
1558	19	6	5	34	(20)	42	56	—	1	5	2	170
1559	19	1	1	40	(22)	41	9	—	3	3	5	122
1560	2	—	2	7	—	6	1	—	—	3	3	24
1561	—	—	4	5	(1)	2	1	—	—	1	1	14
1562	—	—	1	116	(96)	41	30	—	—	1	—	189
1563	—	—	—	98	(69)	61	61	—	—	—	—	220
1564	1	—	—	49	(26)	2	1	—	—	—	—	53
1565	—	—	3	64	(52)	7	—	—	—	1	1	76
1566	—	—	2	81	(72)	2	—	—	—	—	—	85
1567	—	—	—	29	(11)	3	—	—	—	—	—	32
1568	—	—	—	38	(3)	1	1	—	—	—	—	40
1569	—	—	—	27	(4)	4	—	—	—	—	—	31
1570	—	—	—	—	—	—	—	—	—	—	—	—
1571	—	—	—	1	—	—	—	—	—	—	—	1
1572	—	—	—	5	—	—	—	—	—	—	—	5
1573	—	—	—	2	—	1	—	—	—	—	—	3
	2066	1019	1313	913	(445)	389	268	25	77	58	70	6198

4398	1800

In der Zahl der 4400 MG sind 76 *ohne Meistersängernamen* inbegriffen, nämlich 51 mit geistlich-biblischem Inhalt (19 Psalmen), sieben Buhllieder und
18 weltliche Erzählungen. Es sind die Nummern 11, 78, 90 bis 110, 122f.,
196, 285, 352, 354f., 703, 931, 973, 1101, 1231, 1670, 1733f., 1782, 1788,
1791, 2054, 2137, 2159f., 2363, 2493, 2685, 2699, 2715, 2738, 2766, 2835,
2895, 3280f., 3397, 3451, 3733, 3957f., 4199, 4201f., 4204, 4210, 4226,
4251, 4386, 4539a, 5430, 5437, 5446, 5925, 5943, 5976, 5979 und 5984.
Diese 76 Lieder sind in den Meistergesangbüchern enthalten, sind aber
keine MG, wenn auch z. B. der Titel von 2054 «ein par in den vier gekrönten
haupttönen, fünf gesätze» von ferne (der Text des 8. Meistergesangbuches
in Zwickau ist mir nicht zugänglich) wie ein MG aussieht. Es fehlt diesen
Gesätzen oder Strophen die Dreiteiligkeit. Gemein mit den MG haben sie
nur die Verbindung mit der Melodie. MG 78 vom Jahre 1520 hat drei
gleiche Strophen von je 31 Zeilen mit verschiedener Silbenzahl, aber nur die
26. und 27. sowie die 30. und 31. Zeile reimen. Aus 1524 sind acht Lieder
vorhanden, 90, 91 und 92 weisen mit einer sehr kleinen Ausnahme die gleiche Form und Reim ababccdeed ɔuf; dieser wird in den andern jeweilen ein
wenig geändert, auch im siebenstrophigen Lied Nr. 95 «O Jesu zart», das im

«ton Maria zart zu singen» ist wie MG 1231 vom Jahre 1543. Die 13 Psalmlieder von 1526 (99ff.) und das geistliche Lied 123 vom gleichen Jahre, das Psalmlied 3733 von 1552 und der weltliche Lobgesang 5446 von 1562 haben siebenzeilige Strophen und das einfache Reimverhältnis ababccd, das sogar in den beiden letzten, weltlichen Liedern des Dichters (6092 und 6093) von 1568 mit einer kleinen Ergänzung wiederkehrt: ababccdc. Die Handschriften mancher dieser Lieder sind verloren. Die übrigen Lieder bilden sehr verschiedene Abwandlungen obiger Formen, 3 bis 25 Strophen zu 3 bis 31 Zeilen, Reimpaare, gekreuzte, umschließende, verschränkte usw. und sogar gespaltene Reime oder Spielereien wie 5979 (W. Bd. 23, S. 261), 973 (W. Bd. 22, S. 221), 2137 (W. Bd. 22, S. 359f.).

Die langen Zahlenreihen der über 6000 Dichtungen geben uns ein Bild von der Beschäftigung des Hans Sachs mit den MG und überhaupt von seiner poetischen Tätigkeit. Sie ermöglichen uns, diese in *fünf Abschnitte* einzuteilen.

Erstens die Jugendzeit bis 1522. Als fünfzehnjähriger Jüngling war Hans Sachs 1509 zu einem Schuhmacher in die Lehre gekommen, und der Leineweber und Meistersänger Lienhard Nunnenbeck brachte ihm damals die Kunst des Meistergesanges bei. 1511 begann die Wanderschaft. Auf ihr erfindet er schon 1513 in Braunau seinen ersten Ton, die Silberweise, in Ried den Güldenen Ton und 1516 in Frankfurt a. M. die Hohe Bergweise, vielleicht noch auf der Wanderschaft; denn in diesem Jahre kehrte er heim. In Brennbergers Hofton hatte er sein erstes erhaltenes Lied gedichtet, das Buhllied «Ich ste alhie»; die Liebe scheint ihn zur Poesie angeregt zu haben. 1514 war auch (in München) eine Reihe von vier religiösen MG entstanden, 1515 neben drei weiteren geistlichen sein erstes SG, die Historie «Der ermört Lorenz: In cento novella ich laß»; so früh schon hat er mit Boccaccio Bekanntschaft gemacht. Aber auch ein Kampfgespräch von der Liebe verfaßte er damals, wenigstens ist es unter diesem Datum im 2. Spruchbuch verzeichnet; Goetze (W. Bd. 25, S. 3) vermutet, es könnte sogar die Wiederholung eines früheren sein. 1515 entstand auch ein «Schulkunst»-Gedicht, eine Unterweisung wie zu singen sei, im Langen Tone Wolframs. Von 1516 sind elf Lieder erhalten. In Nürnberg entsteht dann 1517 sein erstes Fastnachtspiel mit der Warnung vor dem Venusberg. 1518 erfindet er seinen vierten Ton, die Morgen- oder Hohe Tagweise, und den fünften, die Gesangsweise. 1519 heiratet er, die Eltern übergeben ihm ein Haus, und im selben Jahre findet er in Landshut seinen sechsten Ton, den Kurzen Ton, und in Nürnberg den siebten, den Langen Ton.

Zweitens die Zeit vom Beginn der Reformation in Nürnberg an bis 1543 brachte viele MG, besonders geistlichen Inhalts hervor. Hans Sachs wurde von Luthers Lehre ergriffen, 1522 bis 1523 tagte der Reichstag in Nürnberg, Kampfstimmung herrschte, und 1523 dichtete er nach einer zweijährigen, wohl von inneren Kämpfen ausgefüllten Pause die Wittenbergisch Nachtigall als MG und als SG, 1524 entstanden die vier Prosadialoge Nr. 83 bis 86 (der fünfte Nr. 2194 erst 1546), drei geistliche Sprüche und acht religiöse MG in namenlosen Tönen. 1527 warnte ihn der Rat wegen seiner theologischen Kampflust. Vielleicht darum singt er 1527 bis 1532 mit Vorliebe in der geschlossenen Meistersingerschule. 1527 entstehen in Nürnberg sein Lieblingston, der Rosenton als achter, die Spruchweise als neunter, dann der Reihe nach der Bewährte Ton, der Neue Ton, der Klingende Ton und als dreizehnter und letzter der Überlange Ton.

Drittens war 1544 bis 1555 die Blütezeit seines Schaffens auf dem Gebiet des MG; Hans Sachs besaß damals die Vollkraft seiner dichterischen Leistungsfähigkeit. 1545/6 sind die Jahre des Schmalkaldischen Krieges, der wieder eine starke religiöse und politische Spannung verursachte. 1547 und 1548 mit 375 und 451 Nummern waren die fleißigsten Jahre des Dichters. Seit 1550 nimmt auch seine dramatische Dichtung einen großen Raum ein. 1542 hatte Hans Sachs ein neues Haus gekauft; es ist möglich, daß er nun wohlhabend genug war, sich neben seinem Handwerk mehr der Dichtung hinzugeben; jenes hat er ja in späteren Jahren nachweisbar aufgegeben.

Viertens fand 1556 bis 1560 der Übergang zum SG statt. Der MG nimmt ab von 75 bis zu den zwei letzten Nummern.

Fünftens herrscht 1561 bis 1569 neben wenigen MG das SG. Im Alter erlahmt seine dichterische Einbildungskraft, statt singbaren MG dichtet er epische SG, zum großen Teil religiösen Inhalts, indem er MG mehr oder weniger stark umarbeitet oder Psalmen umschreibt.

Es folgt eine Übersicht über die fünf Abschnitte in etwas abgerundeten prozentualen Zahlen:

	I	II	III	IV	(IV)	V	VI	VII	VIII	IX	X
1513–22	37,8	8,5	48,3	2,4	—	—	1,2	1,2	2,4	—	—
1523–43	42,5	11,3	18,8	12,5	3,8	5	3,9	1,2	0,8	0,9	0,15
1544–55	38,3	22,9	27,7	3,6	0,5	2,3	0,9	0,2	1,5	0,8	0,7
1556–60	21	7,8	7,8	16,4	6,8	16	13,9	0,2	1,8	3,5	4,1
1561–69	0,1	—	1	47	31	11,4	8,8	—	—	0,3	0,2

Eine solche Gesamtschau ermöglicht einen Blick in die Verschiedenartigkeit der Welt des Hans Sachs. Diese ist ebenso bunt wie lebhaft. Obwohl sich der Dichter als flinker Poet oft wiederholt, setzt er immer wieder durch den Reichtum seiner Einfälle in Erstaunen. Zum Schluß dieses Kapitels über die Formung des MG sei noch auf die Mannigfaltigkeit aller seiner Anfänge in den MG hingewiesen. Von den rund 1020 Schwänken haben

etwa 750 den gewöhnlichen, gemütlichen epischen Beginn: Es war einmal...
Es beginnt der 13. MG (fortan wieder in der Zählung der Ausgabe Goetzes
Sämtlicher Fabeln und Schwänke) «ZW Poppenrewt ein pfarrer sas», MG
14 «ZWen prüeder waren aŭs schlawraffen lant», MG 19 «ES want ein alter
füchse» usw.

Aber in fast einem Drittel bemüht sich Hans Sachs schöpferisch um eine
eigenartige Eingangsformel. Beliebt ist der Beginn «AIns mals ein pader
fraget mich» (MG 54), 768 ist es «ainer», 107 «ein sophiste», 743 ein Bauer,
963 ein Pfaff und 271 «man». – Oder ein anderer wird gefragt, MG 324
«EIn pawer fragt / Sein pfarrer», 398 «ALs doctor Staŭpicz wart gefragt, /
Was pey dem menschen...», oder 856 «EIn alte hex den dewffel fraget /
... das er ir saget». – Noch häufiger sind Wendungen wie «EIns tages fraget
ich ein doctor der mer, / Von wann die affen...» MG 57, «EIn pfaffen fragt
ich» (73), «ein doctor weis» (85), «einen münich» (159) usw.; dabei ist
auffallend, wie Hans Sachs vom Jahre 1546 an gern die Weisheit des Alters
lobt, vom MG 315 an heißt es «ain alten» (315, 321, 374, 927 und 1022),
«ain alten pfaffen» (1010), «EIn münich alt» (396), usw. im Jahre 1536 noch
einen «doctor», 1537 «EIn pfaffen» und ein «doctor weis», 1544 einen
«münich» usw. – Zur Abwechslung braucht er dann die Formeln «AIns tags
thet ich zu aim vralten jehen» (933), «EIns malß lag ich pey einem wirt»
(20), «AIns abentz fueret mich ain zwerge» (658), «EIns dags als ich spaciren
ging, / Pekam mir mein gsel» (564), «EIn junckfraw ... pegegnet mire»
(445), «Ich hort ain maidlein clagen / Eins abentz» (804) usw. – Und dann die
sehr häufigen Hinweise auf die Quelle: «ich lase in cento noŭella» (MG 3),
«MOn list in centonouella» (MG 5 und 32), «EIn puch cento nouella heist»,
«IM virden puech vns saget / Esopŭs von eim esel» (43), «ANnianŭs
poette / Ein fabel schreiben dette» (9) usw. über vierzigmal. – Manche Anfänge können sich wohl ganz oder teilweise auf Erlebnisse beziehen wie
z. B. MG 49 «ICh hab pegeret lang, / Zu hören gŭet meister gesang, /
Daraŭs zw lernen...», oder MG 441 «ERstlich als ich hayraten wolde, /
Maint ich, was glies, wer alles golde», oder MG 531 «ALs ich zum ersten
mal auß zug, / Kein pfening par ich mit mir drug», MG 563 «ALs ich ein
jüngling war erwachsen», MG 696 «ICh hab oft hören sagen, / Man hab nie
horen singen / Ein lied von warmen wein», MG 762 «AIns abencz spat
sach ich hurtiger haŭsmaid drey», MG 1005 «ALs ich mein hantwerck leret»,
MG 1015 «EIns abentz sas ich in ainem wirtzhawse, / Da war...», MG 1025
«IN meiner wanderschaft erfuer ich das, / Wie in ainem stetlein ein haffner
was...» und dgl. – Oder wenn er sonst häufig erzählt, was er abends und morgens beim Ausgang sah und hörte.

Aber erfunden sind gewiß meistens die poetischen Bilder von Träumen
und Erscheinungen. In Renaissance und Barock waren diese Traumdich-
tungen und allegorischen Gestalten beliebt; diese verlocken den Dichter

draußen in der Landschaft zu einem Gespräch, oder er schläft ein, und im Traume sieht er Gestalten in seine Stube treten. MG 97 «EIns morgens frw vor tage / Ich vngeschlafen lage. / Ein duerres weib eindrate, / ... fraw Sorg genennet», MG 571 «EIns nachtz traŭmbt mir gar wolpesŭnen, / Wie ich kŏm zw eim grosen prŭnen», MG 614 «EIns montags frue zw pett ich lage, / ...Ym schlaf erschin mir ein gesichte», MG 657 «IM traŭm sach ich ain wunderpilde» (den Baldanderst), MG 806 «AIns nachtz sach ich in schlaffes qŭale / Siczen ein weibspild» (Neqŭicia), MG 954 «AINs mals im Mayen ich zv nacht / Lag vnd in meim herzen gedacht».

Andere Male möchte Hans Sachs unmittelbar Aufmerksamkeit wecken. MG 84 «GRos wŭnder thw ich eŭch pekant», MG 1 «YR schŭeknecht gŭet, / Seit wolgemŭet! / ... Darumb ich sing...», MG 37 «MIt meim gesang mŭes ich loben den pŭelen mein», MG 38 «WAch auf hercz, sin, vernŭnft vnd mŭet!», MG 40 «ACh, wie pin ich in meines herczen grŭnde / So sendiclich verwŭnde», MG 56 «WOlawff, wolawff! last vns darfon», MG 105 «WOlawf, wolawf!, wer herr ist in seim hause», usw.

Recht beliebt sind zeitweise Trompetentöne folgender Art: «NUn schweigt vnd hŏret fremde mer» (MG 16), «HOrt zw ein gŭette abentewr» (MG 17), «HOrt, wie vor langer zeit» (21), «NUn hŏret, wie ein pfarrer» (MG 29), «HOrt zw Erfŭrt waren armer bachanten zwen» (MG 31), «NUn hŏret zw vnd schweiget stil!» (MG 55), «NUn hŏrt artlicher schwenke drey!» (MG 58), und so weiter MG 66, 87, 121, 133, 135, 146, 168 und dann ein großer Sprung von 1544 bis 1549: 572, 611, 725, 771, 812, 952 und 1023.

Gelegentlich beruft sich Hans Sachs eingangs auch auf ein Sprichwort, MG 18 «ES ist ein alt sprichwort gemacht» und MG 843 «WEr nerrisch ding fragen thŭet, / Ein alt sprichwort thŭt sagen, / Dem wirt aŭch nerrische antwort». Vgl. Ch. Schweizer, Festschr. S. 353ff. – MG 44 beginnt «HEwt ist ein pospot kŭmen, / Der pringt erschröcklich mer», was im folgenden 45. MG vom gleichen Tage geändert wurde in «ICh hab ein prief gelesen, / Der man sol kŭmen ...». – Lehrhafte MG beginnen auch «MAn fint drey ding aŭf erden, / Die teglich grŏser werden ...» (MG 48), «ES sint viererley lewt zw weng auf erden» (MG 74), «DRey erley wercklewt werden ... erfŭnden» (MG 323). – Alle diese Beispiele stammen aus den MG; die Fabeln und Schwänke in den SG stimmen darin vollständig überein.

So hat Hans Sachs auch in den MG die Schätze einheimischer und fremder Literatur seinem Volke näher gebracht und mit großem Fleiße daraus gemacht, was seiner Welt entsprach. Seine Motivbehandlung zeigt nicht immer Neues, und nicht immer hat er daraus Neues geholt, aber gerade die Meistergesangsform mit ihrem Zwang zu gedrängter Darstellung und ihrer nahen Beziehung zur Lyrik war sehr geeignet. Daß Hans Sachs z. B. im MG im Gegensatz zum SG die Schlußmoral auf einen Drittel beschränken mußte, werden wir am Ende im Abschnitt E über die Lehrhaftigkeit noch sehen.

B. ERZÄHLERISCHE GESTALTUNG

Aber dieser Zwang durch die Form konnte bei Hans Sachs die Freude am Erzählen nicht einschränken. Sie bricht überall durch.

Er feilt den *Stil*, verbessert den Ausdruck nach Kräften – wenn er nicht Eile hat. SG 60, 10 erzählt «die pald den fuechß vermonet», MG 115, 10 mit mehr Wohllaut «*ermont*». Während (vgl. oben) SG 53, 8 der Geizige sein Geld unter die «altar schellen» versteckt, faßt Hans Sachs im beinahe gleichlautenden MG 102, 8 den Begriff enger, «wandelschellen»; dem Vers 29 im SG «So lang im saus möcht leben» entspricht im MG das rhythmisch bessere «Im saus so lang möcht leben», und während dort Vers 52 der Geizige «In armüet darfon füere», fährt er hier «In kranckheit» davon, was eine Steigerung bedeutet, da Vers 50 die Krankheit schon erwähnt ist; die Wendung SG Vers 37 ff. «Vnd det sein pfening haffen / Grob vmb sein vnzücht strafen. / Pis er in machet lere», verbessert der Dichter im MG «Bis er würt endlich lere», wodurch der schicksalsmäßige Ablauf feiner angedeutet wird. Wie gut gelingt ihm MG 340, 19 und 39 bis 54 die Änderung des Ausdruckes bei Pauli Nr. 63. Was Eulenspiegel, Hist. 3, 4 S. 7 «wunderlich spil» heißt, ist MG 528, 12 «affenspiel»; während in Steinhöwels Aesop S. 13 «sie verloren sich also in dem finster», heißt es MG 529, 44 «Darnach entloffens wie die nassen kaczen», und MG 512, 16 fügt der Dichter der Quelle, Waldis IV, S. 142 (oder Agricola) noch bei «die fraw det vmb in mawsen». Die gleiche Quelle IV, 12 erzählt S. 39, 5 f. «Ein Landtsknecht thet fleißig zuschawen / Vnd kam zu einer armen frawen», MG 795, 1 ff. aber «ein lanczknecht kom... / Zu suchen was in seinen kram, / Wan er künt kisten fegen». Dec. VIII, 4 ist das Weib die «vngeschaffeste bübin», doch MG 257, 43 lag «der thümpropst pey dem vnflat», Vers 49 «seiner vngeschaffnen prawt». Pauli Nr. 71, S. 58 «schampt sich der güt her», MG 290, 51 ff. steht «Der pfaff der was / Schamrot ob dises pawren sagen, / Zueg ab gleich ainer nassen kaczen». Pauli Nr. 17, 25 «macht ieglicher ein kind», MG 860, 31 «zimert er ieder ain kind»; Steinhöwels Aesop 155, S. 331 «erschrak die frow», MG 397, 26 «war dem schimpff der boden aůse»; ebenda Nr. 151, S. 322 «des sie ser erschraken», MG 400, 20 «ir freud in aschen dropft». Vielleicht gerade wegen der Kürze der Form achtet Hans Sachs mehr auf die Förmlichkeit, das Sprachliche, es soll gut tönen, richtig und schön sein, wie ein Vergleich mit SG vom gleichen Tag und mit den Quellen zeigt. – Oft verbessert er nur die Rechtschreibung.

Der *Bilderreichtum* ist gewaltig. Pauli Nr. 61, S. 52 «asz allerlei trachten die man dar satzt on scham» entspricht MG 608, 36 «Der fras vnd schlambt gleich wie ein meczger hůnd». Waldis II, 62 erfahren wir nur, daß der Mann gestorben ist, MG 786, 2 ff. aber «vor aim halben virtel jar / Ir eman war gestorben. / Nůn ir polster war gar vnholt, / Zw nacht nicht mit ir reden wolt»; die gleiche Quelle IV, 32, S. 89ff., 27f. schreibt «Er sprach: ‚gantz wol! in diesem fach (Klopfft auff sein Tasch) hie sein die Gulden'», aber MG 830, 30ff. sprach er: «‚ Ja, in eim gueten wert', / Vnd klopfet auf sein daschen ... / ‚Da ligt der hůnt'»; während es Dec. VI, 5, S. 390, 10f. nur heißt «gantz von vngestalt geformiret», steht MG 465, 24 «Gleich wie man den Esopum mahlt». MG 59, 47f. fügt Hans Sachs der Quelle (Pauli Nr. 208) bei «Stilschweigent sie die wort verschlünd, / Recht wie ein hunt ein krapfen». Im MG 75, 9f. ist vom Dichter «Darumb gedenck ich hin vnd her, / Wie ich dem můnich mȯcht ein kappen kawffen» (= eins versetzen), und während die Quelle, Pauli Nr. 191, S. 139, weiterfährt «Da lacht iederman, vnd het er das gelt verdienet vnd ward der wůcherer noch zorniger», fügt der MG Vers 37ff. bei «Der můnich sprach: ‚Ein rechter / Ist droffen worden auf die maws, / Weil er mir ist zum andren mal entloffen.'» Wo Pauli Nr. 144, S. 105 episch ruhig erzählt: «Sie ... nimpt ein halb mesig kentlein, vnd lieff mit in den keller vnd holt zůtrincken», drückt sich MG 83, 26f. bildhafter aus «do důerstet sie, / Vnd ward ein kandel zucken, / Loff in den keler, lies ein wein». MG 128 heißt des Dichters eigene Schlußlehre «Solch e sint got angneme / Von mon vnd fraw, / Als wen ein saw / In die Jůden schůel keme». Der Knecht der Quelle ist MG 424, 41f. «Der knecht, das vnuerstanden kalb.»

Gelegentlich verfällt sein Erzähleifer geradezu ins *Spielerische*. So wenn MG 367 beginnt «IM Mayen Eulenspiegel kam», weil dieser Bar in der Maienweise (Morgenweise) Jȯrg Schillers abgefaßt ist; ein häufiges Zusammentreffen, wie wir S. 53ff. sahen.

Auch erhebt er sich oft zu *romantisch-poetischen* Höhen. Im Buch der Beispiele der alten Weisen S. 104 «sy kommen uff ein mal ein große türy vnd daby so ein dürr jar»; schöner aber ist die viel poetischere altertümliche alliterierende Fassung «AIns mals in důerrem sůmer / Drůcknet aůs wasser, wůnn vnd waid». Pauli Nr. 18, 25 «Ein alter lew ... lag in einem loch», MG 151, 2 aber lag er «in einer holen in eim finstren walt»; in der Vorlage «fand er ein reisingen hengst», MG Vers 14 «gezaůmbt auf grůener haide». Der grüne Wald im MG 152, 2 ist der Wald in den Quellen, Pauli Nr. 20 und Steinhöwels Aesop.

Außerordentlich geschickt versteht es Hans Sachs, aus einem Verhältnis den *springenden Punkt* zu finden, die Pointe. Wenn er MG 137, 26 den Stollen mit den Worten schließt, daß die Frau und ihre Maid «iren warsager asen», so ist diese Bezeichnung des Hahnes ein guter Witz; woran es ihm nicht fehlt. MG 1019 läßt er die unanständige Schlußrede des Scherers aus Jac. Freys Gartenges. 60, S. 74f. weg, erfindet aber an deren Stelle die Antwort der Magd Vers 42 «Maister, ain fuerz ist doch farende habe». Von ihm stammt auch die Spötterei, die Augustiner haben viele Kinder und keine

Frauen, und Fritz, d. h. Herzog Friedrich, hat eine schöne Frau und keine Kinder. Pauli Nr. 204 dankt das Kind der Mutter (die zwölf voreheliche Kinder von zwölf verschiedenen Vätern hat) für den Vater, MG 286, 42ff. fügt bei «Dw gibst mir ein reichen vater. / Wen dw nůn wilt, so fare». Dem Witz Paulis Nr. 412 «Die hübschen kind mach ich in der tag, vnd die andern mach ich in der nacht» schließt er MG 895, 42 den Vers an «Darzw ich oft kain stick gesich». Damit diese Schlußwirkung hervortrete, kürzt Hans Sachs gewöhnlich das Ende. Dec. IX, 4 schildert breit die Ausplünderung durch die Bauern, MG 215 nur noch das wesentlichste Ergebnis. MG 82 erklärt er nicht nochmals, was Luca sei, wie Pauli Nr. 345, S. 126; und S. 215 steht dort «Das verdrosz die von Pergama, das man das Euangelium nach der stat Luca solt singen, vnd nit irer stat Pergama, vnd meinten ir stat wer als wůrdig als Luca, man solt das Euangelium nach irer stat auch lesen. Da sie nun heimkamen ...»; statt dem schließt Vers 10ff. kurz und wirkungsvoll «Das vertros diese geste / Vnd vermeinten, man nent den nam / Nach der stat Lůca veste».

Manchmal streicht er eine die Endwirkung störende Vorbereitung. Pauli Nr. 6, S. 19 (und ähnlich SG 214, 28f.) ist zu lesen «so wollen wir in (den Aal) schlemmen, vnd wollen darnach sprechen, der otter hab in fressen», MG 129, 32 aber ist vom Otter erst die Rede, wie die Frau den Mann – auf diese Weise wirkungsvoller – anlügt. *Streichungen am Schluß* macht er oft recht geschickt. Eulenspiegel Hist. 92 und im MG 96, 41 bis 52 schimpft der Pfaff, und Eulenspiegel sagt, er habe gewarnt; der MG endet damit gut, aber in der Quelle schimpft der Pfaff abgehend nochmals, und Eulenspiegel ruft ihm nach, das Geld solle er nicht liegen lassen. Pauli Nr. 293 erzählt behaglich S. 191 «Zu Straszburg sein vil beginen, die tragen gewonlich mentel vnd kürsen von beltz darunter», MG 623 wird diese Kleidung erst nach deren Verlust erwähnt. Die Wirkung ist so größer. Wie gut der Dichter diese Pointe ausdrücken kann, sieht man auch MG 299 in den kurzen, gewandten Versen 57f.; oder MG 240, wo er die Bemerkung wegläßt, daß der Jude dem Sultan «aller der summe geltz der er notturft was», freiwillig gab; oder MG 260, der den Vorgang auf dem Rialto (Dec. IV, 2) nicht mehr hat und die Bestrafung des Mönchs nicht so schildert; oder MG 674 mit dem zugespitzten Schluß (im Gegensatz zum Narrenbuch 423ff.).

Leider hat Hans Sachs in der Eile gelegentlich den *Knalleffekt verpfuscht.* Pauli Anh. Nr. 17 lesen wir S. 402 «nun het der wirt ein feyszte ku»; nachher sagt der Dieb zum Bauern begreiflicherweise «so hab ich gemüszt die elend(!) kuw ... nemen», was besser ist als MG 145, wo die Kuh schon Vers 8 «alde» ist. Pauli Nr. 392, S. 239f. erzählt «es wust keiner nichtz darumb, da fieng der knab Papirius an zu weinen, vnd sagt wie in sein muter het wöllen zwingen zu sagen vsz dem rat vnd wie er die hoflich lügin erdacht het. Vnd also ward da geordnet, das kein knab me solt in den Rat gon dan Papirius»; ähnlich im spätern MG 670, aber MG 256 läßt Hans Sachs der Kürze des Tones wegen die Pointe weg: der Senat «Des knaben sich verwundert, / Der mit vernunft sie abgeweiset het». Eulenspiegel Hist. 66, S. 102 entgegnet der Pfeifendreher, der Eulenspiegel zum Essen eingeladen aber nicht eingelassen hatte, er habe ja gesagt: komm essen, «wenn du kannst», während MG 367, 20 ff. nur steht «Zwar, Lieber, es war / Gar nit der ernste mein», was den Spaß stört. Ebenso MG 837: Waldis S. 228, 30 f. begnügt sich der Abt zu dem Mönch mit der verhüllten Dirn auf dem Buckel zu sagen «so zicht bei zeiten / Die stegreiff auf», aber MG Vers 19 ff. führt vorher noch überflüssigerweise aus «Doch detten ir raus ragen / Ir schenckel. Das selb west er nicht. / Als er ging durch die pforten, / Kam er dem abt gleich zv gesicht». Dec. VI, 10 wird am Schluß noch berichtet, wie die beiden jungen Leute nach der Predigt zum Mönch Zwiebel gehen, ihm die Feder zurückgeben; diese braucht er dann nächstes Jahr wieder zur Gaunerei, was der Dichter wegläßt, weil ihm der Betrug selbst die alleinige Hauptsache ist. Pauli Nr. 82, S. 64 erzählt gut, wie «ein knab von XVIII iaren lam von muter leib» einer Wette wegen von einem Bauern nächtlicherweile auf den Kirchhof getragen, dort erschreckt wird, in der Todesangst gehen lernt und als Erster zurück kommt, MG 31 sind es zwei betrunkene Bauern, die vor Furcht nüchtern werden, was ein schwacher Witz ist. Vgl. noch Festschr. S. 93 ff. Auch in den drei andern Bearbeitungen des Stoffes, SG 100, SG 216 und MG 449, ändert Hans Sachs so, die MG-Form scheint also hier nicht schuld zu sein. Pauli Nr. 407, S. 246 führt witzig aus, wie ein Jüngling vor Liebe nicht sieht, daß seine Metze nur ein Auge hat, erst nach vierjähriger Abwesenheit blendet ihn die Liebe nicht mehr; sie «sprach ... ich hab kein aug verloren, aber du hast augen funden»; die Wirkung dieses guten Schlusses stört Hans Sachs, indem er das ganze dritte Gesätz hindurch erklärt, wieso die Liebe blendet. Um das Gesätz auszufüllen, schließt er im MG 242 nicht wie Pauli Nr. 35 mit dem Hauptpunkt, daß die Katze den Käse statt die Mäuse fraß. Auch MG 244 hängt er im Gegensatz zu Pauli Nr. 47 (Anh. Nr. 1) an die Pointe noch eine Erklärung. So schaden die breiten Lehren MG 2, 158 ff. (entgegen Steinhöwels Aesop S. 82), MG 904, 21 ff. die Erklärungen durch den Narren (Pauli Nr. 50 schließt mit dem Gipfel der Geschichte «Es ist gewonlich wan man ein vsz fürt, so gat der vbeldöter vor vnd gat der hencker hinnach»); es schadet MG 853, 48 f. seine Beifügung, MG 746, 25 ff. die unnötige abrundende Erläuterung, wie auch MG 607, 35 ff. (Pauli Nr. 32); Pauli Nr. 313 (Anh. 14) schließt mit dem Satze «hand sie ... Gott fleißig vmb die gab gedancket», MG 305, 41 ff. aber mit einem prächtigen Schlußhöhepunkt, indem die drei Landsknechte sprechen «Secht, lieber herr, / Iczund müegt ir auch reitten ferr, / Die weil euch got / Durch vnser gepet hat gegeben / Die gülden rot. / Reit hin vnd thüet frölich mit leben!», und das verderbt Hans Sachs mit dem sonderbaren Schluß 47 bis 60. – In allen diesen und vielen andern Beispielen finden wir das nämliche Verlangen zu belehren und deutlich zu sein auf Kosten des Geistreichen, Witzigen, der Ironie und der Satire. Das ist begreiflich bei den behaglichen SG, weniger bei den knappen MG, wo dadurch viel Reiz und Spannung verloren gehen. In dieser Hinsicht hat der Dichter ebensooft die Quelle verschlechtert wie verbessert.

Eigentliche *Ironie* finden wir bei ihm ziemlich selten (vgl. auch S. 76ff.). Er ist als sachlicher Epiker des Alltags weniger sanguinisch als phlegmatisch. Indem er moralische und unmoralische Weltanschauung gegenüberstellt, entsteht z. B. im MG 308 Ironie (Pauli Nr. 564) in der das dritte Gesätz füllenden Lehre. Doch MG 461 bildet den Ansatz der Vorlage (Pauli Nr. 176, S. 121 «also hat der sein lebtag genůg gehabt») nicht zur Ironie aus.

Humor und Witz aber sind ihm aus Freude am Leben reichlich gegeben. Er kennt das Übel, den Zwiespalt des Lebens. Oft entsteht daraus eine Lehre, gar oft auch lächelt er darüber unter Tränen. Und er schließt sich selbst bei seinen Ermahnungen nicht aus, bald ist er Moralprediger, bald liebevoller Teilnehmender. Er hat ja auch seine Erfahrungen gemacht. Der Gefahr, humorvoller Schilderungen wegen breit zu werden, entgeht er im MG fast immer der kurzen Form wegen. Ist der Humor überraschende Zusammenstellung von Stimmungen, so der Witz die von Dingen und Personen. Wie den andeutenden Witz, die Pointe, liebt er auch den Wortwitz, aber ebenso den bildlichen Witz. Alle diese Arten gibt er manchmal als Eigenes den Stoffen der Quelle bei, selbst in diesen kurzen Dichtungen. MG 665 wird als schlimmste Strafe für den gefangenen Wolf erdacht, ihm ein Eheweib zu geben, und Hans Sachs ergänzt die Quelle, Waldis III, 16, indem er schließt «Nůn dencket an / Den wolff, ir jůngen gsellen!». Und MG 546, dem Abenteuer mit dem heißen Eisen, fügt er der Vorlage, Gesammtabenteuer, Bd. II, XLVI, S. 369ff., noch als Schluß an «Von dem weib ist das sprichwort blieben: ,Du bist der liebst nach ander sieben‘». Dec. IX, 8 läßt sich Ciecco von Gonello zu einem Versöhnungsmahle einladen, MG 419, 62f. lädt Herr Philippus beide ein; der Dichter liebt bei Torschluß Versöhnung mit frohem Trunk in den MG wie in den Fastnachtspielen. Pauli Nr. 493, S. 405 «wolt sich der burgermeyster alsz ein weyser Her des handels nit mer annemen», aber MG 63, 48ff. weist er die beiden Partner an vier redliche Männer, «was die sprechen, da bleibt es pey / Eim fůeder rotten wein». Und MG 83 schließt Hans Sachs mit dem einsichtsvollen Spruch «Wer frawen vberlisten wil, / Der můes gar frůe aufwachen». Pauli Nr. 133, S. 96 beendigen die Weiber den Streit «lassen vnsz einander helffen bachen», MG 127, 43f. aber skeptischer «Sie machten fried / Wol aůf ein halbes jare». MG 421 sagt, es würde noch mancher die Eheprobe nicht bestehen, und Hans Sachs fügt Vers 66 bei «Ich dorfft im selbst nit trauen». Neckisch ist auch der Schluß MG 706. Scherz am Ende ist sehr beliebt.

Wie viel wird doch gerade in den MG *gelacht* im Gegensatz zur Quelle! Eulenspiegel Hist. 26 schließt S. 38 «Der hertzog sprach ...», MG 687, 27 «der herzog lacht der arglistigen sin ...». Dec. IX, S. 550, 21 f. sprach die Frau zu sich selber «On czweyfel dise czwen iunge man mir große lieb getragen haben», MG 119, 55 f. «Die fraw kûnt ir von herczen lachen. / Also mit den listigen sachen / Irr pueler alle paid abkam». Dec. IX, S. 553, 22 ff. «wurffen ... die nunnen alle ir gesicht gen der ebtessin, auch des warnamen ...». MG 263, 52 «Fingens all an zw lachen». MG 613, 43 ff. (Pauli Nr. 168 hat einen ernsten Vergleich) endet mit Humor «Der herzog det der spotling antwort lachen / Und thet sie alle paid zw freûnden machen». Pauli Anh. Nr. 29, S. 410 «het der spoter eins seinen lon», MG 682, 59 ff. lief der Geselle davon, «Des idermon / Lacht, det des goltschmids spotten», MG 1007, 41 ff. fügt Hans Sachs der Quelle (Pauli Nr. 125) einen zweiten ähnlichen Fall bei, und «Iderman lacht der schwenck». MG 67 hängt er dem Quelleninhalt (Steinhöwels Aesop S. 50 f.) die Schlußverse 49 ff. an «Der abentewer wurt gelacht.» Was hier wichtiger ist als die Lehre. MG 678 ergänzt die Quelle (Narrenbuch, S. 322) in Vers 43 f. «Der küng lacht vnd sein hofgesind / Der selczamen antwort geschwind». Eulenspiegel, Hist. 17, S. 26 schließt «Da mercket der spittelmeister das es Vlenspiegels betrug wase. Aber er was hinweg vnd er kund im nüt angewinnen», aber MG 38, 59 f. ändert «Als er vernam den gûeten schwanck, / Mûest er der schalckheit lachen». So verschafft er noch oft dem Schalk den Sieg über den Mahner.

Nicht selten ist der MG *drastischer* als die Vorlage, umgekehrt kaum je. Eulenspiegel Hist. 12, S. 18 schilt die Kellnerin die mit Eulenspiegel saufenden Bauern, MG 297, 38 ff. tönt es kräftiger, «Es war fiech wie der stal». Bei den Eulenspiegel-Geschichten ist eine Predigt nicht erwünscht. Waldis III, 9, S. 381, 40 sagt der Fuchs zum Wolf nur: alle Fische werden von dir gefangen, MG 789, 32 ff. «So hencken sich zu male / An zale / Vil fisch daran gemach. / Zeûch sie raûs drat, / Pach, seûd vnd prat! / Den fris dein hûngring pawch gar sat». MG 977 schließt Hans Sachs mit der Beifügung zur Quelle (Eulenspiegel Hist. 72) «So het Ewlenspigel drey tag pier zv sauffen», statt der Lehre.

Gelegentlich finden wir eigentliche *Grotesken*. Waldis IV, 83, S. 214, 126 f. erzählt «Das Pferdt von stund lauffen begundt. / So lang er mocht, folgt er jm nach», hingegen MG 824, 45 ff. «Vnd auf sein stroen grama sase, / Der ging gmach wie vorhin sein strase. / Der pfaff sprach: ‚Kantw nit erhiczen? / Halt, halt! ich wil dich machen schwiczen.‘ / Zûnd an das stro. Pald es pron auff, / Erst kam der groma in den lawff / Im wald zw thal mit grosem schnawden / Vnd warff den pfaffen in ein staûden. / Der pfaff fûer auf vnd loff im nach / So lang, pis er in nit mer sach. / Also vmb seinen groma kame». Oder Dec. IX, 5, S. 565, 20f. heißt es «sein geygen prachte vnd mit großen freüden vil guter lüglein sange», was MG 947, 27ff. ausschmückt «Mit der fidel hoffirt / Der wirtin vnd det darein singen. / Ein weise kacz die sas / Im kamer fenster, da maint er, / Die wirtin wer / Da, im zv horen was; / Erst er sich waidlich dirt, / Schrir: «Iw! jw! jw! vnd det aufspringen». Pauli Nr. 135 verlangt die alte Zauberin, die Frau müsse den Speck dreimal werfen, MG 77, 26 fügt den einträglichen Befehl hinzu «Ge heim vnd las den speck liegen darneben».

Überall bricht der *Schalk* aus. Im Buch der Beispiele der alten Weisen S. 59 ist nur der Knabe «der appoteck vnbericht ... vnd darzu nit wytzig», MG 478, 17 war auch der Knecht «des schalckes vol», alle sind Spitzbuben oder Trottel. Waldis IV, 43, S. 108, 25f. spricht der diebische Schneider «Gott geb dem brauch (sich selbst zu bestehlen) den ritt! / Was thut die lang gewonheit nit», doch MG 819, 35ff. macht er sich noch mehr vor «Hůeb wider auf das stueck vnd sprach: / ‚Dein sol werden verschonet; / Wan diese varb genczlich nit taůg / In mein diebs aůg‘».

Auch *durch mehr Gegensatz* erhöht er die humorvolle Stimmung. Dec. VII, 5, S. 429, 7ff. bändelt die Frau schon früh mit dem Jüngling des Nachbarhauses an, MG 154, 41ff. erst, wie der Eiferer bewaffnet das Haus bewacht, also nach der «Beichte», wodurch die komische Wirkung der Eifersucht stärker wird.

Bisweilen genügt ein Wort zur Heiterkeit. Boccaccio erzählt vom Pfaffen, der als Engel Gabriel zur schönen Frau vordringt und (Dec. IV, 2, S. 261, 30) «in seinem harnesch von ir schiede», MG 260, 27 «flog» er wieder heim, und am kritischen Abend «Flog er zum laden nackat nab in ein Canal» (42).

Wie sehr *der Humor ein Teil seines geistigen Wesens* ist, sehen wir z. B. MG 678; schon die Vorlage (Narrenbuch, S. 300, 49ff) hat eine 20 Verse lange Beschreibung des Äußern Markolfs; bei Hans Sachs ist sie fast ebenso lang, trotzdem er hier so stark kürzen mußte, daß Goetze S. 117 Anm. seiner Ausgabe klagt «Die Zusammenfassung in drei kurze Gesätze hat dem Inhalt so geschadet, daß der Humor gar nicht mehr zum Ausdruck kommt». Aber das komische Bild Markolfs opfert der Dichter nicht.

Es geschieht eben doch gelegentlich – nicht oft –, daß er *Heiteres* aus der Quelle der räumlichen Enge des MG wegen *fahren lassen muß*. Ein solcher Fall findet sich u. a. in MG 59. Pauli Nr. 208, S. 139 meldet «hab ein iszschmarren von dem dach da herab genumen vnd hab in gessen, vnd ist das kind darusz worden, das zu einem zeichen, so heiszt es glacies yszschmarren», aber Vers 18f. lesen wir nur «von diesem eis / Gepar ich dieses kneblein weis» – ohne den schönen Namen.

Seine Freude am Erzählen offenbart sich auch bei der *Betonung des Persönlichen* in der Art von MG 239, 40f., wo der Vogt das Grab aufwerfen ließ, Pauli nur «man» (Nr. 423, S. 256). – Aber er selbst, Hans Sachs, tritt auch gern hervor, indem er auf eigene Erlebnisse anspielt. Oft sind es, wie wir oben S. 100 f. sahen, dichterische Annahmen. Andere Male gewiß nicht, z. B. wenn er MG 826 die kurze Stelle der Vorlage, Waldis IV, 42, 3 f., über die zweite Frau des Schuhmachers in Vers 5 und die über handwerkliche Tüchtigkeit des Schusters übernimmt, wenn auch der MG-Form wegen lange nicht so breit wie im elf Jahre spätern SG 357. Oder wenn er MG 481 Anh., 24–36 fast ein ganzes Gesätz hindurch schildert, wie der Ritter – wohl gleich ihm – «vnberedt» war, in Abweichung von den Einzelheiten in Dec. VI, 1, S. 383, 3 ff. Oder bei der Formel «EIn pfaffen fragt ich, e ich wart ein singer, / Warumb ...» (MG 73, 1 f.). Oder MG 1005, 1 ff. «Als ich mein hant werck leret, / Das ich mich darmit weret, / Den můesigang zv fliehen, / Det meim hantwerck nach zihen / Gen Nůrnberg, in die state, / Darin ich arbeit hate. / Als ich nůn etlich zeite / Ainem maister arbeite, / Hab ich ...». Eine Erinnerung im Jahre 1556. Auch auf seine Gegenwart spielt er an, z. B. MG 313, 35 f. «der pegert in zw driegen, / Wie man das icz in aller welte spůert». – Und er gibt sein persönliches Gefühl dazu, wenn er MG 916, 69, wie noch oft in ähnlicher Weise, «Das liebe vaterlande» und Vers 32 «vaterlande» schreibt statt wie das Buch der Beispiele der alten Weisen S. 185 «von vnnsern vordern». Wie stolz nennt er sich als junger Meistersänger «von Nůrnberg Hans Sachs» MG 16, 70. – Die kurze MG-Form hindert ihn manchmal, ein fremdes Erlebnis auf sich zu übertragen, wie z. B. jenen Vorgang von der Wanderschaft zu Schwacz im Inntal im längern SG 259, nicht aber im knappern MG 995.

Köstlich ist zu sehen, wie er sogar in der Enge des MG nicht umhin kann, *sein Wissen zu zeigen.* Pauli Nr. 392, S. 239 berät der römische «rat», MG 257, 7 der «senat» (der spätere MG 670 hat «rat», geht also wohl wieder auf Pauli zurück). Pauli Nr. 450 erzählt von den Studenten in Leipzig, «die hetten ein koch», während MG 455, 3 wie das SG 104 vom gleichen Tage weiß «Die půrsten mit einander gleich» (Vers 10 «pürs»), was eben der fachmännische Ausdruck war. Pauli Nr. 61, S. 51 erzählt «was ein ritter der het ein kloster sant Benedicter Ordens, da er kastfaut vber was», MG 608, 1 ff. weiß noch, daß es im Frankenlande liegt, und daß er vom Fürsten eingesetzt war. Pauli Nr. 26 meldet einfach Anh. S. 408 «da war der bawer zů marckt gewesen, inn Bingen», MG 854, 1 f. «Am Rein ein pawer sase ... / Der det gen Pingen lawffen», weil Hans Sachs aus eigener Anschauung weiß, daß Bingen am Rheine liegt. Im Buch der Beispiele der alten Weisen S. 91 will der Wolf «nagen an den adern dis bogens an dem armbrost», MG 41, 33 sind es «ochsen adren». Die gleiche Quelle hat S. 60 «hundert pfund ysen», MG 93, 4 «drey hůndert schineisen»; und ebenda fand er S. 7 «Wer die (Kräuter) erkent vnd conficiert nach ir gstalt ...», was er mit seinen Kenntnissen indischer Botanik bereichert «Wenn man die kunstlich ordinirt, / Zwsam sties vnd conficiert ...»; S. 80 las er «gieng der knecht vß vnd vieng zwen sittikuß vnd ein papagew», MG 387a, 10 sind es «drey papagew», und immer in der gleichen Vorlage S. 173 steht «fand (er) ... ein tieff grůb, von den wildnern dahin gegraben, zů vahen die wilden tier», was MG 915, 2 «Ein wolffs-grueben im winter kald» ist. Waldis II, S. 234f. sagt die Schlange, wer sie fangen wolle, «Der bsorgt sich, das er werd verletzt / Von mir ...», im MG 840, 13f. «Den selbigen den hecke ich / Vnd in darnach mit meinem schwancz vergifte». Hans Sachs weiß das. Die gleiche Quelle IV, S. 223, 5 erzählt «Da saß ein Herr, war wol geborn», aber der Dichter weiß seit seiner Wanderung von den Grafen von Rappoltstein und schreibt MG 844, 2f. «Das schlos Rappenstain auf eim hohen felsen leit. / Darauf wonet ain graf». Die Gesammtabenteuer II, XLVI, S. 375, 80 berichten «er truog ez (das heiße Eisen) mer dan sehse schrit», MG 546, 19 jedoch kennt den Brauch genauer «Vnd es hinaus dem kreise truege». Pauli Nr. 18, 26 tut der Bauer «ein streich mit der axt an dem baum da vornen, vnd macht ein spalt», MG 151, 28 «Der pawer spilt ein paum mit dem keileisen». Pauli Nr. 21 Anh. S. 406 weiß nur «der burger sprach, nein es seind frumm andechtig leüt ...», MG 495, 11ff. «Ein alt mon dem narren die ding verkůnt, / Sprach: ‚Das weich wasser weschet ab die sůnt, / Darmit die leüt sich sprengen thůnt, / So lischt die posheit angezůnt, / Vnd auch der teůffel vnd sein fůnt / Vor dem weich wasser fleůcht'». Aber wo Hans Sachs seine Kenntnisse zeigen, und wo er nur realistisch ausmalen will, ist manchmal schwer zu unterscheiden. – Auch sein Kunstverständnis offenbart er nicht selten einem weiteren Publikum. Pauli Nr. 412, S. 248 begnügt sich mit dem Satze «der malt die aller hübschesten Jesus kneblein ...», MG 895, 4ff. führt breit aus «Malet manig holtselig pild, / Lieplich, schön, zart vnd mild, / Plos, nackat on gewande, / So künterfetisch vnd perfect, / Als ob sie heten leben / Vnd menschliche natůre, / Det auch ir iedem geben / Recht proporcz vnd figůre». In jüngeren Jahren zeigte er auch, daß er noch lateinisch deklinieren konnte; die Stelle in Steinhöwels Aesop Nr. 21, S. 110 «kamen für den got Jupiter ...» verbessert er im MG 32 vom Jahre 1532 Vers 7 «Vnd den got Joůem pate» (und Vers 27 «schrien wider zw Joüi», des Reimes wegen!). Auch sein Französisch mag er vergessen haben; MG 613 vom Jahre 1549 führt schon den Titel «Der hoffertig centilon» und beginnt «ES wart ein centylone ...» (Pauli Nr. 168, S. 117 «Gentilomen»), gentilomme ist trotz der ähnlichen italienischen Form seinem Gedächtnis entschwunden. – Auch zitiert er gern neben der Quelle weise Aussprüche anderer, MG 232, 56 (Cyrillus IV, 2) den Aristoteles, MG 102, 58 (Pauli, Nr. 178) den Salomon (bei Pauli ist es Petrarca), usw.

Heitere Bilder stört er nicht leichthin. Waldis IV, 69, S. 171f. sagt Petrus «Kompt her vnd bindt jm hendt vnd Füß! / Werfft jn in dfinsterniß hinab!», MG 796, 47ff. nur «Darumb ghorstw in himel nicht». Während in der Vorlage Schertz mit der Warheyt Bl. LXXV' der Mann «am dritten tag starb», geht es MG 751, 32 f. gnädiger zu «Vnd im sein hant / Můst nemen ab». Nur bei Drohungen, zur Verschärfung des Gegensatzes kann Hans Sachs schärfer werden, so gegenüber Dec. VI, 4, S. 388, 27 f. «du solt an kräuch vnd meinen namen gedencken die weil du lebest» heißt es im MG 121, 38 «Am nechsten paům dw hencken můest».

Auf die Dauer erzählt nur ein guter Erzähler gern. Leicht geht einem der Atem aus ohne Erfolg. Diesen verdankt Hans Sachs in hohem Maße der Anschaulichkeit und dem Leben seiner Darstellung.

Er hat verschiedene Mittel, das trotz der Kürze des MG zu erreichen. Steht z. B. in der Quelle zu MG 592 (Renner 12144–12203) «der wirt vz gie», ergänzt er Vers 3 f. zu einem einladenden Bilde «ging in die state / Ein kaůffen wolt mit rate», also durch anschauliche Einzelheiten. Cyrillus I, 5, S. 10, 7 steht «cumque corvus simulatum cadaver... adspexisset», hingegen MG 72, 12 verdeutlicht «In dem flog aus dem wald ein rab», und dem Satze S. 10, 15 «ore sumpto lapillo super aurem jacentis projiciens dixit» entspricht Vers 20 «Nam er ein stain aus einer klůeft», sowie Vers 21 f. «Vnd flog aůf hoch vber den fuechsen in die lůeft, / Den stein mit kreften auf den fuechsen warffe». Pauli Nr. 345, S. 216 meldet «Der babst lacht vnd sagt ...», MG 82, 53 f. «Des lacht der pabst vnd manger kardinale», was in aller Kürze der Szene mehr Leben verleiht. Pauli Nr. 6, S. 18 beginnt «Es war ein edelman ...», MG 129, 1 «In Meichsen sas ein edelman»; Pauli «vnd es begab sich das er můsz hinweg reiten», Vers 9 f. «eins tages můest er reiten aůs / Zům fůersten, als er jaget». MG 145, 28 fügt Hans Sachs hinzu, daß der Bauer die Kuh «hab newlich kaůft von vnsrem pfaffen». Als sie bei Pauli Nr. 81, S. 63 «durch ein dorff giengen, da weint ein kind», MG 78, 15 f. «Ein kint das het geschlaffen aus, / ... fing ser an zw weinen». Alle die kleinen alltäglichen Vorgänge malt er aus. Pauli Nr. 10 Anh., S. 394 «man jhr das leibfal begieng ...», MG 250, 3 ff. det man das opfer haben, / Als denoch die gewonheit war / Důrchaůs im ganzen teutschen lande gancz vnd gar», und während bei Pauli «vil gelts vf den altar gefiel ...», erzählt der MG Vers 7 ff. anschaulicher «Vnd als man nůn gen opfer ging, / Die pawren nach einander, / In ain rayen wie die wiltgens, / Nach dem die weiber hetten auch ein lang gedens». Den einfachen Bericht in Pauli Nr. 17, S. 24 «sie machten im krentzlin, vnd giengen im nach vnd entgegen» belebt der Dichter MG 860, 9 ff. «Loffen im nach an alle scham / Teglichen vberaůs, / Vnd wo er ging auf ein hochzeit, / So machten im die maid vil krencz, / Deten sich umb in streichen, / Wo kirchweich waren oder dencz, / Die nechst wolt ide in der rockenstůeben sein / Vnd detten vmb in schleichen». Pauli Nr. 33 Anh. begehrt der Edelmann «vom kauffman jm das beste tůch zů zeigen», MG 866, 3 ff. geht er «ZW Vlm in ein gwantladen, / ZW kawffen ein hostůech, / Das köstlichst, das vorhanden wer. / Da trueg man im ein stamet her, / Ser geschmeidig am faden, / Vnd het gar kein geprüech, / Vnd war von farb schön scharlach rot / Vnd von gewant gancz raine».

In die Tausende gehen die *Einzelheiten*, mit denen Hans Sachs im Unterschied zur Quelle ausmalt. Da dieses Verfahren eine wesentliche Eigenheit des Dichters ist, darf hier ein genaueres Eingehen auf diese Vielfalt nicht umgangen werden. Darauf beruht ja zum großen Teil die epische Behaglichkeit, die ihn beliebt machte. Pauli Nr. 147, S. 107 «fügt (es) sich vff ein zeit, da der man hinweg fur ein zeit lang ...», MG 612 Anh. S. 20ff. «Nit / lang verging / Vnd das er rit / Gen Vlm auf den reichstag». Steinhöwels Aesop Nr. 83, S. 197 «Ain fuchs ... fand ainen han», MG 548, 1ff. «EIn hungriger fuchs ... fand ein hon / Auf einem zaun». MG 592 «sprach» der Gärtner nicht nur wie in Hugo von Trimbergs Renner im Zorn, sondern «zucket sein spiczparten» (31). Cyrillus III, 11, S. 85, 34f. berichtet «Macilenta vulpes ut se ipsam pinguedine resarciret, in pingue cellarium stricto reperto foramine introivit», wozu MG 115, 7f. fügt «Darin er mit den pachen / Wolt füellen seinen rachen».

Eng verwandt damit ist sein Bestreben, *bestimmtere Angaben* zu machen. Dec. II, 2, S. 59, 30 stieß der Kaufmann «zu etlichen» Räubern, MG 387, 3 sind es «drey rauber». Cyrillus I, 13, S. 19, 10 erwähnt nur «gallinas», MG 334, 9 «Zwelff hennen, waren faist vnd güet». Die «kleine nidere thür» bei Pauli Nr. 345, S. 216 ist MG 82, 35 «Nider, eines elpogen hoch». Pauli Nr. 17 Anh. S.402 «ist mir ein baur ... schuldig», MG 145, 24 «Ich liech füenf gulden».

Indem er bis *ins Allerkleinste ausmalt*, erzielt er hauptsächlich die oft bewundernswerte Anschaulichkeit. Pauli Nr. 58, S. 49 erzählt «Da nun das gebratens kam, da was ein rebhün oder ein gebratener kappen, was er dan was», MG 132, 6ff. schildert ein Lieblingsgebiet des Dichters «Man as ayer vnd fladen. / Darnach trüeg man kalbskopf an, / Nach dem trüeg man ein gelbe ostersuppen dar / Vnd ein plat hais gesotner fisch», und wenn es weiter in der Quelle heißt «den gantzen kappen asz er allein, vnd gab niemans nichtz dauon», genügt das Hans Sachs nicht, Vers 27ff. malt er mit breitem Pinsel «Den kopen phielt vor seiner thüer / Vnd fras in gar, nüeg die painlein gar sawber ab, / Gab nimant nichts, weil er im schmegt; / Wan er war faist vnd sües.» Pauli Nr. 10 erzählt, er «verthet mit ir wz er het», MG 150, 7ff. beschreibt – ein weiteres Lieblingsgebiet – diesen Vorgang mit genauester Sachkenntnis «Den sie kost aus der masen vil; / Was er solt verstüdieren, / Mit dem schlepsack an wüere / Vnd thet sein zeit verliren. / Sein vater das erfüere / Vnd im hefftig ein prieff hin schrieb, / Das er nit ausen plieb / Vnd aylencz heim köm auf das ziel». Kurz und bündig berichtet Pauli Nr. 653, S. 360 «die wirthin hofiert dem priester, legt im für vnd manet in das er esze», MG 157, 9ff. «Man trieb mit im ser grosen pracht; / Die wirthin west, das er war reich an gelde. / Man trueg im vür wiltpret

vnd fisch, / Den pesten wein, Capra vnd pomeranczen, / Die wirtin sas mit
im zv disch, / Leget im stez fůer, macht mit im cramanczen». Und während
Pauli dann weiterfährt «Die wirtin sties den laden vff vnd warff die deckin
vff, fieng an zu schreien», entrollt der MG Vers 32 ff. ein Bild voll Leben
«die wirtin det int kamer einen gange / Vnd sprach ůeppiclich zv dem gast: /
,Stet auf! wie mügt ir schlafen also lange!' / Der gast det, sam er vom
schlaff erst erwachte, / Sprach: ,Heint schlieff ich nit, wie ich sol; / Der
pfaff kraist die ganz nachte. / Ich glaub, im wor im pawch nit wol. / Gar
frůe er sich hewt aus der kamer dieret'. / Die wirthin thet bald auf den
kamerladen / Vnd warff auf des pfaffen deckpet, / Da fand sie ...». Solche
Höhepunkte streicht Hans Sachs immer heraus. Welch großer Unterschied
ist ferner zwischen dem farblosen Satze in Pauli Nr. 503, S. 291 «da er ge-
starb, da bleib er vil schuldig vnd ward vil an im verloren» und der Stelle
im MG 163, 6 ff. «In allem spiel / So war er viel / Stach vnd thůerniert, /
Schlembt vnd půrschiert, / Lebt herlich vnd gar prechtig». Pauli Nr. 213,
S. 141 kam es den Bauernknecht «vff ein mal an das er ... wolt», MG 423,
8 ff. «Er wolt darfon, / Ruest sich vnd legt zwen hohe půntschuch on, / Ein
hůet, den mantel, mit leder peseczet», um zu wallfahren. Pauli Nr. 168 sagt
nur «vnd was eine grose welt da», MG 613, 28 f. «Der herzog rait auch selber
zv den plancken, / Den kampf zv schawen on», und auch Vers 43 wird der
Herzog erwähnt. Oder man vergleiche die bis ins einzelne gehende Schilderung des mißhandelten Alten MG 624, 1–13 und MG 146 b, 1–22 mit
Pauli Nr. 436, S. 260 f. Wenn Pauli Nr. 29 Anh. schreibt «der jung reisz ein
merckliche lauten», rühmt MG 692, 33 ff. «Zůhant ein lauten er entwarff, /
Kuenstreich fein abgestorben, / Nach der perspecktiff kůnstlich scharff.»
Pauli Nr. 474, S. 279 «ward im auch kein almůsen», MG 867, 2 ff. er «In eim
dorff therminiren (ging), / Kes vnd ayer zw samlen pey den pawren. /
Doch gar kain almůesen entpfing. / Da wart er in im selb zuernen vnd
drawren». Ganz allgemein berichtet Steinhöwels Aesop Nr. 38, S. 133 sie
«brachten ... für recht ieder tail, was er maint, das im nücz wäre, und sagt
ieder des andern untrüw und schelkery», aber MG 527, 4 ff. mit Einzelheiten «Des diebstals laugnet ser der fuchs / Vnd an den wolff mit worten
wuchs; / Sprach: ,Du pist ainer der grösten pöswichter; / Dem mülner hast
sein esel zrissen / Dem schultheis gefressen ein kue'. / Der wolff sprach:
,Was darffstu lang mit mir palgen? / Dem pfarherr hast ein han erpissen /
Vnnd darzu faister hennen zwue: / Du hest vor lengst wol verdient den
galgen'». Hunderte von weitern solchen Beispielen sind noch Beweis für die
hohe Kunst der Kleinmalerei bei Hans Sachs. Man kennt sie von seinen
andern Dichtungen her. Aber bei den kurzen MG sind sie doppelt charakteristisch.

Vielfach genügt *die Änderung eines einzigen Wortes* zur Vermehrung der
Anschaulichkeit. Pauli Nr. 6, S. 18 f. «gieng sein hauszfraw zů irer nach-

baurin zů irer gespil», MG 129, 11f. lautet «die edel fraw perůeft zw haůs /
Ir hawsfǒgtin», durch welche Rangerhebung Aal, Elster u. a. besser erklär-
lich sind. Steinhöwels Aesop Nr. 85, S. 201 sagt der Fuchs «ich sich ainen
ryttenden dort her kommen», MG 225, 14 «ein waidman kam daher-
geritten»; usw.

Natürlich ist das Längeverhältnis zwischen Quelle und MG sehr verschieden. MG 576 z. B. hat eine sehr lange Quelle, Wickrams Galmy, MG
712 eine sehr kurze, Schertz mit der warheyt Bl. XXXIIII'; um anschaulicher zu schildern, erweitert Hans Sachs aber hier wie dort ... wenn er will.

Denn es gibt freilich auch Fälle, wo dem Dichter Raum und Zeit, der
Wille *zur Anschaulichkeit fehlen*. Die Stimmung fehlt ihm, oder der Erzieher
erlangt die Oberhand. So im MG 288, dessen Vorlage schon, Pauli Nr. 205,
in der ersten Hälfte nur moralisiert, Hans Sachs im ganzen dritten Gesätz;
die Handlung kommt zu kurz; und erst noch schwächt er in Vers 39f. den
witzigen Schluß der Quelle «Du solt wol schelck finden, die die huszthür
zůnacht vff heben, das sie nit kirren, so die frawe vff die bůlschafft wil
gon»; auch das spätere SG 162 moralisiert, aber beim kurzen Tone des MG
empfindet man unangenehmer den Mangel an anschaulicher Handlung. So
hat er auch im MG 629 die 14 Seiten lange Geschichte Dec. II, 6 zu knapp
zusammengefaßt, ein Gerippe geschaffen aus Haut und Knochen, ohne
Einzelheiten in der Charakterisierung der Person und der Zustände. Wie
schön erzählt Pauli Nr. 208, S. 139 «Es ist vff einen tag vber die masz heisz
gewesen, da wir vff dem mer sein gefaren, vnd ich hab im verbotten vnd
hat in die sonn so heisz gestochen vff sein haupt, das es zerschmoltzen ist»,
und wie trocken klingt es MG 59, 41f. «die sůn so vberhiczig schin / ... vnd
hat auch in / Zerschmeltzet schwint». – Aber das sind doch seltenere Ausnahmen.

Oft schafft er Leben durch eingeschobene Bemerkungen wie MG 252,
20 «Nůn hǒrt ein wercklich spil!» (vgl. S. 101).

Oder es wird nach bekanntem Rezept (vgl. S. 100ff.) Frage- und Antwort-
spiel getrieben: Bebel S. 144 erzählt in epischem Stile «fabro ... aper ...
venit obvius», MG 497, 1ff. «ich ainen jeger fragt, / Wie man ... / Er antwort ...».

Auch bringt er Leben in den Bericht, indem er die Handlung beschleunigt.
MG 239, 6 muß der Abenteurer die drei Stücke vollbringen «E wen morgen
vergete», und während Pauli Nr. 423, S. 255 «der gesatzt tag bald kam», geschieht es Vers 11ff. sogleich. Waldis II, 62, S. 252, 12 bittet die Gevatterin
«gebt mir ein wenig frist», und «Nit lang darnach kam sie», aber MG 786,
14f. antwortet sie sofort, und diese Vereinfachung schafft Leben. So geschieht auch MG 295, 14f. eins unmittelbar nach dem andern, hingegen
Dec. IX, 7, S. 573, 29ff. liegt eine Nacht dazwischen, «sy laut schrie vnd
hilff begeret ... Nun des morgens früe do er auf gestanden ...».

Vom umgekehrten Verfahren nur eines von vielen Beispielen. Pauli Nr. 1, S. 15 prügeln die andern den Narren gleich nach dem Weggang des Edelmannes, MG 241, 24 ff. schlemmen sie zuerst mit dem Narren, und dann verhauen sie ihn. Verstärkte Gegensätzlichkeit erzeugt Leben.

Nicht selten ersetzt er den einfachen Tatsachenbericht durch genauen Bericht über die Empfindungen. Dec. II, 5, S. 89, 19 «Er in der kirchen vnd vmb das grabe leut vernam», im MG 106 wird in Vers 19–43 (der MG enthält 54 Verse!) eingeschoben, wie der «kirchner» etwas hört, flieht, anderntags wieder kommt und das ganze Kapitel holt. Die Taten der Diebe sind eben hier dem Dichter erzählerisch nicht so dankbar wie die Affekte der Angsthasen.

Ganz besonders durch Verstärkung dieser Affekte bekommen die MG oft rechtes Leben. Eulenspiegel Hist. 81, S. 127 «sprach» der Wirt, MG 709, 24 «Flůecht» er sehr. Im Buch der Beispiele der alten Weisen S. 32 «vorcht die Seherin, daß man sie an der Stimme erkannt», MG 95, 18 f. «gedacht» sie, «Gieb ich antwort, so kost es meinen leibe», was temperamentvoller ist; auch Vers 27 ist das Weib rassiger, wenn es gleich schreit «Dw verflůchter mon», während es sich in der Quelle überlegt, «wie sy sich vnschuldigen wolt ir tat», lang und laut betet und erst dann ruft, Gott habe ein Zeichen an ihr getan. Während in der gleichen Quelle S. 56 «sich gesellschaft mit einander vnderredten», ist im MG 779, 4 ff. die Stimmung gesteigert, «Die schwůrten zam gemein, / Zw leiden paide lieb vnd laid». Pauli Nr. 273, S. 181 hob der Kranke das Haupt, «sahe sauer, vnd murmelt in im selbs», MG 171, 13 ff. benimmt er sich feuriger «Der kranck mit dratz / Auff fur, mit den zennen grißgrampt / Sach sy an sawer alle sampt», dort tut er, «als wolt er den trog vff thůn», Vers 11 des MG «ein eysren druhen auffspert».

Um Leben und Anschaulichkeit zu mehren, scheut der Dichter gelegentlich auch vor *Vergröberungen* nicht zurück. Der arme Doktor mit der großen Nase z. B. kommt MG 247, 8 ff. schlimmer weg als bei Pauli Nr. 41, S. 39; hier fragt der Narr nur «wie hastu so ein grose nassen», aber dort Vers 11 f. «Wie hastw / Die aller grösten nasen rot!»

Aber nicht nur das Gefühl, auch den Ausdruck vergröbert er manchmal dabei. Eulenspiegel Hist. 69, S. 109 «macht» dieser «ein großen huffen», MG 100, 19 «Er einen grosen hawffen schais»; und Hist. 81, S. 127 «haben (die Kinder) kein stat da sie machten ir gemach thun dan hinder die hußthür», MG 709, 11 «allezamen auf ein hawffen schissen», und ähnlich Vers 13 f. In Dec. VII, 4, S. 426, 15 f. schreit die Frau «O ir trunckener esell», MG 238, 40 «Dw folle saw». Dec. IX, 2, S. 553, 4 schreit die Äbtissin «Du vnseliges pöses weybe!», MG 263, 38 schilt sie das Nönnlein «O dw zernichte hůere». Wickram Nr. 62, S. 113 «ließ die Beürin einen Blast von jr gan», MG 995, 32 «ainen schais da schleichen lies». MG 88, 55 f. ist gewiß nicht feiner als das Narrenbuch S. 43, 957 ff.; usw.

Ja sogar in den kurzen MG malt Hans Sachs die Grobheit und Unfläterei nicht gar selten in bemerkenswerter Weise behaglich und anschaulich aus. Eulenspiegel, Hist. 12, S. 18 berichtet kurz «schis einen großen hauffen in dye kirchen», doch MG 297, 26 f. «schais ein grosen hawffen / Zw dem weichkessel nan», was noch verstärkt wird durch des Dichters Beifall Vers 28 «Da lachet iderman»; Hist. 24, S. 70 «ißt» der Narr den Dreck «vff», MG 533, 52 «In mit dem löffel frase», doch läßt Hans Sachs löblicherweise die Fortsetzung der Vorlage weg «vnd darnach so mach du auch ein hauffen vnd teil den auch von einander, so wil ich dir auch noch essen»; unflätige Grobheit war im Bürgertum nicht alleweil verpönt. Eine recht unanständige Stelle des Gedichtes in Kellers Fastnachtspielen III, S. 1180 hat Hans Sachs nicht umhin gekonnt im MG 451, 41 f. noch unanständiger zu verdeutlichen. Die natürliche Mitteilung in Pauli Nr. 47 Anh., S. 388 «Wie den Narren sein noturft ist so not worden, das jhm ein schlich ist vnden ausz entpfaren», vergröbert der Dichter im MG 244, 9 ff.: «Dem Klasen wůrt not scheißen: / Wie hart er das verpis, / Kůnt ers doch nicht verpeißen / Vnd in die hossen schis». MG 958, 5 f. und 13 ff. verbreitet sich mit sichtbarer Freude über eine Schilderung in Steinhöwels Aesop S. 57. Das Narrenbuch erzählt unzimperlich S. 24, 415 ff. «Der meßner wolt sich vnlust wern / vnd wolt die linß vom altar kern, / das do geschmecht nit wůrd die pfar, / der pfarer sprach: du bist ein nar, / die pauren haben do nit andern zinß, / sie tragen an schuhen auß die linß. / Das ist wol war, der meßner sprach, / es ist gut, der nit ist zu gach». Es ist nun ganz charakteristisch, was Hans Sachs daraus macht, wie er MG 325, 18 ff. deutlicher wird und ausschmückt: «Dem pfarer schlichent linsen aus / Mit einem grosen hauffen, / Peschmaisten im sein schenckel gar, / Der meßner wolt die linsen keren vom altar, / Der pfarrer det mit worten in an schnawffen: / ,Warumb lest liegen nit den dreck?' / Der meßner sprach: ,Hat euch der vnlůst pßessen? / Solt der wůest liegen peim altar?' / Der pfarrer sprach: ,Mein lieber narr, iß aber war, / Was darfstw dich doch vmb mein linsen fressen? / Ist die linsen mein oder dein? / Las mir mein linsen liegen!'». Dann kommt die Mesnersfrau, wischt die Linsen zusammen und bringt sie ihrer Sau. – Solches gehörte damals zum Humor und zur lebendigen, anschaulichen Schilderung, so daß es Hans Sachs trotz der gedrängten Form des MG nicht verschmähte, und es ist sehr bezeichnend für seinen menschlichen und künstlerischen Standort – daß er es nicht verschmähte.

Erstaunlich ist auch die verhältnismäßig *kräftige Gegensätzlichkeit* zur Verstärkung des innern Lebens. In den dramatischen Dichtungen des Hans Sachs ist sie aus begreiflichen Gründen viel deutlicher; aber selbst in diesen kleinen MG finden wir auf Schritt und Tritt, daß er dieses Mittel zur Vermehrung von Anschaulichkeit und Leben den Vorlagen gegenüber bevorzugt. So stoßen wir immer wieder auf die erfreuliche Tatsache, daß er gegnerische Charaktere in ihren entscheidenden Merkmalen mehr als die Quelle verdeutlicht. Im Renner z. B. heißt es Vers 14715, der Ehemann «begreif den gvten man» bei seinen Haaren und warf ihn nieder; «D'schrei vnd strebte vaste wider»; doch MG 591, 23–32 wird breit erzählt, wie der Gevatter ein Schwächling ist und geplagt wird «an alles widerfechten». Pauli Nr. 83, S. 64 gingen zwei Burger «vff ein zeit vsz einer statt gen Rom», jedoch MG 298, 2f. «der reich geritten kome / Der arme aber thet zw fues nein lawffen». Als (Eulenspiegel, Hist. 34, S. 52) der Papst «die stilmeß hielt, da kort vlenspiegel dem Sacrament den rúcken», aber MG 544, 18ff. betont den Gegensatz zwischen Eulenspiegel und dem Volk: «als der pabst eleuiren war, / Nider kniet des volckes schar, / Ewlenspiegel gen dem altar / Das hinterteil det wenden». Waldis IV, 82, S. 209, 21ff. heißt es vom Schuster, er «Pflag den Leuten die Schuhe zu flicken, / Mit Holtz vnd Henffen drat zu sticken, / Dauon er sich, sein Weib vnd Kindt / Ernehrt»; der MG 790, 13f. stellt ihn in Gegensatz zum reichen Mann, «Auch het er gar vil kinder, / Er arbeit hart». Das Weib im MG 59, 30f. wehrt sich kräftiger als bei Pauli Nr. 208, S. 139, das im MG 83, 41f. mehr als das bei Pauli Nr. 144, S. 105. Pauli Nr. 249, S. 164 entschuldigt sich der Fresser beim Herzog «ich bit euch ir wöllen mir verzeihen, ob ich nit so essig wer gewesen, als es sich zimpt, ich bin dise nacht nit wol gewesen», hingegen MG 345, 50ff. wird im Unterschied zum Herzog, der nach Vers 5 «wenig as», sein Ton grotesk verstärkt: «Thúet mein vnschúeld mit dem pegnaden: / frw war pestimbt / Mir nicht, das ir mich heint wuert laden. / Derhalb ich hewt ein suepplein asse, / Darin ein laib geschnitten wasse, / Zwolff frischer ayer, zwolff pratwúerst, / Vnd als mich heftig darauff dúerst, / Ich acht mas pier / Dranck». So wird MG 490, 11, 16, 19 und 21 der Gegensatz zwischen den beiden Frauen mehr herausgestrichen als in Pauli Nr. 114, S. 85, MG 607, 1ff. mehr das Gegensätzliche des Vaters («was ein wolgeschickter man», hatte stets Erfolg, war reich, hielt einen Präzeptor) zum unfähigen Sohne (Pauli Nr. 22, S. 28). Pauli macht die «huszfraw» «so vngeschaffen kind», und MG 895, 15ff. wird die Schönheit der Frau im Gegensatz zu den häßlichen Kindern gelobt «nún dieser maler het ain weib, / Schön glidmasirt von leib, / Lebten wol mit einander. / Die im al jar ein kindlein trúeg». So ist auch MG 43, 1ff. (Steinhöwels Aesop Nr. 70, S. 184) der Esel in schärferen Gegensatz zum Löwen gestellt, MG 213, 1ff. (ebenda S. 135) der Frosch zum Ochsen; usw.

Manchmal zeigt er uns Bilder, die durch ihren Gegensatz zur Wirklichkeit wirken, frische Lügen, erfindungsreichen Betrug u. dgl. Cyrillus I, 13, S. 19, 13ff. z. B. schreibt – ähnlich auch sein Übersetzer –, «deposuit feritatem», wogegen MG 334, 17f. viel anschaulicher berichtet «Der euch erwúerget vnde fras, / Ist fort hin nichs wan laub vnd gras»; der Wirklichkeit gegenüber eine kühne Vorstellung. Und wo in der Geschichte von

Eulenspiegel mit dem blauen Tuch Hist. 68, S. 108 «Der buer sagt, ... so
müß ich das glauben», brummt er MG 551, 48 f. «Nun mues ichs glauben,
das es sey, / Wiewol es ist nit ware»; also ein weiterer Abstand zwischen
Trug und Wirklichkeit. Gleich wie MG 154, 4ff., wenn die Frau erst nach
der Beichte (Dec. VII, 5, S. 429, 7ff. schon vorher) mit dem Jüngling an-
bändelt; oder wenn «Sie macht ein eisen glueent hais», die Gevatterin, die
sich dann selber schuldig bekennt! Der Kontrast zwischen Wunsch und
Wirklichkeit ist MG 63 größer, wenn 13ff. der Betrüger betrogen wird:
«Der kremer listig ware, / Vmb ein weispfening im das pot, / Dacht: er darff
ir nicht vber ein elen»; hingegen bei Pauli Nr. 493 Anh. 20, S. 405 «der
kremer marckt sein list nicht vnd sprach, ich achte es auff eyn elen lang das
gilt eyn crützer». MG 305, 8ff. sind die Bitten der drei Landsknechte viel
trügerischer als bei Pauli Nr. 313 Anh. 14, S. 397, und sie führen so den
Pfaffen viel weiter von der Wirklichkeit weg. Ebenso beim größern Ange-
bot des Edelmanns (er zahlt ja doch nie) MG 866, 13ff. gegenüber Pauli
Nr. 33 Anh., S. 412 und in vielen andern Fällen.

Auch vergrößert Hans Sachs mit Vorliebe den Abstand zwischen den
Stimmungen vor und nach einem Geschehnis. Wie groß ist der Gefühls-
umschwung bei den Hühnern MG 334, 27ff. nach der Rede des Hahns
(Cyrillus I, 13, S. 19, 15ff. «devitate cordis credentes ...»)! Eulenspiegel
Hist. 70, S. 110 saßen die frauen da ..., hingegen MG 296, 15 f «Dye pewerin gancz güetter ding / Saßen in ainem ring», und dann geschah es. Stark
wird im MG 41, 30f. die Freude des Wolfs über den Fund der drei Leichen
noch erhöht durch den Plan, diese in seine Höhle zu tragen ... «Da lies das
armprost vnd abging / Vnd schos den wolff durch seinen pawch». Pauli
Nr. 512 Anh. Nr. 35, S. 414 sagt der Landsknecht zur Beleidigung durch
den Wirt «das was der güt gsell züfriden, vnd gedacht du wilt rucken»,
MG 302, 17f. schafft eine unzufriedene Stimmung auf beiden Seiten «Der
lanczknecht müest mit schant den procken schlucken, / Rüest sich haimlich
hernach». Steinhöwels Aesop IV, 6, Nr. 66, S. 178 erzählt nur «die bök ...
gesammet waren», MG 208, 3f. «Gedachten (sie) in freudigem mut, /
Niemand möcht in abbrechen»; doch dann kommt der Metzger. MG 751,
9ff. (vgl. Schertz mit der Warheyt Bl. LXXV') lacht der Knecht über den
Traum, und dann kommt das Unglück. Wickram Nr. 13, S. 26f. spricht
der Pfarrer nur «Wie, Bauer, meinst, ich lieg?», MG 1001, 32ff. ist er sehr
zornig «Wie, das dw pfewffest vber mich? / Mainstv, das hab gelogen
ich? / Dem pischoff clag ich die peschwerden». So entstehen die hübschen
Streitszenen bei Hans Sachs.

Hauptsächlich aber versucht er in zahlreichen Fällen den Gegensatz der
Lage vor und nach zu verstärken. So vergräbt bei Pauli Nr. 423, S. 255 der
Mann das tote Kalb unter der Treppe, damit die Frau es sähe «vnd verbot
ir si solt es niemans sagen», jedoch MG 239, 16ff. rät das Weib «Vnter die

stieg grab in mit fleis!», um so schlimmer ist dann nachher ihr Verrat.
MG 299, 40 ff. ist neu der Entscheid des Rats an die für den zum Tode ver-
urteilten Straßenräuber bittende fränkische Ritterschaft «Doch weil ir für in
pit gemein, / So sol er sein / Los aller pant», wodurch dann die Antwort des
«frumen adels», der Straßenräuberei als sein Vorrecht betrachtet, gegensätzlicher wird. MG 486, 28 muß der Bauer dem Edelmann zu allem Schaden
noch einen Gulden für die Hasenjagd geben (Pauli Nr. 25, S. 30). MG 622
bringt Hans Sachs neu den Fürsten in Gegensatz zu den drei Klöstern
(Pauli Nr. 499). Eulenspiegel Hist. 80, S. 126 verlangt der Wirt nur Geld
«für dz mal», MG 366, 37 ff. ist sein Verlangen größer «Gib zwen weispfenning / Vnd mir auch das früemal / Wie ander gest bezal!», damit die
Stillung seines Verlangens kleiner. Pauli Nr. 179, S. 124 schreibt nur «Es
gieng einer vff ein mal durch ein wald mit einer hawen ... vnd grůb», im
MG 463, 1 ff. ist der Gegensatz zwischen Anstrengung und Ergebnis viel
weiter, hier ging der Bauer durch einen Wald «In ainem winter, der war
kalt, / Fand vnther ainem paumen / Ein gulden ligen ... / Mit ainer hawen er
ein schart / Vnd in die erden gruebe, / Die war gefroren also hart; / Zu
schwitzen er anhuebe.» So gräbt er drei Klafter tief, «Mit schwerer arbeyt».
Pauli Nr. 22, S. 28 «Vff ein mal da kam der vatter vsz dem rat», aber MG
607, 14 ff. geschieht das viel großartiger: «Eins tags der here kam aus dem
rat / Vnd prechtig zu dem haus eindrat / Auch mit seinem knecht», wodurch der Gegensatz zum nachfolgenden Geschehnis bedeutend größer
wird: der Sohn steht in einem Fenster «Vnd det in (den) hof rab pruntzen».
In Steinhöwels Aesop Nr. II, 6, Nr. 25, S. 116 «gebar der berg ain mus»,
MG 204, 12 «ein winczig klaine maůs». Ebenda Nr. 104, S. 249 meint der
Fischer, «die fisch soltent zuo dem gesang komen», aber MG 212, 8 f. «Als
die fisch hortten der drometten hale, / Flohen sie all zw male». In der gleichen Quelle S. 200 «Ain fuchs begegnet ainer kaczen ... vnd sprach», jedoch
MG 225, 4 grüßt die Katze zuerst und demütig, was den Abstand vom Ende
erweitert, wo der Fuchs durch seine Großmäuligkeit umkommt. Im nämlichen Aesop Nr. 107, S. 252 fanden die Hirten, die auf den sie täuschenden
Hilferuf des Jungen herbeigeeilt waren, daß kein Wolf da war und gingen
wieder, MG 526, 12 ff. fragen sie, ,Wo ist der wolff, der die schaff pis zv
dot?' / So lacht ir den der jůnge schalck / Vnd drib aus in den spot»; nach
dieser Schindluderei des Knaben ist dann die Lage viel schlimmer für ihn,
wie der Wolf wirklich kommt, ein Schaf tötet und er Prügel bekommt. Und
wenn MG 996, 17 und 24 der Marienschänder die Maria seine «leipliche
schwester» nennt (Wickram Nr. 5, S. 18 «sy ist mein schwester», ebenso SG
275), ist der Kontrast zwischen Entrüstung und Lösung der Spannung größer.
In solcher Weise bringt Hans Sachs immer wieder Farbe in die Handlung.

Diesen Kontrast verstärkt Hans Sachs aber auch oft zur Erzeugung von
Komik: Gegensatz zwischen Erwartung und Wirklichkeit, d. h. objektiv

zwischen Idee und sinnlicher Erscheinung mit überraschendem und fröhlichem Ende. Es handelt sich dabei nicht um jene feinere Art, den Witz oder gar um den Humor (vgl. S. 106 ff.). Zur Belebung seiner Dichtungen, also auch der MG, dient ihm hauptsächlich die niedere Komik, die Burleske; mit dem ihm eigenen Behagen zeigt er das Tierische im Menschen, das Unanständige, Lasterhafte, bäuerliche Tölpelhaftigkeit, ständische Sünden.

Manchmal beruht die stärkere Wirkung der Quelle gegenüber nur auf der Änderung eines Ausdruckes. In Jac. Freys Gartenges. Kap. 60, S. 74 f. lacht der Scherer und sagt «Liebe köchin», MG 1019, 29 «Dw pfaffen huer». MG 622 nennt der Narr (der bei Pauli Nr. 499 nicht vorkommt) den Fürsten «Fritz». Eulenspiegel Hist. 31, S. 47 zeigt der Spaßvogel das Haupt des «Sant Brandonus», MG 280, 34 das «Vom heilling Stolprion». MG 257, 43 «der thůmprobst pey dem vnflat lage», Vers 49 «Mit seiner vngeschaffnen prawt» (Dec. VIII, 4, S. 485 ist sie die «vngeschaffeste bübin»). – Auch sonst ist Hans Sachs sprachlich nie verlegen, wenn es sich um Komik handelt. In der vorhin erwähnten Vorlage zu MG 1019 ist der Schluß unanständig; an seiner Stelle finden wir Vers 42 einen wohlgeformten aber übelriechenden Spruch. MG 340, 12–19 und 39–54 wirkt der treffliche Dialog in sprachlicher Hinsicht sehr komisch (vgl. Pauli Nr. 63, S. 53). – Der Gegensatz zwischen Wahn und Wirklichkeit im MG 334 vor und nach der Rede des Hahnes Vers 27 ff. enthält viel Komik (Buch d. natürl. Weish. 1, 13, S. 19 f.); oder der Gesang der Weiber um den Kessel herum MG 293, 24 f. (Eulenspiegel, Hist. 30, S. 46 singen sie erst, wie sie im Walde Holz holen). – Auch die Zeit stellt er in den Dienst der Komik. Pauli Nr. 263, S. 175 verschlafen Junker und Knecht zwei Stunden des hellen Tages, MG 252, 29 «pey vier stůnden». Waldis II, 62 wird nicht gesagt, wann der Mann starb, MG 786, 2 war es «vor aim halben virteil jar», was die lustige Witwe charakterisiert. – Ebenso wirkt die Verengerung eines Vorganges von der Allgemeinheit auf eine Person komisch, wenn z. B. bei Pauli Nr. 513 Anh. 36, S. 415 «man erfůr die vrsach des schreyens» des betrunkenen Pfaffen am Altar, aber MG 307, 52 er selbst sagt, wie er vergangene Nacht (mit Saufen) zugebracht; «Wart sein gelacht». – Gerade bei diesem MG können wir sehen, wie er es vermeidet, durch Lehrhaftigkeit die Komik zu stören: Pauli S. 415 berichtet «solchs dem bischoff für kam, strafft jhn der bischoff vmb sein pfründ, vnd verbot jm das bistumb. Darumb dŏrffen sich zu diser zeit die pfaffen nit pläwen, sonder gott vnd dem Luther dancksagen, das man sie kein mesz mer leszt lesen, als sie yetzund jre tag vnd nächt vollbringen, möcht es sunst auch wol einem geschehen (die dag vnnd nacht vol seind, die frommen geths nit an) ich wil auch niemant geschmächt haben» – ein zu langen Lehren verlockender Stoff! Aber MG 307, 54 heißt es nur «Wart sein gelacht». Nichts von Strafe.

Häufig erhöht Hans Sachs dadurch die Komik, daß etwas noch mehr als in der Quelle unerwartet geschieht. Wie Eulenspiegel Hist. 30, S. 46 f. die Weiber aus dem Walde zurückkommen, meinen sie, Eulenspiegel kehre wieder, um die (verbuchten) Pelze zu waschen, aber MG 293, 39 ff. schlagen sie einander die Pelze um die Köpfe, «Darfan die pelcz füeren zw drüemern»; also Weiberschlacht als groteskkomisches Finale. Bei Bebel S. 144 «quercum annosam ... penetravit», hingegen MG 497, 5 soll dem Eber «ein schneidershüert» vorgeworfen werden. Und wie unerwartet hat MG 824 das Schicksal den pfäffischen Kurtisanen und Pfründenjäger getroffen! Denn Waldis IV, 83, S. 216, 127 ff. «trollt (er) sich gemachlich vber dHeyd, / Lacht seines Schadens vor großem Leyd», «Derhalben muß von Rom wol bleiben / Vnd diß meim vnuerstandt zuschreiben»; ganz anders MG 824, 52 ff.! Da warf das Pferd «den pfaffen in ein staůden. / Der pfaff füer auf vnd loff im nach / So lang, pis er in nit mer sach. / Also vmb seinen groma kame, / Versäumet auch die pfrůnt zw Rome, / Versert gros gelt; als er kam heim, / War sein kellnerin hin mit aim». Eine Häufung des Pechs, die an Wilhelm Busch erinnert. Bei Pauli fraß Nr. 24 Anh., S. 408 die Sau den Apfel, mit dem der Pfaff das Mädchen bezaubern wollte, «Vnd wa nachmals die saw den Münch ersahe, hieng ie jhm an», aber wie überrascht im MG 311 die Sau Vers 24 ff., «die selb den apfel frase. / Darfan gar scharff / Entruestet war / Die saw, loff imer zw / Hin vnd wider vnd het kain rw / Vnd grochzet auf der strase». Also richtiger Liebeskoller; «Ains abencz der můnich furging, / Maint, die junckfraw / Wurd im nach gen, / Da kom die saw / Vnd loff in on». In Steinhöwels Aesop Nr. 154, S. 330 «Gebaret sie, als ob sie in ainen segen über das gsund oug sprechen wölte und mit ierem mund verdeket sie ierem manne das gesund ouge und huchtzet», aber MG 520, 39 ff. überrascht Hans Sachs mit einem weit groteskeren Vorgang: «sie leget in gech / Hinter den offen auf die panck / Vnd legt sich oben ůeber in, / Thet in sein aug im haůchen», usw.

Oft überwältigt das komische Bild. Dec. IV, 2, S. 261, 18 f. erzählt, wie der Mönch «sich mit mancherley seiner frasserey in engels weise formirt het», MG 260, 21 f. «Zw nacht der můnich ein schneweise alm anleget, / Macht flůgel, im, mit pfabenfedern wol pestegt». Ganz neue Vorgänge erfindet er so zur Erhöhung der Komik, wie MG 495, 33 ff. das Erlebnis des Narren mit dem alten Weibe, wovon Pauli Nr. 21 Anh. nichts hat.

Recht beliebt zur Belebung der Erzählung ist der Ersatz eines Berichtes oder indirekter Rede durch *direkte Rede*. Cyrillus II, 9, S. 44, 15 f. «cervus ... coepit ... occasionem» ist im MG 965, 7 f. durch direkte Rede wiedergegeben. Ebenso Pauli Nr. 423, S. 255 = MG 239, 14 ff.; Pauli Nr. 83, S. 64 = MG 298, 11–15; Pauli Nr. 63, S. 53 = MG 340, 12–19 usw., so in über hundert Fällen. – Gelegentlich, aber sehr selten, ersetzt Hans Sachs direkte Rede durch indirekte der Kürze wegen wie z. B. Waldis II, 57, S. 246, 2 ff. = MG 831, 1 ff.

Wie epische Variation ist auch die *Aufzählung* ein bei ihm außerordentlich häufig vorhandenes Mittel zur Hebung behaglicher Anschaulichkeit. Oft häuft er Substantive oder Adjektive des Reimes wegen (vgl. S. 85). – Ferner bringt er gerne ergänzende Aufzählungen, um epische Fülle zu erzielen. Pauli Nr. 450 z. B. ist nur von vier der acht Studenten die Rede, MG 455, 14ff. aber von allen acht, von allen wird gesagt, was sie gerne äßen. Eulenspiegel (Hist. 48, S. 76) macht «ein kopf alß ein wolff darzů leib vnd bein», MG 686, 19f. schneidet er «ein wolff ... / Mit schenckel, leib, schwancz vnd dem haubet». Waldis IV, 68, S. 164, 3 heißt es vom Leineweber «Der hett vertruncken all das sein», MG 792, 14 besorgte er das «Mit puelen, spil, fressen vnd sawffen». Ebenda II, 69, S. 260, 11 «Stachen (die Bienen) eintrechtig in den Beren», MG 833, 11ff. «Nas, augen můnd / Wart alles wünd / Von den pinen gestochen». Dec. VIII, 4, S. 484, 14f. war die Maid «an henden vnd füßen krump vnnd lam», MG 257, 11ff. nennt sie «ain vngeschaffne maid, / Ainewgig, plaich, mit ainem krůmen mawle, / Hincket, in aim zerissen klaid, / Hôgricht, stinckent, lawsig, kreczig vnd fawle». Bei Pauli Nr. 134, S. 98 kauft der Mann auf dem Markt «Rosmarin. Salbei. Meieronen. Rauten», MG 71, 24f. «Laůendel, rosmarin, / Salůe, deůmonten, masaran, / Fenchel, rawten vnd ander wuercz der masen». In Pauli Nr. 192 liest man «Es sein auch nit iuden gnůg, die cristen bedôrfften sunst nit wůchern», was MG 74, 31–8 breiter wiedergibt, «Mit porgen vnd mit leyen, / Mit popiczen, vůrkawffen vnd financzen, / Mit schwinden grieffen vnd mit alifanczen, / Vorteil, pratic vnd dem peschies». Pauli Nr. 508 Anh. 31, S. 411 kann der Goldschmied «fast künstlich edel gestein in gold ... uersetzen», doch MG 309, 2f. ist er «Gros kůnstner auf guelden geschmůeck / Mit giesen, graben, stechen vnd mit eczen».

Zum Zweck behaglicher Ausschmückung bereichert Hans Sachs gelegentlich einen Begriff; z. B. im MG 615, 3ff. die umbuhlte Frau: der Mann buhlt «Vmb ein zart schône frawen, / die doch glaůben vnd trawen / An iren eman hilt» (Pauli Nr. 265, S. 177 «bulet ... vmb ein frawen»); den Begriff Hafen im MG 938, 16ff. «Die ... het gar vil hefen vnd krůge fail, / Waren getailt vnd wolgezirt / Mit pildwerck, gwechs vnd plůmen, / Grüen, gelb, praůn, weis vnd plab glasirt? / Artlich künstlich volkůmen, / Allerley art der war ain michel thail» (Eulenspiegel Hist. 87, S. 133 nur «Die ... het heffen feil»); den Begriff Frucht im MG 915, 20f. «Bracht im der fruchte, das er as, / Weinper, rosin, mandel, dattel vnd feigen» (Buch der Beispiele der alten Weisen S. 174 «bracht jm vil gůter vnd edler frucht»); «Gestohlenes» im MG 787, 20ff. «Er almal etwas stal / Fon kupfer oder zin geschirr / Schuessel, deler vnd kandel, / Schlaicht das vnter dem rock hinaůs» (Waldis III, 54, S. 343, 10 «Nam etwas mit vnd trugs herauß»); «Hausrat» in MG 792, 7ff. «Er trueg aus sein hawsrate: / Schůessel, kandel, claider vnd pet, / Kessel, pratspis, leůchter vnd pfannen» (Waldis IV, 68,

S. 164, 5 «alles, was er hett im Hauß»); das «schöne Weib» im MG 154, 3 f.
«Der het ein frawen schön vnd zart, / Holdtselig, frůmb vnd gueter art»
(Dec. VII, 5, S. 428, 27 «der het auß der massen ein schönes weyb»); der
«wunderliche Mann» in MG 77, 1 ff. «ein man, / Der was vnguetig, wůetig, /
Selten sie fried gewan / Mit zancken, rawffen, schlagen, hawen, stechen»
(Pauli Nr. 135, S. 98 «Es was ein frawe die het ein gar wunderlichen man»).
Also diese Bereicherung eines Begriffes besteht häufig in dessen Zerlegung.
Wo in der zweiten Hist. des Eulenspiegel, S. 6 «alle nachburen ... clagten»,
erzählt MG 450, 15 f. «ueber in claget fast / Fraw, kinder, meyt vnd knechte»; Pauli Nr. 46, 43 «Alle ... sprechen, du seiest ein böser man, du thüest
das vnd das vnd dergleichen», was MG 338, 19 im einzelnen angibt «Es sagt
von dir idermone, / Wie dw hart schindest deine vnter thone / Vnd machest
vil aufsecz von jar zv jaren / Mit epruch, geicz vnd rauberey, / Mit fuellerey,
spil, gotschweren vnd zoren»; Steinhöwels Aesop Nr. 94, S. 229 «wann man
das vieh uß uff die waid trybet» entspricht MG 33, 10 f. «Schaw aůf, wan
aůß dem dorf getrieben kůmen / Gens, rinder, schaf vnd acker pfert», usw.

Zum gleichen Zweck benützt Hans Sachs auch die Vermehrung der Zahl
der Adjektive. Eulenspiegel Hist. 68, S. 108, heißt es «was frag ich darnach
ob es schwarz oder weiß sei», MG 551, 58 «Das tuch sei schwarz, rot oder
weys»; im Buch der Beispiele der alten Weisen S. 131 «wurde er mir nit
gefolgig sein», MG 94, 28 f. «wůrt mein sůn pos, dol vnd thům, / Schalck-
haftig, lesterlich, vnfrům»; der «schlecht grob man» Dec. III, 8, S. 127, 7 ist
MG 22, 9 «Einfeltig, dolpet, schlecht vnd grob», Dec. S. 248 «malt (er) die
allerhübschesten Jesus kneblein», Vers 4 ff. «Malet manig holtselig pild, /
Lieplich, schön, zart vnd mild, / Plos, nackat, on gewande»; Pauli Nr. 412,
S. 249 erwähnt die «vngeschaffen kind, eins het ein grosz mul, das ander was
schwartz, das drit schichet», welche Liste MG 895, 21 ff. noch bedeutend
verlängert «waren all seine kint / Heßlich vnd vngeschaffen: / All grose
mewler hetten, / Mů rret vnd gleich den affen; / Ains teils ir schicklen deten, /
Ains tails waren hőgret vnd krůmb, / Schwarz hincket vmadůmb, / Saw-
rancket vnd wol halbe plint». Diese Häufung von Beiwörtern liebt Hans
Sachs sehr; sie ist auch willkommen bei der Ausfüllung des Metrums.

Bei allen diesen Vergleichen mit der *Quelle* merkt man häufig, daß diese
im Augenblick des Dichtens dem Meister nicht vorlag; er hatte sie nur ungefähr im Kopfe; z. B. bei MG 592. Im Renner (12144–12203) brachte die
Frau den Mann «in iren gaden», daran sich dunkel erinnernd, läßt ihn Hans
Sachs im MG Vers 16 «Herabher wol zwen gaden» (hier = Stockwerke)
springen; im SG Nr. 120 vom folgenden Jahre sprang er wider herab
«zwm gaden»; der «posiv (bösen) havt» der Quelle entspricht als ungefähre
Erinnerung im MG Vers 11 «Dw sack!» Oder MG 340, 3 verkehrt der Mai-
länder «Mit der parfuser gardion», bei Pauli Nr. 63, S. 53 ist es «zuo den
Barfuoßern ein doctor», den gardion hatte der Dichter aus der folgenden

Geschichte bei Pauli im Gedächtnis. Wegen einer solchen Vertauschung steht wohl MG 486, 35 «ein ganczes jar», sonst hätte er sich die «zehen iar» bei Pauli Nr. 25, S. 30 nicht entgehen lassen. MG 348, 1 steht «EWlenspiegel zv Premen rait», die 71. Hist., S. 111 hat «Hanouer»; an Bremen erinnerte sich Hans Sachs aus der vorigen Geschichte. Ebenso verhält es sich mit MG 500, 37 ff. (wie im spätern SG Nr. 180), wo das Wasser an der Sonne warm wurde, weshalb der Mann «das krüglein spat / Zuckt und zerwarff an scheu», während Waldis IV, 5, S. 24 der Krug umfiel, «das Wasser floß, / Vnuersehens so gar außgoß. / Er ward zornig ...» Gleichheit der zweiten Namenshälfte mag schuld gewesen sein, daß MG 824, 1 «Salczpůrg» aus «Wůrtzburg» bei Waldis IV, 83, S. 215, 78 wurde. In der nämlichen Vorlage lobt der Wirt das Pferd «thewr vnd hielts gar wehrt. / Doch wars ein Schelm in seiner hant», im MG Vers 10 ff. aber sprach der Wirt «Ain posen schelmen ich hab, / Frech vnd fraidig, den eůch zw liebe / Ich vmb zwainzig ducaten giebe», in welchem Falle er sich schlecht an die Quelle erinnerte, weil es doch unwahrscheinlich ist, daß der Wirt selbst das Pferd schlecht macht (vgl. Stiefel, Festschr. S. 115 f.). – Diesen und zahlreichen ähnlichen Beispielen stehen aber die weitaus zahlreicheren entgegen, wo Hans Sachs genau der Quelle folgt.

Wir haben gesehen, daß die Gliederung etwa durch den Reim (S. 16 ff.) oder die MG-Form beeinflußt wurde (S. 20 f.), daß sich Hans Sachs möglichst an die Hauptlinie der Erzählung hält (S. 23 ff.), wie er sich ferner bemüht, das herkömmliche epische Schema durch eigenartige Formeln zu ersetzen (S. 139 f.). Hier gilt für die MG das gleiche wie für die andern Fabeln und Schwänke (vgl. Verf.: Hans Sachs als Dichter in seinen Fabeln und Schwänken) festgestellt wurde, z. B. daß er im Gegensatz zur Quelle mit Vorliebe *zuerst den «Besitzenden»* und dann erst den Störefried anführt, wie z. B. MG 591, 1 ff., wo «EIn man sein frawen schlůege ... Als das ir gfater hőret, / Da kam er ...», während Renner 14700 anfängt «Nv hőrt waz zeimal einē geschah / Da er seinen gevatern sah / Sin selbes havs frauen straffen». Oder daß die Vorlage mit einem Zustande beginnt, Hans Sachs aber mit dessen Entstehung; so berichtet Pauli Nr. 178, S. 123 «Es war ein burger in einer stat, der het ... ein hafen vergraben, vnd was er mocht sparen das thet er daryn», MG 102 beginnt «EIn reicher man der wase / Ser geiczig vbermase: / Wo er pey seinen jaren / Ein pfenning kůnt ersparen, / Den selben er aufhůebe, / In eim haffen eingrůebe». Pauli Nr. 423 berichtet S. 255 «da kam der abenthürer zu seiner frawen, vnd bracht ein sack, darin het er ein kopff ...», während MG 239, 11 ff. vorn anfängt «Der abenteurer kam hinheim, / Legt in ein sack ain gstochen kalb / Vnd machet den sack plůtig, / Sprach zu seim weib ...». Oder die Quelle beginnt mit einer Person, Hans Sachs mit dem Orte (wie gern er damit beginnt, kann man Werke ed. Keller-Goetze Bd. 26 Register S. 374 ff. erfahren, wo gegen 200 Anfänge mit Ortsnamen stehen). Ferner sahen wir S. 71f., wie es ihm gelingt, durch knappen Schluß Wirkung zu erzielen, und S. 80ff., wie er das Mittel des Gegensatzes anwendet. Auch ist durch Vergleich der frühesten MG, etwa MG 9 (Steinhöwels Aesop Nr. 124, S. 272) mit späten leicht zu sehen, wie sich Hans Sachs im Laufe der Jahre den Vorlagen gegenüber immer mehr frei fühlt im Stoff und in der Moral.

Offensichtlich bestrebt er sich sodann, *die Hauptpersonen voran* zu stellen, gerade der Kürze der Meistergesänge wegen. Pauli Nr. 63, S. 52 fängt an «ES was zuo Meiland zuo den Barfuoßern ein doctor ... der vil poser burger vnd burgerin zu beichtkind het», MG 340, 1 «ZW Mayland sas ein půrger reich», denn dieser und sein Sohn sind am wichtigsten. Pauli Nr. 5 Anh., S. 391 holt weit aus «ZV Straszburg ist ein art von kleinen fischen, die heist man vngemengte, oder vngeminte fischlein, sein also klein ... Nun begab es sich das ein edelman kam ...»; MG 503 beginnt gleich mit diesem «GEn Augspurg kam ein edelman ...», und man bekommt sofort Fühlung mit der Hauptperson. MG 627, 1ff. ißt der Bauer die Nachtigall des Schultheißen; in diesem Bauern sind die Helden von Pauli Nr. 25 Anh., Nr. 349 und Nr. 52 vereinigt worden (Pauli Nr. 52 ist der Narr des Edelmannes der Esser), der Bauer war der Zusammenlegung wegen nötig, und wegen des Bauern und der Ohrfeige wird der Edelmann zum Schultheißen, der Jagdsperber zur Nachtigall; ein Beispiel, wie geschickt der Dichter verschiedene Quellen vereinigt und die Hauptperson betont. Das Buch der Beispiele der alten Weisen S. 122 fängt mit dem Affen an, der vertrieben wird, sich auf einen Feigenbaum am Meere zurückzieht und dort die Schildkröte kennen lernt; diese ist die Hauptsache, darum beginnt MG 433 mit ihr: sie wohnt an einem See, dort haust ein Affe usw. Die gleiche Vorlage S. 104 fängt mit der Dürre an, die Elefanten schicken einen aus nach besserer Weide, sie wandern dorthin, aber da sind schon die Hasen, und MG 780 erzählt zuerst von diesen; denn die Hasen erleben den Hauptkonflikt. S. 184 dieser Quelle erzählt von Wölfen eine längere Geschichte, «Man sagt, daz by des meres staden wär ein schar wolff. Vnder denen was ein wolff, der getörstiger was, dann die andern. Vff ein zyt wolt er rům vnder sinen gesellen erwerben vnd gieng vß, zů jagen uff ein gebirg, da vil menge tier waren ...», und erst dann ist von den Katzen die Rede; mit diesen Hauptfiguren beginnt MG 916, was auch wieder im Titel zum Ausdruck kommt. Waldis IV, 50 (oder Agricola? Vgl. Festschr. S. 130) erwähnt zuerst ausführlich den Ehemann, den Goldschmied, seine amtliche Sendung, den Abschied usw., MG 512 läßt ihn ganz weg und beginnt gleich mit dem Konflikthelden, dem mit Holz handelnden Bauern. Waldis III, 91 ist betitelt «Vom Wolffe vnd Fuckß», der entsprechende MG 789 aber «Der vntrew fuchs mit dem wolffschwancz», der Fuchs ist wichtiger. Waldis beginnt mit dem Wolfe, Hans Sachs mit dem Fuchse. Ebenso Waldis IV, 73 «Vom Fuhrmann, Fuchs vnd Wolffe»,

MG 793 «Fuchs vnd wolff mit dem speck». Dec. VI, 10, S. 400, 14ff. lesen wir zuerst eine breite Schilderung von Certaldo, MG 117 aber gleich vom Mönche, der Hauptgestalt. Pauli Nr. 134, S. 97 verbreitet sich lang über Salomo usw., MG 71 führt uns sofort die Kernfigur vor, den Mann des bösen Weibes. So auch Pauli Nr. 10, S. 21 zuerst «Es was ... ein junger edelman», MG 150 zuerst die Hauptperson «ZW Wittenberg ein wirtin sas». Pauli Nr. 313 Anh. 14, S. 397 «hat es sich begeben das drei frumer landcz-knecht ... ûberfeld gezogen ... ist jhnen begegnet ... ein schaffner, oder keller eines reichen Benedictiner klosters», MG 305 beginnt mit diesem, dem Hauptkerl. Steinhöwels Aesop Nr. 73 fängt an «Ain Wolff besach ainen esel in syner kranckhait», MG 140 («Der kranck esel») «EIn esel lag darnieder ... Ein wolff der stelt sich ...». MG 331 plagt der Konflikt das Lamm, darum ist es zuerst erwähnt (Steinhöwels Aesop Nr. 2 der Wolf), usw. So geht Hans Sachs gleich in medias res. Warum? Auch hier der Kürze des MG wegen. Daß er dies erst nach und nach lernte, zeigen uns wieder Vergleiche mit früheren MG wie 28, wo er 1ff. weit ausholt und den Kreis nach und nach verengert «VNs sagt gesta Romanorům (vgl. Ausg. von Adelbert Keller, Kap. 74, S. 113), / Wie im romischen kaysertům / Ein kayser sas mechtig vnd reich, / Hies Octaüianůs. / Der ...», und endlich im neunten Vers «Ein alter ritter sas zw Rom», während die Gesta gleich mit diesem und seinen Kindern anfangen, den Hauptgestalten, «ZE rom in der stat waz ein ritter der zwůo tôchter hiet vnd ainen sun».

Wie wir oben (S. 23ff.) sahen, stellt Hans Sachs nicht nur die Hauptperson, sondern auch den Hauptteil der Geschichte stärker als die Quelle in den Vordergrund, wo es ihm möglich ist – oder sonst gerade paßt. Bei diesem seinem Bestreben fällt dann *die Geschicklichkeit* auf, *mit der er manches wegläßt*. Verschiedenes hat ihn dazu bewogen. Manchmal unterdrückt er etwas, weil es an der Stelle unbegründet wäre, wie z. B. MG 239, 4 die «herliche Schencke», die Pauli Nr. 423, S. 255 zum Erlaß der Strafe hinzu noch verspricht; ist es doch eine hübsche Steigerung, wenn der «fogt» sie erfreut erst am Schlusse nennt. Oder warum läßt MG 473 das Beispiel vom fischenden Vogel und dem Krebse weg, das im Buch der Beispiele der alten Weisen S. 35f. der Fuchs dem anfragenden Raben gibt? Weil er dessen Grundgedanken am Schluß in der Lehre verwenden will. MG 378, 43ff. fragt der Pfaff den Eulenspiegel nur einmal, aber in der 11. Hist. sowohl nach der Hühnergeschichte als nach der «halben Arbeit». – Oft übergeht er Teile der Quelle, weil sie nicht zum Thema gehören, wie MG 938 die Wette zwischen Bischof und Gefolge um Ochsen (Eulenspiegel Hist. 87) und dgl. Wenn in Steinhöwels Aesop Nr. 75, S. 187 der Löwe zum Manne sagt «gee mit mir uf den fröden poum, da man des fechtens pfligt, so wil ich dir ware urkünd zaigen» und er ihn dann tötet, so findet Hans Sachs den Umweg überflüssig, und MG 580, 16f. bleibt enger beim Gegenstand, wenn der

Löwe dem Manne seine Stärke zeigen will und ihn dann gleich erwürgt. – Oder er vereinfacht offensichtlich der Kürze wegen einen Vorgang. Im Buch der Beispiele der alten Weisen S. 91 «spien (der Jäger) sin armbrust vnd leyt daruff ein stral, vnd ward jm zů kurtz, das er zů schutz nit kumen mocht ... vnd blyb sin armbrust also gespannen mit dem stral vff der erden ligende»; das wird MG 41, 10ff. mit vortrefflicher Kürze gesagt «Der jeger ... Sein armprost fallen lies, / Gespant mit aufgelegtem stral». Die gleiche Quelle erzählt S. 130 «es wont eins mals ein brůder der dritten regel, der got vast dienet, by eins künigs hoff. Dem vrsach der künig alle tag zů vffenthalt seins lebens ein küchinspyß vnd ein fläschlin mit honig ...», was MG 94, 4 kürzt «samlet das wild honig in dem walde», der König usw. ist hier nicht unentbehrlich, aber im spätern 170 Verse langen SG Nr. 268 folgt der Dichter der Vorlage; auch daß bald «ein große türi in das honig» kam, fiel weg. Sehr oft erlaubt uns so nicht nur der Vergleich des MG mit der Quelle, sondern auch mit dem SG einen nützlichen Blick in die Arbeitsweise des Hans Sachs. – Durch geschickte Vereinfachung wird die Gliederung übersichtlicher und so auch der Schluß gewandter, wirkungsvoller. Wir sahen S. 71f., wie ihm die Pointe gelingt, S. 83f. wie er z. B. durch Weglassung einer Bestrafung am Schlusse den heitern Ausgang erzielt. Auf einen wirkungsvollen Schluß geht er immer aus. Waldis IV, 73, S. 68–78 z. B. endet mit einem langen Gespräch zwischen dem betrügenden Fuchs und dem geschlagenen Wolfe; alles Überflüssige läßt MG 793 weg, es bleiben nur die witzigen Endverse 45ff. «Der gaisel riem / Macht zw gros striem / Der fuchs hat mich betrogen». – Auch durch Vermeidung von Wiederholungen kann er oft die Gliederung vereinfachen wie im MG 262, wo die Magd Vers 44 nur den Richter beschwindelt, Dec. IV, 10, S. 306, 14f. im Auftrag der Frau zuerst ihren Herrn und dann den Richter. – Gelegentlich zieht er auch zwei Vorgänge in einen zusammen, z. B. im MG 686, 47, wo Eulenspiegel «Zůnt an fier liecht zw seinen schwencken», Hist. 48, S. 77 zündet er zwei an, «vnd wann zwei liecht waren vß gebrant, so zundet er zwei ander an». Oder gar drei in einen: Pauli Nr. 135, S. 99 verlangt die Alte «drü stück speck müssen ir bei euch haben, vnd eins můsz gröser sein dan das ander. Das erst můsz ein pfund haben. Das ander drü pfund. Das drit fünff pfunt, vnd müsen drei mal werffen», doch MG 77, 13f. befiehlt sie ohne Abschwächung der Wirkung nur «Nem von deim speck drey stůecke, / Der ides hab drey pfůnde». – Auch sonst zieht er Einzelteile einer Handlung zu einem neuen Vorgang zusammen: im Buche der Beispiele der alten Weisen S. 32 schickt «Der bůl ... die schererin vnd batt sy, zů erfragen, wie es sinem bůlen ging. Die fand sy an der sülen gebunden vnd sagt ir ...», und MG 95, 10 «Die palwirerin kam vnd mit ir rette». Dec. V, S. 328 kommt die Jungfrau bei der Flucht vor den Räubern dem Petrus aus den Augen, beim Suchen wird er gefangen, MG 153, 15 sagt kurz das Nötige «Die mörder auf sie paide stiesen»; die Stelle Pauli Nr. 150, S. 108 «des einen kauffmans fraw het einem alten weib ein guldin geben, die solt sie leren das ir man ir auch nach müst gon» lautet MG 193, 2 f. «die wolt mit zauberei / Bezwingen ires manes leib». – Unnötige Vorgeschichten sucht er zu unterdrücken; der langen Erzählung über Andreuczo in Dec. II, 5 gegenüber benimmt er sich im MG 106 (hier zum ersten Male gegenüber dem Decamerone!) ganz frei und wählt nur ein Stück aus der zweiten Hälfte aus. Pauli Nr. 17, S. 25 laden die Weiber den Bauernsohn zuerst vor das Gericht «in dem selben dorff, die erbern lüt wissen sie gen Stŭckgarten, oder wa es dan was, vff das land-gericht, die selben herren wissen sie gen Coszenz an das geistlich gericht, der Official da selbst befalch die sach den richtern wider in dem dorff ...», MG 860, 33 ff. «detten sie in laden / Gen Constencz an gaistlich gericht / ... Die korherren des lachten / Vnd schŭeben auf die dorff gemein». Schon S. 71 u. a. a. O. sahen wir, daß Hans Sachs nach der Entscheidung keinen langen Schluß liebt. So läßt er auch MG 240 die Bemerkung in Dec. I, 3, S. 35 weg, daß der Jude dem Sultan «aller der summe geltz, der er nottorft was», freiwillig gab; wo Dec. VII, 4, S. 427, 17 ff. die Nachbarn «alles ir dinglich namen heyme in ir hause furten vnd Toffano argers troeten», er durch Vermittlung der «freunde vnd günner» sein Weib wieder bekommt und ihr alle Freiheit läßt, begnügt sich MG 238, 51 mit dem Endsatz «Dar-nach die sach vertrŭegen». – Örtliche Vorgänge werden wenn möglich ver-einigt; auch dadurch kann der Dichter die Gliederung übersichtlicher und wirkungsvoller gestalten. Im Buch der Beispiele der alten Weisen S. 32 «beualch sy, das sy ir den bŭlen des nachtes durch ir huß, da sy ein heimli-chen gang zŭsamen hetten, bringen wolt»; MG 95, 4 tönt es einfacher «Durch ir haŭs sie den pŭelen zw ir liese», womit der Dichter ungewohnte Verhältnisse bekannten anpaßt; wie auch bei der Angabe in Waldis IV, 82, S. 209, 13 ff. «Nun ist am selben end der brauch, / Wie sonst in andern Stedten auch, / Da sind viel tieffer Keller graben, / Darinn viel Leut jr wonung haben, / Die sich nur von dem Taglohn nehren», welche Orts-bezeichnung MG 790, 9 wiedergibt mit dem Satze «Pey im ain schuester sase, / Gancz arm an guet.» Waldis III, 43, S. 331, 1 f. gestattet einen Ein-blick in die Örtlichkeit «IN einem loch, da wont ein Fuchß. / Zum selbi-gen kam einst ein Luchß», MG 846, 9 f. vereinfacht «Dem lŭechs pekam im wald refier / Ein fuechs». Für längere Einleitungen und Schlußreden ist eben in den Meistergesängen – außer bei Moral – wenig Platz. – Ebenso verhält es sich bei zeitlichen Vorgängen, worauf schon S. 114 kurz hingewiesen wurde. Waldis II, 62, S. 252, 12 lesen wir «Gebt mir ein wenig frist», «Nit lang darnach kam sie», aber MG 786, 14 antwortet die Gevatterin sofort. – Der Kürze des Meistergesanges wegen muß selbst der Dialog nicht selten vereinfacht werden. Waldis IV, 69, S. 167, 31 ff. spricht zuerst der Mönch, 38 ff. Petrus, 69 ff. der Mönch, 81 ff. Petrus, 85 ff. der Mönch, 163 ff. nochmals Petrus; hingegen MG 796, 9ff. Petrus, 20ff. der Mönch. Oder Waldis III, 43, S. 331, 3ff. prahlt der Luchs bis Vers 16, dann antwortet der Fuchs. Doch MG 846 prahlt der Luchs im Monolog, der Fuchs hört das im Wald und antwortet. Stets wird nur das Wesentliche kurz gesagt. – Daß die Vereinfachungen auch Nachteile haben können, ist einleuchtend. Epische Behaglichkeit, Vertiefung der Charaktere usw. werden notgedrungen auf dem Altar der Meistergesangsform geopfert. Waldis IV, 42 berichtet ausführlich, wie die junge Frau gern gut lebt, weshalb sie dann später die Einschränkung stark empfindet; MG 826 übergeht das und bringt als einzige Einschränkung Vers 24 Couent (Dünnbier) statt hamburgisches Bier. Solche Mängel finden sich sehr oft. Auch Hans Sachs gelingt es nicht, den Fünfer und den Wecken zu haben.

Um einen frischen, geordneten Fluß der Erzählung ist er immer besorgt. S. 103 f. wurden einige Beispiele gezeigt, wo er den springenden Punkt, die Pointe, noch mehr hervorhebt, S. 26 und 104, wo er den Schluß nach der Entscheidung kürzt. – Andere Male verfolgen wir sein Bestreben *abzurunden*. Zu diesem Zwecke bringt er Ergänzungen, die einfach ein happy end bilden sollen, wie z. B. im MG 592, 53 (Renner 12144–203), wo der Jüngling entrinnt, der Mann niemanden findet und der Frau abbittet; oder MG 528, wo Vers 59f. wirkungsvoll abgerundet wird: «Kroch auff dem sail ins hause. / So war sein fasztspiel ause», während sich in der 4. Historie des Eulenspiegels am Schluß «die iungen vnd alten also ob den schühen zanken»; MG 279, 59f. wird beigefügt, Eulenspiegel sei am Hofe zu «Wolffenpüetel» geblieben; MG 844, 43ff. heißt es nach der begnadigenden Rede des Grafen, die Waldis IV, 86 fehlt, am Schlusse «Also der mueller wider ledig würe / Vnd malet in der müel, war erst dem grafen lieb, / Weil er doch müest darin haben ein andern dieb.» Den Schluß in Pauli Nr. 135, S. 99 («Also het sie den speck vnd was alrun gewesen») rundet MG 77, 38ff. anschaulich ab «Die alt heimliche schliche / Vnd klawbet auf den speck / Vür iren lon von dieser jüngen frawen». Pauli Nr. 267, S. 178 endet mit der Rede des Todes, MG 508, 43f. fügt noch sehr wirkungsvoll bei «Zw hant im prach / Den hals, det in erdruecken». Wo Pauli Nr. 346, S. 216 den Schluß hat «Der babst ... sprach, wer mag dem reisigen züg (der Bestechung) allem widerston ...?», rundet MG 618, 14ff. trotz dem kurzen Schema erläuternd ab «Zaig an, was sindt dein daten? / ... Dett im sein sach gelingen». Am Schluß von Pauli Nr. 33 Anh. S. 412 spricht der Schneider, der wie der Edelmann ohne zu zahlen Tuch kaufen will, am Schlusse zu diesem «es geet eben inn einem zü», woran im MG 866, 40f. die höhnische Antwort des Junkers schließt «Schreibt one / Das in ewers schultpüech!» Auch Pauli Nr. 147, S. 107 endet kurz mit der Erklärung des betrogenen Ehemannes «so ken ich euch nit me», was MG 612 Anh. 54ff. abrundet «Das ich fort ewer müesig ge. / Sties darmit von im aüs / Die eprecherin aus dem haůs / Vnd sie im elent liese». Andere Male ist diese Abrundung ohne in unverhüllte Moral auszuarten doch mit etwas Belehrung gemischt; Pauli Nr. 306, S. 197 berichtet abschließend vom trinkfesten Ehepaar «also triben sie das (Saufen) für vnd für, das was die gelübt nit gebrochen», MG 761, 60ff. erzählt «all tag ... / Pis sie vertarben gleiche. / Kein Warnung, straff halff an in nicht»; MG 787, 36ff. fügt dem Bericht der Quelle (Waldis III, 54) bei «Der arzet wůrt schamrot, / Dacht: Das ich hab getragen aůs, / Die fraw erfaren hate; / Pillich mein lon mir abgewinnet, / Zog ab mit schant vnd spot»; und Schlüsse ähnlich wie MG 98, 30ff. «Mir gschicht gleich, wie mir vor almal ist gschehen» fügt Hans Sachs hie und da an. Und drittens liebt er zur Abrundung spruchartige Schlüsse, wie MG 705, 59f. «Seit her thůet man noch faczen / Die kursner mit der kaczen», oder MG 244, 23f. «Dis sprichwort thůet herrinen / Aus des Klas Narren wicz», usw. Es handelt sich hier um Ergänzungen für neugierige Leute, Meinungen über das Erzählte, Regeln und Folgen aus ihnen. – Manchmal aber soll es Neues, eine Fortsetzung sein wie im MG 39, 44ff. «Vnd loffen zw der stubentůer, die war zw eng, / Darůnter war ein stosen vnd ein groß gedreng, / Als wolten sie einander gar erdrůcken», wo Eulenspiegel, Hist. 17, S. 26 von den durch Eulenspiegel betrogenen Kranken nur erzählt «da begunden sie von statt lauffen». – Oder es wird zur Abrundung und Erheiterung gelacht wie MG 83, 40 und in allen den Beispielen S. 107f – Dem stehen jene Kürzungen gegenüber, die Hans Sachs am Schluß einer Pointe wegen vornimmt; doch sind die bedeutend seltener als die Beigaben eines guten Endes, einer Erläuterung usw., die ihm als lehrhaftem Epiker mehr liegen. – Und dann gibt es jene Fälle, wo er (vgl. S. 104) der Vereinfachung oder der zwingenden Form wegen auch ohne wirkungsvollen Schluß kürzt.

Solche Abweichungen von der Quelle sind auch darum interessant, weil *stoffliche Abhängigkeit* zur Zeit des Hans Sachs bei aller volkstümlichen Dichtung die Regel war. Er folgt der Mode seiner Zeit. Eine Entwicklung ist bei ihm hierin nicht wahrnehmbar. S. 29f. zeigten wir, daß er bei Doppelschöpfungen gewöhnlich den MG vor dem SG verfaßte; und S. 123f. wiesen wir auf die Ausnahmefälle hin, wo er beim Dichten die Quelle nicht vor Augen hatte. Im allgemeinen kann man die Regel aufstellen, daß er bei nochmaliger Benutzung eines Stoffes gewöhnlich auf die Vorlage zurückgeht. Diese Behauptung läßt sich durch die große Mehrheit der Fälle von Doppelbenutzung beweisen. Im 60. Kap. von Jac. Freys Gartenges. S. 74 z. B. trägt die Magd Pantoffeln und tut einen Mißgriff, MG 1019 fehlen die Pantoffeln, erscheinen aber wieder im vier Jahre jüngern SG Nr. 285; wie die Magd kommt, heißt es bei Frey «Der scherer lůgt», im MG nimmt er ohne zu «lůgen» gleich ein Zänglein, im SG finden wir eine breite Umschreibung des «lůgt»; bei Frey geht sie «zu des Herren Scherer», MG Vers 9 nur zum Scherer, im SG wie bei Frey. So hat SG Nr. 226 mehr Einzelheiten nach der Quelle (Cyrillus IV, 2, S. 106) als der 14 Jahre frühere MG 232, SG Nr. 231 (Cyrillus II, 9, S. 44f.) mehr als der vier Jahre ältere MG 965, SG Nr. 208 (Buch der natürlichen Weisheit I, 19, S. 26) mehr als der zwölf Jahre frühere MG 335; Pauli Nr. 364, S. 224 hat der Bergrichter «vff ein Sontag» «ein guten gesellen zu gast geladen», MG 61, 6 «Eins tags er laden wase», 23 Jahre später im SG Nr. 248, 5 «Nûn auf ain suntag». Die Stelle in Pauli Nr. 6, S. 19 «Wan dan der fogel einen man sahe, der ein kalen kopff oder blatten het, so sprach er zu dem selbigen man, du hast freilich auch von dem al geschwetzt», hat MG 129 nicht, wohl aber das 17 Jahre spätere SG Nr. 214. MG 670 vom Jahre 1550 ist die Neubearbeitung des MG 256 vom Jahre 1545 und übernimmt von Pauli Nr. 392 den Schluß in Vers 42ff. (Papirius wird belobt und belohnt), was MG 256 nicht hat. Für Waldis IV, 82 liegen vier Bearbeitungen vor: MG 790 vom 12. Febr. 1552, MG 823 vom 12. Nov. 1552, MG 896 vom Mai 1554 und SG 154 vom 3. Okt. 1555; bei MG 823 lag wieder die Quelle vor, MG 896 und SG 154 fußen auf MG 823. Ein typisches Beispiel ist auch MG 8 vom Jahre 1528: Steinhöwels Aesop Nr. 122, S. 270 erzählt «legt sich nider uff die erden und reget weder hend noch füß; er zoche ouch den autem (!) nit, gelych als ob er tod wäre»; der MG Vers 17f. faßt sich kurz «Rürt weder fûes noch hende, / Als wer er dot pekant»; aber das SG Nr. 222 vom 2. Jan. 1559, 36ff. bezieht sich wieder auf die Vorlage «den atten (!) an sich zihen was / Vnd rueret weder fues noch hent, / Sam leg er dot an diesem ent». So verhält es sich auch mit der Quelle Steinhöwels Aesop S. 270: «Der ber begeret der spys (!) vnd ylet über in» und dem gleichen MG 8, 19 «Der per ... lief aûf in sere», aber das SG Nr. 222, 39ff. geht wieder auf die Quelle zurück. «Der per ... gedacht zv finden da sein speis (!)»; ferner Aesop S. 270 «do du so lang vnder im in sorgen (!) bist gelegen?», im MG Vers 39f. «Da er dir also sere / Raûnt zw den oren dein?», aber SG Vers 61 «Als dw lagst vnter im in sorgen (!)»; oder Aesop S. 270 «ich sölle mich alle zyt vor ungetrüwer gesellschafft bewaren (!)», im MG Vers 51f. «Dem sol ich nymer trawen, / Kein gselschaft mit im pawen», SG Vers 69f. «Das ich mich pey mein jarn / Vor vntrewen gselen sol pewarn (!)»; und Aesop S. 270 «Aldo schieden (!) sie von dann», im MG fehlt die Stelle, aber SG Vers 77f. lautet «Darmit schieden (!) sich dise zwen / Vnd war ider sein straßen gen». Ebenso heist es Steinhöwels Aesop Nr. 28, S. 120 «wurden die hasen so ser durchächtet (!)», im MG 15 vom Jahre 1530, 5ff. «Der wurden viel entleibet», in der SG-Fabel Nr. 20 vom Jahre 1531/2, 5f. «Die wurden in jrem geleger / Durchechtet (!) sehr von ainem Jeger». In ähnlicher Weise finden wir Steinhöwels Aesop Nr. 147, S. 313 wieder benützt im SG Werke IV, S. 290–4 vom Jahre 1555 (MG 35 vom Jahre 1532). Und so noch Dutzende gleicher Fälle. – Andere Male ist deutlich sichtbar, daß bei der zweiten Bearbeitung sowohl die erste wie die Quelle vorlagen. Vier Beispiele. Die drei ersten Verse im MG 992 vom 4. Juni 1556 sind fast gleich wie die im SG Nr. 315 vom 22. März 1563, doch lag dem SG daneben auch Wickram Kap. 71, S. 128 vor: «So das der Wirdt ersicht, gedenckt er bey jm selbs: ‚Ich wil die zech wol machen‘»; der MG Vers 20 hat nur «Das sach der wirt mûret allaine», aber das SG Vers 33 ff. noch «als nûn der wirt vermercket, ... vertros es in ... Dacht: Ich dich gar wol dreffen wil». Ferner das SG Nr. 284 hat den gleichen Schluß wie die Quelle, Wickram, S. 41 schreit dort die Frau «O Magnifica Munsôr, misericordia!»; ebenso das SG 67 f., jedoch der MG 994, 31 f. «sach / Cleglich wainen die frawen»; aber auch dieser MG lag vor: die Quelle S. 41 hat «er war an der Pestia oder Pestilentz gestorben», MG und SG «an dem prechen» (SG «brechen»). Der MG 991 vom Jahre 1556 ist Vorlage für das SG Nr. 314 vom Jahre 1563 (zwölf Gäste, gleiches Mahl usw.), aber auch Wickram 70, S. 127 (vgl. Stiefel, Festschr. S. 170 ff.). Ebenso hat MG 307 wie das zwölf Jahre spätere SG Nr. 210, 4 f. den «Rhein», aber das SG hat u. a. den Schluß nach der Quelle, Pauli Nr. 513 Anh. 36 (Bestrafung durch den Bischof). – Oder dem spätern SG lag der MG vor, nicht aber die Quelle: so 1563 der Erweiterung von MG 824 vom Jahre 1552, dem SG Nr. 328, nur jener, nicht aber der Esopus des Burkhard Waldis IV, 83, den er wohl vergessen hatte (vgl. Vers 1 «MAn list in der alten gedicht»). Im MG 31 vom 29. Febr. 1532 hat Hans Sachs den Merker des Reimes wegen eingeführt, und er behält ihn in den drei folgenden Bearbeitungen (vgl. S. 16), hatte also wohl nicht die Vorlage vor sich. Im 287. SG vom 16. Juli 1562 bringt er wieder den Fritz aus dem MG 252 vom 18. Dez. 1545 statt dem Kunz in Pauli Nr. 263 (vgl. S. 16 f.). Also wir finden die alte Regel bestätigt: bei Hans Sachs keine Regel ohne Ausnahme.

Wir sahen S. 104, daß er – von der Lehre usw. abgesehen – nach dem Höhepunkt der Erzählung knappen Schluß liebt. Aber – wiederum abgesehen von den S. 124 f. erwähnten unnötigen Vorgeschichten – einen *behaglich breiten Anfang* verschmäht er nicht. So lesen wir z. B. in Steinhöwels Aesop Nr. 85, S. 200 «Ain fuchs begegnet einer kaczen uff dem weg», während MG 225, 1 f. «EIn fuchs trabet ûeber ain praite haide, / Begegnet im ain alte kacz». Ebenda Aesop S. 127 «Ain wolff fand uff ainem aker ain ... bild», aber MG 282, 1 ff. «EIn wolff in ainer wilde / Loff vmb nach wolffes sitten, / In haisen hûngers prûnst». Aesop S. 183 heißt es kurz «Ain pferd und ain hirß zweyten sich», MG 316, 1 ff. aber anschaulicher «ES want in ainem walde / Ein fraidig, jûnges, wildes pferd, / Das zwait sich». «Zu zyten wäre ain mus gern über ain wasser gewesen», im Aesop Nr. 3, S. 83, der MG 329 dehnt «EIn frosch der sach pey einem pach / Ein maûs, darzw er schmaichlent sprach». Und Aesop Nr. 87, S. 204 f. berichtet kurz «Ain wolff begegnet ainem esel und sprach», MG 405, 1 ff. «EIn esel waidet in dem wald, / Den hinterschlich ein wolff gar pald, / Der sprach». Das ist bei Hans

Sachs ein Hauptmittel, gleich behagliche Stimmung zu schaffen. Aber folgende Übersicht gibt ein für ihn ebenfalls typisches Bild:

	1. Gesätz	2. Gesätz	3. Gesätz
Dec. IX, 4	39 Zeilen	22 Zeilen	58 Zeilen
MG 215	19 »	19 »	19 »
SG 246	60 »	22 »	25+ »
			27 »

Also am Anfang und am Ende kürzt er hier (und in sehr vielen andern ähnlichen Fällen) im MG die Quelle am stärksten. Beide Arten sind beliebt. Manchmal erweitert er die Quelle, bringt trotz der knappen MG-Form das Wesentliche geschickt und anschaulich und schafft einen behaglichen Anfang. Manchmal kürzt er eine lange Einführung. Die Quellen sind eben in ihren Einleitungen sehr verschieden. – Wir sahen S. 124 ff., wie Hans Sachs erzählungstechnisch gewandt den Stoff ordnet und z. B. die Hauptperson voranstellt, was bei diesen kurzen Geschichtchen sehr nützlich ist. Daneben dient ihm, um die Erzählung fließend zu gestalten, die Ausmalung der Umwelt. So bekleidet er das Gerippe, und es entsteht eine weiche epische Linie. Pauli Nr. 60, S. 51 z. B. führt der Gastmeister den Sprecher «in die hůntstůeben», MG 249 auch, aber der Dichter fügt bei Vers 14 «die hůnt im stetigs geiltten ab». Pauli Nr. 3, S. 16f. «sie also aßen vnd also bei dem feuer saßen, wie man dan in den dörfern thůt», MG 98, 14ff. hingegen breit «Die pewrin ob dem fewer kůechlin půech; / Der pawer sas hinzw vnd schmirt sein schuech; / Ein alte kacz auch pey dem fewer sase. / Vnd sie waren ainaigich alle drey». Was Pauli Nr. 634, S. 348 kurz sagt, malt MG 259, 1ff. schön aus; dort heißt es «Die müsz heten ein rat», hier «EIn pawer het ein vraltes gehews, / Das lof vnden vnd oben voller meůs, / Vnd detten dem pawer ser grosen schaden. / Der Pawer ein ser grose kaczen het, / Die im der meůs ser vil aufraůmen thet; / Des wurden sie mit schrecken all peladen. / Eins abentz spat / Sie hilten rat», womit der Anfang ein gutes Bild gibt. Pauli Nr. 223 schreibt S. 150 kurz «darnach wisz man in schlaffen», jedoch MG 306, 21ff. ist ausgeführt «Nach dem der ritter spatte / In weisen lies zw rast / In ein schön gedeffelt kemnat». Pauli Nr. 84, S. 65 berichtet «Auf ein zeit het ein dochter gedient in einer stat», MG 502, 1 weiß «EIn haůsmaid het gedient in einer state», und MG 934, 1ff., der den gleichen Stoff behandelt, weiß noch mehr «ZW Bamberg ein alt efolck sas, / Erber vnd frumb, pey welchen was / Ein hausmaid sieben jare». Pauli Nr. 589, S. 331 schreibt einfach «Vf ein mal fragt einer ein eeman, ob er ein frawen künt zůglück vnd zů vnglück schlagen», im MG 957, 1ff. schickt Hans Sachs eine Prügelscene voraus, dann kommt der erfahrene Alte «Hor auf, dw narr, pist vol. / Wie vngeschickt schlechstw dein fraw, / Sam sey sie ein hůnt oder saw! / Mit vernůnft soltůs schlagen / Recht ůebel oder wol»; dann erst bittet der Junge um die Belehrung, und er erhält sie gründlich.

Oder man vergleiche die ausführliche Schilderung im MG 2, 137–143 auf Grund der kurzen Bemerkung in Steinhöwels Aesop S. 82 «Mus dum transire vellet flumen, a rana petit auxilium».

Es beschleunigt den Fluß der Handlung, wenn unnötige *Personen ge-strichen* oder in den Hintergrund gestellt werden. Bisweilen läßt Hans Sachs nur Namen weg, die ihm überflüssig erscheinen wie in MG 533, 3, wo Eulenspiegel «zv Polen ... an des künigs hofe» kommt; in der 24. Hist. kommt er zum König Kasimir von Polen. MG 117, 18 ist nur «sein knecht» kurz erwähnt, aber Dec. VI, S. 401, 35 ff. «het münch Zwifell eyn knecht der von etlichen der gescheid Guccio geheyßen was». – Aber meistens unterdrückt er Personen, weil er ohne sie auskommt. So erscheint Eulenspiegel in der Quelle, der 9. Hist. S. 12, mit seiner Mutter zur Kirchweih, MG 529 allein. Hist. 79, S. 125 sollte der Wirt «des mittags vil gest haben», MG 539, 38 steht nichts von Gästen. Auch wird MG 512 der Ehemann, der Gold-schmied (Waldis IV, 50, S. 140) übergangen, da der Konflikt ja zwischen der Frau und dem Bauern spielt. Waldis IV, 99, S. 277–9 kommt die Bäuerin am Anfang und am Ende, MG 835 ist sie als unnötig weggelassen, wie auch der Knecht; ebenso MG 153, 36 die Frau aus Dec. X, 3, S. 330, 12 f.; MG 173, 27 der Knecht aus Dec. X, 4, S. 602, 27 f. («mit eynem knecht auf zů roß saß»). Oder der Tote im Dec. IV, 10, S. 303, 35 f., der «ein solich romore machet das die frawen die do in derselbigen kamern lagen entwachten», während MG 262 die Frauen fehlen, wie auch die Nach-barn und des Richters Knechte, die alle nur Zeugen sind. Pauli Nr. 653, S. 360 setzt man den Priester an des Wirtes Tisch, und die Wirtin hofiert ihm, MG 157 ist der Wirt übergangen. Pauli Nr. 150, S. 108 «des einen kauffmans fraw het einem alten weib ein guldin geben, solt sie leren, das ir man ir auch nach müst gon», aber MG 193, 2 f. will die Frau selbst «mit zauberei / Bezwingen ires manes leib». Pauli Nr. 3 Anh., S. 389 ist nie-mand «an heimsch bliben, dan allein zwen köch vnd der schneider, ein kel-ler vnd Clausz nar», hingegen MG 248, 2 ff. «plieb zw Dorga in dem schlos / Klas Narr allein selb dritte, / Die zwen köch gingen auch ir stras». Pauli Nr. 204, S. 134 sagt die sterbende Frau zum Manne «bestel ein schreiber ein notarien vnd zügen», MG 286, 5 f. fehlen diese Nebenfiguren. Wohl dient hier und in zahlreichen andern MG der Abwurf von Ballast dem freien Fluge, aber auch er geschieht gar oft auf Kosten der Anschaulichkeit.

Eine ratende Person glaubt Hans Sachs oft entbehren zu können. In der 34. Hist. des Eulenspiegel beraten S. 52 «dy Cardinel» den Papst, MG 544 fehlen sie; wie auch MG 669 der Knecht, der in der 45. Hist., S. 72 f. dem «stiffelmacher» zum Spicken der Schuhe rät. Im Buch der Beispiele der alten Weisen S. 123 gibt der von Eifersucht geplagten Schildkrötin «ir gespil» den Plan ein, MG 433, 9 ff. ersinnt sie ihn selbst. So fehlt MG 830, 27 die Mutter aus Waldis IV, 32, S. 89, 23 ff., usw.

Auch ein Bote wird gelegentlich überflüssig. Dec. X, 2, S. 591 schickt Chino von Tacco nach dem Überfall einen Diener zum Abte, MG 70 fehlt dieser. Im Narrenbuch S. 17, 263 «sie santen zu im des richters eiden», aber MG 672, 11 wird dieser Eidam ebenfalls nicht aufgeführt.

Andere Male wird einfach die Zahl der Personen beschränkt, indem *Handlungen von mehreren auf eine übertragen* werden; so wird die Aufmerksamkeit nicht unnötig von einer Person abgelenkt. Pauli Nr. 371, S. 227 z. B. setzt der Knecht dem Gaste die «masz wein» hin, MG 187, 5 der Wirt; dieser kommt zwar in Pauli Nr. 371 nicht vor, wohl aber in Nr. 374 und in Bebels Facetien 3, 31, den Quellen des zweiten und dritten Gesätzes; so braucht Hans Sachs alle drei Male den Wirt. Ebenfalls ist in diesem MG die Mutter weggelassen und durch den Vater ersetzt, eben den Wirt: Pauli Nr. 374, S. 228 «hat die muter ... hüt erst ein grosen zuber vol in das fasz geschüt», MG Vers 19 der Vater. Gleicherweise schreibt im Narrenbuch S. 908 ff. der Bischof dem Pfarrer aus Rache vor «Ein kelnerin / Virzig jar alt zw halten», MG 88, 43 ff. die Herzogin, die schon eine wichtige Rolle spielt.

Einmalig ist der Fall MG 547, dessen Vorlage Jörg Wickrams Galmy ist, und wo Hans Sachs die über 180 Druckseiten in der Ausgabe des Stuttg. Litt. Ver. in 60 Verse zusammenpreßt und von den vielen Personen nur einen Namen übernimmt, Galmy, und die andern entweder wegläßt oder durch «herzog», «füerstin», «marschalck», «ain ritter» usw. ersetzt.

Auch *sprachliche Wiederholungen* trachtet er zu vermeiden, damit die Erzählung fließender werde. In diesem Zusammenhange ist als Beispiel MG 455 bemerkenswert. Der stammt vom 21. Febr. 1548; am gleichen Tage schrieb er auch das SG Nr. 104, beide stimmen fast wörtlich überein, das SG hat vier Verse mehr. Nun sahen wir S. 29 ff., daß fast immer der MG vor dem SG entstand, und S. 33 f. wurde an einigen wenigen Beispielen gezeigt, wie sich das beweisen läßt. MG 455 scheint eine Ausnahme zu sein; eine gleiche stilistische Untersuchung belehrt, daß Vers 18 besser ist als die Stelle im SG, Vers 25 eine nötige Korrektur ist, und daß die Verse 31 und 47 im MG flüssiger sind, und das Wichtigste: in Vers 50 ist «zerspaltung» ersetzt durch «zerüettüng», weil Vers 56 «spaltung» eine Wiederholung wäre. Freilich ist dann im SG Vers 55 durch Einschiebung von Vers 53 f. eine neue Wiederholung entstanden. Die Stellen lauten folgendermaßen:

MG 455

18. Das wer für in ain guet geschleck
25. Der siebent sprach: «Mir morgen pacht!»
31. Das thecz als in ain haffen zam
47. So ist in der gselschaft all frist
50. Da ist zerspaltung alle zeit

18. Das wer fůr in das pest geschleck
25. Der sibent sprach: «Mir morchen pracht (= pacht)»
31. Das thet sie in ein haffen zam
47. So iß (= ists) noch in gselschaft all frist
50. Da ist zerůettůng allezeit

Diesen ziemlich häufigen Fällen, wo er Wiederholungen vermeidet, stehen weniger zahlreiche gegenüber mit Wiederholungen aus Bequemlichkeit. So braucht Hans Sachs des Reimes wegen im MG 706 dreimal «dropff» für Eulenspiegel, MG 993 wendet er «rund» (= geschickt) Vers 14 und 18 an, usw. Sorgfältige und unsorgfältige Arbeitsweise wechseln ab.

Auch die Verwendung eines *zierlichen Tones* dient der Flüssigkeit der Erzählung. MG 761 im Langen Hofton Muskatblüts, MG 468 in der Hohen Jünglingsweise Caspar Ottendorffers, MG 969 in der Radweise des Liebe von Gengen sind Beispiele.

Bisweilen dient dem gleichen Zweck eine *kräftigere Wendung* statt einer matten. Pauli Nr. 345, S. 216 «sahen sie einander an», MG 82, 44 «Einander anschmuczten»; Pauli «vnd ging also hinyn», Vers 46 «Vnd ersling schloffe», ebenso Vers 51. Wo Eulenspiegel Hist. 81, S. 127 hat «sie mochten ir gemach thun», steht MG 709, 11 «alle zamen auf ein hawffen schissen», usw. – So ist bei aller stofflichen Abhängigkeit der Fluß der Erzählung trotz der Kürze des MG sehr oft das Verdienst des Hans Sachs. S. 121 sahen wir, wie der Bericht durch direkte Rede und Dialog flüssiger wird, S. 126ff. durch Weglassung und Vereinfachung, S. 22f. durch kurze Verse, S. 114 durch Beschleunigung der Handlung. Hans Sachs kennt viele Mittel. Aber er wendet sie nicht immer an.

Sein Realismus ist schon mehrfach angetönt worden. Aus der Scholastik heraus hat er sich in seinem MG nach und nach der Wirklichkeit zugewendet. Schon S. 112ff. wurde ausgeführt, wie er immer mehr Einzelheiten und Geschehnisse bringt, besonders wenn er im bekannten Fahrwasser einherfährt; S. 108, wie er das Persönliche betont. Wir werden später sehen, wie er gern an Bekanntes anknüpft (S. 154), wie er bestimmte Zahlen (S. 144), bestimmte Orts- und Zeitangaben (S. 147) sowie Personennamen (S. 147) usw. liebt, wie er gegen kaufmännische und juristische Betrügereien (S. 179) und gegen die Trunksucht (S. 192) wettert, und wie er sich bei der Charakterisierung der Wirklichkeit (S. 116ff.) anpaßt. – Betrachten wir noch, wie Hans Sachs die *Wahrscheinlichkeit* seiner Geschichten erhöht. Sogar in solchen Kleinigkeiten wie bei Pauli Nr. 17 Anh., S. 403, wo die Wirtin «zwo zinnen blatten» leihen soll; MG 145, 41 ändert «Wirtin, leicht mir ein zin plat», die ja genügt. So auch wenn MG 241, 25f. «Der narr wie zufor pey in sase / Vnd mit in schlemet, dranck vnd ase», wovon bei Pauli Nr. 1 nicht die Rede ist; warum sollte der Narr nicht schlemmen? Und es ist Wahrscheinlichkeit da, daß der Wirt den Blinden «nichs den wasser vnd hert brot rinden» gab, während er freilich in der 71. Hist. im Eulenspiegel, S. 112 zuvorkommender ist: er «legt inen für strow vnd hew». Und glaubhafter ist es, daß der Edelmann wie im MG 304, 6 «schickt dem abt ein prieff, darin drey frage», als daß er wie bei Pauli Nr. 55, S. 46 «beschickt den apt». MG 508 sind die Boten des Todes wahrscheinlicher gezeichnet: 1) Vers 11 ff. mit 50 Jahren graue Haare, 2) Vers 18 ff. mit 70 Jahren wegen Schwäche Krücken, 3) Vers 23 ff. achtzigjährig vor Schwäche bettlägerig, als bei Pauli Nr. 267, S. 178: 1) Harn und Puls nicht in Ordnung, 2) der Wein schmeckt nicht mehr, 3) die Speise schmeckt nicht mehr, was eigentlich nur Warnungen für jedes Alter sind. Der Wirklichkeit entspricht es mehr, wenn MG 746, 2 der Bauer von Mücken geplagt ist (die ja auch sein Vieh plagen), als wie bei Pauli Nr. 673, S. 373 von Bienen. Pauli Nr. 248, S. 164 «was ein priester ein schmaroczer, der mit allen priestern asz», doch wahrscheinlicher ist der Bericht im MG 861, 2 ff. von ihm, daß er «oft zw gast in der stat mit den purgern as / ... Er aber lued der purger kainen widerumb»; denn später spielt ihm ein Burger (bei Pauli ein anderer Priester unbewußt) bewußt den Streich. – Häufig ersetzt er einen *weitern Begriff durch einen engern.* Pauli Nr. 17 Anh., S. 403 spricht der Gast= Dieb «wir wöllen zůmorgen miteinander essen», MG 145, 43 «Wöl wir zům leitkawff mit einander essen». Pauli Nr. 83, S. 64 «Der arm man bycht schlechtlich zů Rom», MG 298, 5 «Det (er) auf die gnad eim cortisanen peichten». Die sieben oder acht Studenten in Pauli Nr. 450 «hetten ein koch», MG 455, 3 «půrssten» sie in ihrer «pürs». Wo Pauli Nr. 206 «Virgilius ... in Rom ein angesicht an einen stein gemacht», ist es MG 421, 1 f. «ain pild ... gleich einem löwen wild», vielleicht aus einer andern Quelle. Eulenspiegel Hist. 55, S. 87 sprang der Hase «vff die boum», MG 705, 45 «Auf ein pirenpaům». In Bebels Facetien S. 145 «Cum impetu manu dextra per rictum lupi penetravit», MG 497, 21 f. «Zumb andren, wolff zw fahen ser, / Darfstw ains plechhantschuchs, nit mer!». Pauli Nr. 436, S. 261 «Der sun gab im zwo ellen důochs», MG 146b, 26 f. «Der sun ... lies ain roßdeck auß dem rostal pringen». In Steinhöwels Aesop Nr. 154, S. 330 «ain reb dem man in ain oug schluoge», MG 520, 21 ist es «das lincke aůg.» Alle diese Kleinigkeiten geben uns ein viel schärferes Bild von der Wirklichkeit. Eine Gruppe für sich bilden die vielen Angaben aus heimischen Nürnberger Verhältnissen; z. B. Pauli Nr. 63, S. 53 sagt der Barfüßer zum Bürger «Bereiten mir etwas gůtz des ir vnd ich eer haben, ich hab gest, vnd schicken es mir vff die fiere, so man zůnacht isset», MG 340, 7 f. wünscht er, «das er im schickt / Ein peschaidessen dare». So auch die bestimmten Ausführungen über den abgesagten Kauf MG 63, 35 ff., wovon Pauli Nr. 493 nichts hat. – Auch *drastische Wendungen* helfen ihm, die Wirklichkeit deutlicher vor Augen zu stellen. Bei Pauli Nr. 263, S. 175 verschlafen sich der Edelmann und der Knecht um zwei Stunden, MG 252, 29 um vier; beim zweiten Aufwachen hat im MG Vers 32 «Der knecht ... noch ain spicz», bei Pauli wachen sie um zehn Uhr auf, Vers 51 ist es Mittag. Eulenspiegel Hist. 92, S. 142 schlug der geldgierige Pfaff nur «die hend in die kant», MG 96, 37ff. aber «Der pfaff wolt vil erschnappen, / Det in die kandel dappen / Vnd die hand gar peschisse, / Zornig sie heraus risse, / Kotig pis vbert knüebel / Vnd stanck gar leichnam üebel». Pauli Nr. 82, S. 64 sollten die Diebe «züsamen kumen vff einem kirchoff vff einem grabstein in einem winckel», MG 31, 2 hielten sie «hause in einem dotten kercker», was realistische Gespensterstimmung gibt; und in der Quelle «der schwab mit den nussen ee da was dan der mit dem schaff, vnd sasz vff dem stein vnd asz nusz», aber der MG Vers 7f. führt kräftiger aus «Die weil der Schwab fras gstolen hassel nüesse / Vnd auf den thoten painen lag». Pauli Nr. 234, S. 157 kam der Arzt «vnd greif im die puls», MG 58, 3ff. «sein prünen pesach, / Darzw auch seinen puls begriff», d. h. Hans Sachs entnimmt den Harngucker Wickram Nr. 57; Pauli berichtet weiter «so wolt ich vsz einem glasz haben getruncken», wozu Vers 16f. fügt «Fuerhin wil ich mich sawffen / Aus einer flaschen vol» (nach Wickram). Wo Pauli Nr. 235, S. 158 maßvoll schreibt «darumb müsz ich wol etwas gesatzes essen, das ich trincken mög», übertreibt MG 58, 50f. «Das mir ein drünck sey schmecken, / So ich ein mer ersaüff» (nach Wickram; vgl. Festschr. S. 43). MG 480 (Pauli Nr. 654) fügt der Dichter 4–14 eine realistische Saufbeschreibung bei, 15–28 ein ebensolches Gebet der Besoffenen. Pauli Nr. 21 Anh., S. 405 «fragt (der Narr) ein Bürger», MG 495, 6f. «Er det das volck anplarren, / Sprach: «Ir seit alle narren». Während Pauli Nr. 673, S. 373 der Pfleger «schier» vom Sessel fiel, heißt es MG 746, 23 realistischer «der pfleger daümlet, vil an den rüecken». Pauli Nr. 248, S. 164 hat der Pfaff «ein ferlein ... abgenumen» (ein Ferkel geschlachtet), MG 861, 13 «ein faistes schwein gestochen», und 28ff. ist ihm «warlich eben eingefallen, / Das ich mein pruech auch darein (in den Wurstkessel) wüerffe / Die ich het vol geschissen, / Das ein dreck pey dem andren leg», während er bei Pauli nur sein «vnder hemd sein femoral» auszieht und hineinwirft. – Auch durch Gegensatz wird ein Bild realistischer, wenn z. B. Pauli Nr. 83, S. 64 schreibt «ZWen burger giengen vff ein zeit usz einer statt gen Rom» und MG 298, 2f. ändert «der reich geritten kome / Der arme aber thet zw fues nein lawffen». – Vielfach wird so ein realistisches Bild *sorgfältig ausgemalt*. So gibt Hans Sachs MG 503, 30–36 eine eindrückliche Skizze mit, wie der Edelmann den Knecht anstieß, so daß der Haufen Fische zu Boden fiel, die Gäste zählten sie, usw., wovon Pauli Nr. 5 Anh. nichts weiß. Die Szene im Eulenspiegel Hist. 12, S. 18 «Also maß es Vlenspiegel, da felet es weit der mitten in der kirchen» umschreibt MG 297, 35ff. behaglich «Er nam ain kerczen, mas darmit / Int kirchen auf vnd nider, /

Da felcz wol vmb vier pawrenschryt». An Stelle des einfachen Satzes in der 24. Hist. des Eulenspiegel S. 70 bringt MG 533, 44 ein Bild aus dem Leben: dort nimmt er einen Löffel, hier «Aus seinem hůet ain lôffel». Wo die 22. Hist., S. 32 einfach feststellt «ward Vlenspiegel vff dē thurn varten vergessen», kann MG 543, 6ff. mehr berichten: «Des Eulenspiegels man vergas, / ... Sein derm im rumplen wurden». Neben Waldis III, 98, 1 S. 413, 78f. «Ich acht, das ich daheimen bleib, / Du auch ein mal zur Frühmeß gehst» tönt MG 788, 26ff. vertrauter: «Ge int kirchen, ich sag, / So wil ich in dem haůs / Pleiben vnd zw dem essen schawen». Wo es Dec. 5, S. 390, 29f. kurz heißt «darumb weder von leib noch gestalt dester hübscher was oder gereder dann herr Forese Rabatta was», erzählt MG 465, 8ff. realistischer «Nun aber war er von person / Ein kurtzer baůerischer mon, / Ein nasen, hackent krombe, / Vnkönnender geberd vnd sit, / Statzet vnd vnberedet mit». Dec. IX, 5, S. 567, 24f. «gritlings auff in sase», doch MG 466, 42ff. «gritlings auf in sase, / Drůckt in mechtig hart nach der paůs, / Am rueck im klebt der paůch». Von zahlreichen Beispielen realistischer Ausmalung einer Person sei noch erwähnt MG 465, 32ff. «Nun er gar ůebel sase / Zu roß, on reudterisch geberd, / Vnd ward im auch hinckend das pferd», was Dec. VI, 5, S. 390, 34 berichtet «gar übel czeroß geritten was».

Wie wir schon mehrmals sahen, verläuft die Handlung im MG oft anders als im SG, teils wegen der verschiedenen metrischen Form, teils wegen der Kürze des MG. Zur Belebung der Handlung ersetzt Hans Sachs einen epischen Bericht oder indirekte Rede gern durch direkte Rede im Gegensatz zum SG, wo er manchmal die Rede durch Bericht wiedergibt, um den epischen Fluß nicht zu stören. Wegen des MG-Schemas, des Reimes (vgl. S. 16) und wegen der Stollen- und Gesätzeinteilung (vgl. S. 20) entstanden etwa Breiten, oder es mußten ihretwegen Kürzungen vorgenommen werden (vgl. S. 20), und derentwegen wiederum mußte hie und da der Inhalt leiden (vgl. S. 28). Aber wie im SG – und noch mehr als dort – beschränkt er sich auf die Hauptlinien der Handlung (vgl. S. 23ff.). Er belebt die Handlung (vgl. S. 111ff.), ordnet erzählungstechnisch geschickt den Stoff (vgl. S. 124ff.), gruppiert ihn vorteilhaft mehr chronologisch, er beschränkt die Zahl der handelnden Personen auf das Nötigste (vgl. S. 134ff.). Und wir werden später noch von andern Gesichtspunkten aus betrachten, wie geschickt er die Vielfalt der beweglichen und unbeweglichen Umwelt einzufangen versteht.

Hans Sachs bringt mehr Leben in die Handlung (vgl. S. 111ff.), auch indem er durch Gegensatz Spannung vermehrt, was ihm schon durch geschickte Anfänge gelingt, besonders indem er das Kommende rühmt und Aufmerksamkeit heischt (vgl. S. 99ff.), etwa wie im MG 61, 20 «Hôrt, wie esging zw leczt!»

Auch durch geeignete *Steigerung* bringt er neue Spannung hervor; dazu verwendet er hie und da sogar Anakoluthe wie z. B. im MG 63: Pauli Nr. 493 Anh. 20, S. 405 schreibt «will jm zů dem andern or messen so sicht er das es ist ab geschnitten», aber die Verse 19 ff. lauten «Hilt im das an ein or, verstet! / Vnd als er mas hinům – / Das wunder wolt in fressen».

Aber eine eigentlich starke Vermehrung der Spannung finden wir im MG ebenso *wenig* wie in den übrigen Fabeln und Schwänken (vgl. Verf.: Hans Sachs in seinen Fabeln und Schwänken S. 29f.). Der Dichter legt darauf weniger Wert als in seinen Fastnachtspielen (vgl. Verf.: Hans Sachs als Dichter in seinen Fastnachtspielen S. 80ff.), vielleicht weil ihn bei diesen der Gedanke an die Aufführung dazu zwang. Schon die chronologische Reihenfolge stört er nicht gern stark, etwa in dem er die Geschichte auf den Kopf stellte und mit dem Ende begänne; das psychologische Interesse stärkt er nicht, indem er zuerst die Tatsache und dann deren Entstehung beschriebe. Es ist weniger hohe Kunst als zeitgemäßer Kunstbrauch, die «pathologische Gewalt der Neugierde» zu mißachten; Goethes Forderung, daß die Neugierde keinen Anteil am Werke des Epikers haben dürfe, wurde schon von der volkstümlichen Dichtung zu des Hans Sachs Zeit erfüllt. Weniger das Was als das Wie interessierte; auf die Neuheit des Stoffes wurde nicht sehr viel gegeben. Auch das von Lessing im 48. Stück der Hamburgischen Dramaturgie verpönte «armselige Vergnügen der Überraschung» hat Hans Sachs damals schon gemieden, indem er darauf ausging, seine Personen zu überraschen, nicht aber den Hörer oder Leser. Ihm ist die zum Ende steuernde Handlung nicht nur ein Mittel, das Wie des Geschehens ist die Hauptsache. So entstand die heitere, nicht mit hysterischer Spannung geladene und ohne Knalleffekt wirkende Epik in seinen MG wie in den andern Fabeln und Schwänken.

Wie Hans Sachs auf einen wirkungsvollen Anfang (vgl. S. 99ff.) Wert legt, so beachtet er, wenn der Raum es gestattet, jede Vorbereitung, wie in den SG.MG 6, 15f. schon ergänzt er *durch Bericht* die Quelle (Dec. 4, 6): «Das war irs laides ane fang, / Als ir wol horen wert noch in der leste». Pauli Nr. 208, S. 139 sprach die Frau «du můst aber sorg zů im haben», MG 59, 30f. gefiel dem Weib «der anschlag nit, / Vnd weret dem man sere». Wenn Pauli Nr. 364, S. 224 erzählt «Sie sprach sehen ir in nit dort ston, vnd wetzt das messer», und MG 61, 23 ebenso «Secht! Auf dem gang stet er, sein messer weczt», so hat Hans Sachs mit Vers 18 diese Lage schon vorbereitet «Der herr stünd auf dem gang vnd sein protmesser weczt». Und wo Pauli Nr. 66, S. 55 berichtet «die het heimlich mit einem man gesündt» und MG 610, 1ff. das wiederholt und Vers 4–6 beifügt «Das hielt sie vest, / Das nimant west, / Der sie darůmb kůnt straffen», hat der Dichter auf den Ruf der Elster vorbereitet. Bevor im MG 853 die Witwe sich zum Ochsenverkauf entschließt, fügen die Verse 15ff. vorbereitend hinzu «Zw leczt ir

doch vůrschlůeg, / Dis gescheft zv erfüellen / Durch liste vnd petrůeg. Gar
klůeg, / Sie ainen sin erdencken thet». Pauli Nr. 216, S. 142 «Vff ein mal
... da schickt sie die tochter zu im», was MG 858, 13 ff. vorbereitend ausführt «sis schicken det / Wesch zw holen heraüse, / Den pfarer also darmit
anzwraiczen, / Auf das er zw fall mit im kom». Und Pauli Nr. 248, S. 164
«kam ein anderer priester in das husz zu im» – ganz zufällig –, aber MG 861,
7 ff. bereitet vor «Solche filczige karchheit grob / Wart gemerckt vnd gesehen. / Da legten sie ain karren on, / Wie sie dem pfarrer mochten auch ein
schalckheit thon». – Oft bestimmt Hans Sachs gleich früh vorbereitend den
Charakter einer Person. Pauli Nr. 139, S. 101 «was einer der het ein frume
fraw», aber MG 60, 1 f. charakterisiert «EIns mals ein wunderlicher man /
Ein tugendhafte frawen het». Steinhöwels Aesop Nr. 85, S. 200 «Ain fuchs
begegnet ainer kaczen uff dem weg», MG 225, 1 ff. «EIns fuchs trabet ueber
ain praite haide, / Pegegnet im ain alte kacz, / Fuersichtig vnd gescheide»,
durch welcher Eigenschaften Erwähnung der Dichter auf die Überlegen-
heit der Katze gegenüber dem prahlerischen Fuchse vorbereitet. Bei Wickram Kap. 70, S. 127 «einer vnder jnen stoßt einen löffel ... in busen», doch
MG 991, 12 f. wird voraus charakterisiert «Ein gsel, war nit vast reine, /
Der schůeb ...». Dann wird auch oft eine wichtige *spätere Person frühzeitig
eingeführt* wie in MG 779, 18 ff. «vnd trueg es haim, / Sagt das an seim vater
in khaim, / Demß nit gefallen was»; der Vater spielt dann Vers 41 ff. eine
Rolle; im Buch der Beispiele der alten Weisen S. 56 ff. heißt es nur «vnd
trug das heim». MG 665, 23 f. seufzt der Bauernsohn «Wolt got, das die
(Frau) ewig entschlieff / Oder ein wolff würd vnd gen holcze lieff», worauf
dann der Wolf gefangen wird, dem er zur Strafe sein Weib geben möchte:
zur Heirat. – Manchmal verrät Hans Sachs eine Absicht als Vorbereitung:
Pauli Nr. 81, S. 63 meldet kurz «Da kam der tüffel zu im in eins buren
weisz, vnd giengen also mit einander», MG 78, 3 ff. weiß aber «Zw dem der
dewffel kome / ... sprach ... ,So wis, ich pin der dewffel / Vnd sueche, wo
ein loser gsel / Den anderen dem dewffel geb, / Den fůer ich mit mir in die
hel'». – Umgekehrt kann aber der Hang zur Deutlichkeit sogar im MG über-
borden. Fälle wie MG 837 sind nicht sehr selten: Waldis S. 228, 30 f. «sprach
der Abt: ,So zieht bei zeiten / Die stegreiff auf", die Verse 19 ff. verraten
aber zu viel, wie wir S. 105 sahen. – Da Hans Sachs zeitlebens Lehrhaftigkeit
und Deutlichkeit liebt, ist es nicht erstaunlich, daß er auch im MG möglichst
gut vorbereitet.

Aber daß man ihm auch Genauigkeit nachrühmen kann, erregt vielleicht angesichts seiner Massenleistung leichtes Erstaunen. Auch die Genauigkeit hängt wohl z. T. mit seinem Belehrungseifer zusammen. Wie in
seinen andern epischen Dichtungen erklärt er im MG gern. Sorgfältig rundet er die Erzählung ab (vgl. S. 124 ff.). Quellen wie Decamerone und Eulenspiegel schließt er sich in der Hauptsache bereitwillig an; um so wert-

voller für das Studium seiner Arbeitsweise und seiner dichterischen Eigenart sind dann die Änderungen. Wo es angeht, füllt er genau Gesätze oder selbst Stollen aus (vgl. S. 20). Und wir haben seinen Realismus und die Lust vorzubereiten eben kennen gelernt. – Trotz seiner Treue zur Quelle und der Eigenart der Meistergesangsform fügt er aber *Einzelheiten hinzu*, um einen Zustand oder einen Vorgang genauer zu bezeichnen, z. B. indem er den Begriff enger faßt. Pauli Nr. 41, S. 39 haben die zwei Äbte «ein frembden erenman geladen», MG 247, 4 «ein doctor». Pauli Nr. 206 erwähnt ein «Angesicht», MG 421, 1ff. macht Filius «zw Rom ain pild, / Steinen, gleich einem löwen wild, / Mit aufgespertem rachen». Den «zwen vogel» im Buch der Beispiele der alten Weisen S. 52 entsprechen im MG 476, 5 «zwen geyer»; dem «dürr jar» der gleichen Quelle S. 104 im MG 780, 1 der dürre Sommer. Pauli Nr. 493 Anh., Nr. 20, S. 405 erwähnt einen «kremer», MG 63, 3ff. aber ist es ein «seidenkremer ... / Der kölnisch seiden porten het / Fail, vnden am Maientor». Pauli Nr. 564, S. 323, 1ff. wollte «man» einen Bischof wählen, MG 308, 1ff. das Kapitel zu Passau, dort kommen «die herren» zusammen, hier «die thůmherren», dort spricht «einer», hier «Sprach der thůmprobst». Der «hecker» des MG 461, 1 ist bei Pauli Nr. 176, S. 121 «ein geytiger man». Pauli Nr. 243, S. 161 wohnt der Priester «bei einem burger», MG 908, 4 «Pey einem pecken». Steinhöwels Aesop Nr. 65, S. 177 fiel das Panthertier «in ain gruoben», MG 10, 4 «in ein dieffe wolffz grůeb»; und Aesop S. 60 lag die Frau «in dem sal», MG 88, 27 «im fawlpete». – Andere Male ist es die *Handlung*, die Hans Sachs *genauer* beschreibt. Sogar im MG liebt er behagliche Genauigkeit. So kehrt in der 34. Hist., S. 52 «vlenspiegel dem Sacrament den růcken», aber MG 544, 19ff. wird ausgeführt, wie «Nider kniet des volckes schar, / Ewlenspiegel gen dem altar / Das hindertail det wenden». Oder Pauli Nr. 192, S. 130 «beschickt der wůcherer den predicanten», MG 464, 7ff. «Der burger den prediger lud / Des nachts mit im zu essen. / Nun war er gar ein reicher Jud. / Als sie nun waren gsessen / Mit andren gesten auch zu disch, / Do drancken sie den külen wein / Vnd aßen gut wildpret vnd fisch». – Auch Zustände, Gegenstände usw. sehen wir genauer; z. B. das Pferd, das bei Pauli Nr. 111, S. 83 «ansichtig» genannt wird, finden wir wieder im MG 869, 4ff. als «ein alten grosen gaůle, / Der war halb plint vnd fawle, / Auf den fůesen vnstet vnd strawchent gar». Auch wird die Stadt genannt statt nur das Land: Waldis IV, 68, S. 164, 1 beginnt «IN Hessen war ein Leinenweber», MG 792, 1 «zw Marpůrg ein weber sase». Oder die Zeit wird genauer angegeben: Pauli Nr. 46, S. 42 erzählt «Es was auf ein mal ein ritter der het ein narren ... der ... kranck ward», und MG 338, 1ff. zeitlich genauer aber noch immer märchenhaft «EIn ritter het vor jaren einen narren, / Der pis ins alter thet im verharren, / Vnd als der narr dot kranck lag nach vil jaren ...». Und oft ist eine Gegend genauer beschrieben wie im MG 316, 9ff. «Eins

tages fünd es in dem holcz / Gleich pey ainer wegscheid / Ein jeger»
(Steinhöwels Aesop Nr. 69, S. 183 wird von einem Pferd erzählt, «das es zuo
ainem jäger gienge»). – Die Genauigkeit zeigt sich auch in den zahlreichen
Beispielen von *besserer Motivierung* in den MG nicht weniger als anderswo
bei Hans Sachs. Wenn Pauli Nr. 263, S. 175 erzählt «Der wirt legt sie beid
hinden in das husz in ein kamer, das sie nichtz mochten hören», fügt MG
252, 21f. noch bei «Nůn war die kammer finster gar / Vnd vberal vermachet». Pauli Nr. 392, S. 239 erzählt «sie (im Senat) sein des willens einen
man, noch ein frawen zůgeben, so sein andere in dem rat die meinen man
solt einer frawen noch ein man geben, vnd wissen nit welchs das best ist»;
MG 256, 23ff. begründet das Entsetzen der Mutter des Papirius noch besser: ein Mann solle «vil weiber» haben, um in kurzer Zeit mehr Kinder zu
erzeugen! Pauli Nr. 306, S. 196 meldet nur «Es kam sie ein mal ein andacht
an, das sie verließ kein wein zůtrinken», MG 761, 3ff. ist die Begründung
genauer: der Müller hat ein feistes, trunksüchtiges Weib, und auch er ist
immer voll; sie haben geerbt, aber den Appetit verloren, deshalb rät ihnen
auf Anregung der Verwandtschaft der Rat; bei Pauli sollen die beiden nur
Wein trinken, wenn sie etwas ge- oder verkauft haben, aber im MG Vers 28ff.
verbot ihnen «ain rat» den Wein «Vnd solten schier / Nůr drincken pier /
Pey grosem gelt», Wein nur bei Kauf oder Verkauf, «Sůnst soltens nůr
pier saůffen», also tranken sie etliche Tage Bier, doch «Hin war ir trost. /
Der messe most (Sauserzeit!) / Det mit dem herbst her nahen». Bei MG
786, 8f. ist die Sehnsucht nach einem Manne viel größer, wenn die Frau
klagt «Ich nem an narůng abe. / Darůmb ains mannes mir not thet», als
Waldis II, 62, S. 252, 3f. «jr seht, wie meine hab / Von tag zu tag nimpt
immer ab». Und während Waldis IV, 12, S. 40, 35 «Ein junger Teufel wardt
losiert / Zjm», ist es MG 795, 23 «Ein alter deuffel», der wohl Erfahrung
hat. Auch MG 83, 30f. ist die Begründung besser, wo die «nachtparin ...
wolt hinein / Entlenen einen hopfen», als bei Pauli die Ausrede Nr. 144,
S. 105 «ich forcht euch brest etwas». MG 376, 9 spricht der Hahn zum
«berulin» «Het aber dich ein weiser man gefunden», was logisch und genauer ist als die Wendung in Steinhöwels Aesop Nr. 1, S. 80 «hette dich ain
gytiger gefunden». So ordnet der Dichter noch oft denkend und über-
legend. – Gerade weil es sich bei diesen genaueren Motivierungen meistens
um *Kleinigkeiten* handelt, sind sie so bezeichnend für die Art und Weise, wie
Hans Sachs die Quellen benützte. MG 100, 41 sperrt der Bader den Eulenspiegel in die «abzůech stůeben», was *richtiger* ist als der Bericht in der
69. Hist., S. 109, der Bader habe ihn in die Stube eingeschlossen, wo er mit
seinem Hausgesinde zu essen pflag. Hist. 80, S. 126 «zoch (Eulenspiegel)
herfür ein Cöllisch weispfennig», MG 366, 46f. aber zwei und «klingelt sie
gar hel», da es doch der geforderte Preis ist und er mit dessen Klang zahlt.
In der 2. Hist., S. 6 wird von Eulenspiegel gesagt, «biß er III iar alt ward,

da fliß er sich aller schalckheit», MG 450, 6 läßt den frühreifen Jungen immerhin sieben Jahre alt werden bis zum Beginn seiner historischen Tätigkeit. In der 87. Hist., S. 134 will der Bischof dem Eulenspiegel die 20 Gulden geben, um die (schon!) gewettet worden war, wenn ihm Eulenspiegel das Geheimnis sage, MG 938, 56f. «20 daler»; es ist logisch, daß dieser eine neue Summe verlangt. Waldis IV, 14, S. 43, 43 sucht der Pfarrer einen Ausweg («Als ich letzten zu Rome war»), MG 830a der Schultheiß («Seit ir doch auch mit nom / Gewest in ... Rom»), denn der Schultheiß sitzt in der Patsche. Bei Pauli Nr. 135, S. 99 setzt sich die Zauberin «hinder den baum», MG 77, 28 ist sie viel besser «in hanf verporgen». Pauli Nr. 35, S. 36 «die müsz ... aßen im den kesz», MG 242, 9 «von dem kes»: es mußte doch noch ein Rest übrig bleiben, den dann die Katze hüten – und ganz fressen konnte; und in der Quelle fraß die Katze die Maus und den Käse, aber Vers 22ff. saß die Katze im Kalter, «Die mews detten sie schmecken, / Keine einschlieffen wase»; und dann fraß die Katz den Käs. Von der Disputation in Rom zwischen dem Athener und dem Narren erzählt Pauli Nr. 32, S. 34 «da hůb der nar zwen finger vff, als wolt er sprechen, so wil ich dir zwei augen vsz stechen. Nun ist es gewonlich, wan einer zwen finger vff streckt, so streckt er den dumen auch vsz. Da nam es der Kriech von Athenis vff er wolt zů verston geben die heilig dreiheit in einem gewaren gott»; die Änderung im MG 243, 28ff. ist sehr bezeichnend für des Dichters Verlangen nach Klarheit und Genauigkeit; er will hier gewiß nicht der Trinität ausweichen, aber die Bedeutung des Daumens bei Pauli ist ihm undeutlich, und so lesen wir denn «Der narr ... auch zwen finger aufwarcz pot, / ... Da dacht der weisman werde, / Der narr maint, wer in himel vnd erde / Ein herr ůeber all creatůr, / Sichtig vnd auch vnsichtig ...». MG 624, 17ff. spricht ein fünfjähriger Knabe sehr weise Sätze, Pauli Nr. 436, S. 261 sogar ein Kind, «das war etwan drü iar alt»: noch mehr ein Wunderkind! Steinhöwels Aesop Nr. 111, S. 256 stiehlt der Knabe «ainem andern syne klaider haimlich», MG 401, 7 «ein kappen»; Aesop Nr. 62, S. 174 verbirgt sich das Wiesel «unter das mel», MG 428, 5 «Vnder ein koren haufen» und ebenda Nr. 84, S. 198 eine etwas ungeordnete Geschichte: ein Drache haust in einem fließenden Wasser, das steigt sehr hoch an, und nachdem es abgelaufen, bleibt der Drache «uff ainem trucknen gries» und bittet einen mit einem Esel vorbeigehenden Bauern, ihn auf den Esel zu binden und in seine Höhle zu bringen; darum ändert MG 590, 1ff.: ein Bauer findet im Walde die durch einen alten Hirten mit Stricken fest an einen Baum gebundene Schlange, und die verspricht ihm ...; alle diese und viele andere Beispiele zeigen, wie Hans Sachs wohl in den Hauptsachen, aber nicht in ungenauen, unlogischen Einzelheiten der Quelle folgt. – Auch in seiner *Liebe zu bestimmten Zahlen* finden wir diese Genauigkeit auffallend oft. Das Bild wird bei ihm deutlicher, eindeutig klar. Der exakte Handwerker und durch die

Tabulatur geschulte Meistersänger liebt das Verschwommene nicht, wie er sich auch vom mystischen Katholiken zum mehr vernunftsmäßigen Protestanten entwickelt hat. So entsprechen den «siben oder acht studenten» bei Pauli Nr. 450, S. 268 im MG 455, 2 acht Studenten; den «fünff oder sechs hunden» bei Pauli Nr. 25, S. 30 «sechs hünd» im MG 486, 15; der «sammelung von bürgern» im Eulenspiegel Hist. 72, S. 114 im MG 977, 4 «Ir zwölff»; Dec. III, 8, S. 216f. «wonet ein abt mit etlichen seinen münchen», aber MG 22, 6 «ein abt mit zwelff prüdern wonen dete»; Pauli Nr. 150, S. 108f. «er solt ir her von den augbraen geben», aber MG 193, 6f. «bat sie vmb drey har / Von den windbraen sein»; Pauli Nr. 490, S. 285 heißt es «es sein mein diener vnd reiter ... an kumen», MG 621, 5 «fraydiger rewter drey»; den «puren» in Steinhöwels Aesop Nr. 65, S. 177 entspricht im MG 10, 6 «Ayllf pawren»; den «wolgehürnten großen ochsen» im Aesop Nr. 121, S. 268 im MG 333, 3f. «Vier starcker ochsen»; den «ettlich seltzam knaben» bei Wickram Kap. 70, S. 127 entsprechen im MG 991, 2 «ir zwölff»; den «schergen» dort Nr. 23, S. 41 «zwen schergen»; während im Aesop Steinhöwels S. 60 «Xanthus allein die natürlichen maister und die oratores ... het lassen berüffen», hat MG 671, 1f. Xanthus «neün philosophi / ... geladen»; wo Eulenspiegel Hist. 31, S. 48 «ettlichen ... zwei oder dreimal opfferten», haben MG 280, 50 «Manche ... dreymal geopfert». – So ist es auch bei den Hohlmaßen. Eulenspiegel Hist. 30, S. 46 gibt es «milch», MG 293, 15 «drey mas güter milch»; usw. – Und bei den Längemaßen. In der 12. Hist. des Eulenspiegel S. 18 «felet es weit der mitten in der kirchen», MG 297, 37 «felcz wol vmb vier pawrenschryt»; Dec. V, 3, S. 328, 17f. saßen sie «ze rosse ... mit einander darvon gen dem castell Alangua wercz riten», MG 153, 10 «Sechs meil zw flihen»; usw. – Ebenso bei Zeitmaßen. In der 70. Hist. des Eulenspiegel S. 110 «sie beiten so lang», MG 296, 13 «ain halbe stund»; Hist. 22, S. 32 war der Graf «ein weil züfriden», MG 543, 33 «Des dritten dages als man aß»; im Buch der Beispiele der alten Weisen S. 32 heißt es allgemein «In dem erwachet der hußwirt», MG 95, 16 «Vmb miternacht der man erwacht»; ebenda «do die frouw wider von irem bülen kam», im MG Vers 24 «Vor tages kam ein weib»; in der Vorlage S. 60 (des Buches d. B. d. a. Weisen) ist es ein junger Knabe, MG 93, 22 «füenfjerig»; bei Waldis III, 91, S. 381, 34 hing der Schwanz «vber dhelfft hinein», MG 789, 31 «Ein stünd vnpewegt gancz»; in derselben Quelle IV, 12, S. 40, 31f. «der ... Gsell / Gschlagen wardt vnd kam in die Hell», MG 795, 18f. ist die Angabe zeitlich genauer: «Am andren tag pegab sich nüer, / Das der lanczknecht erschossen wüer». Dec. I, 6, S. 42, 38f. hat sich der Mann «etlichen tage pey im auff gehalten», MG 174, 20f. «er viertzig tag / Muest in dem closter pleiben»; Dec. VIII, 1, S. 468, 18 entlehnt Gwifardo das Geld bei Kasparolo «für etlichen tage», MG 236 Anh., 24f. «auf zwey monat ... / Bey zweyhundert ducaten» (MG 700 wie die

Quelle ohne genaue Angaben). Pauli Nr. 208, S. 138 blieb der Mann «ein iar oder drü», MG 59, 4f. «Im virden jar / Kam er», und bei Pauli fand er «ein hübsch kneblein in seinem husz lauffen», aber im MG Vers 8 «Ein zwijeriges kneblein klein»; bei Pauli: «der yszschmarren wůchs also vff vnd ward grosz», doch Vers 24 weiß «Als der knab alt war virze jar». In Steinhöwels Aesop Nr. 113, S. 258 «waz ain man ... weder ze jung noch ze alt», MG 16, 4f. war er «ein man / Pey fůnfzig jaren wolgethan». Pauli Nr. 342, S. 214 hat er «lang geredet», MG 254, 6 «zwo stünd»; Pauli Nr. 402, S. 245 «hangen (sie) mit einander in dem rechten», MG 487, 21 «haben (sie) nun gerechtet auff drei jar»; Pauli Nr. 168, S. 117 «het (er) es von seinen eltern ererbt», MG 613, 15 f. «Mein geschlecht es fůren dete / Auf drithalb hundert jar»; Pauli Nr. 267, S. 178 «Es fügt sich, das er» 1) «kranck ward», 2) «nach etlichen tagen ...», 3) «bald darnach», was MG 508 genau angibt 1) Vers 11 «er alt wůrt fůnfzig jar», 2) Vers 18 «er war alt sibenzig jar», 3) Vers 23 «Als er nůn achzig jar alt war». Es wären noch manche Beispiele anzuführen; sie alle legen Zeugnis ab für Hans Sachsens Streben nach Genauigkeit. – Besonders bei Geldsummen ist dieses sichtbar. Waldis III, 54, S. 343, 3f. erzählt, die Frau «kriegt ein Artzt, dem thet sie globen, / Wenn er jr hůlff, geschenck vnd gaben», MG 787, 2f. «Pestelt (sie) ein arzet eben, / Dem sieben taler sie verhies»; Esopus IV, 74, S. 180, 3ff. will sich ein junger Bauernknecht «Vermieten vmb ein gwissen Solt», MG 797, 4f. «man im acht / Vnd virzig pfůnt solt geben»; ebenda 83, S. 214, 78 «nam ers hin vnd zelt dem Wiert das Gelt», MG 824, 12 gibt er «vmb zwainzig ducaten», wie auch Vers 21; Pauli Nr. 27 Anh., S. 409 «nam der burgermeister den pfortner mit recht für», MG 277, 37 sprach er «in vmb dreyßig gůlden on»; und Pauli Nr. 508 Anh., S. 411 war der Ring «versetzt», MG 309, 16ff. «wol sieben gulden wert»; Steinhöwels Aesop Nr. 110, S. 255 «zöget im der gott ainen silberin byhel», aber MG 964, 20 «Ein peyhel, fein silber, wol acht marck schwere»; laut Gesta Kap. 74, S. 113 nahmen die Diebe «vil dez hordez her auz», MG 28, 29 «Iglicher wol aůf hundert marck»; bei Wickram Nr. 23, S. 40 hatte der wirt «noch nie kein zinß daruon zalt», aber MG 994, 2ff. war er vier Jahreszinse schuldig, «Macht gleich virzig důcaten». Diese Vorliebe für genaue Größenbegriffe ist um so mehr charakteristisch auch im MG, als das Gegenteil, genaue Angabe in der Quelle und ungenaue im MG, sozusagen nie vorkommt. – Ebenso einheitlich ist Hans Sachsens *Abneigung gegen große Zahlen*. Auch daß Hans Sachs Übertreibungen meistens vermeidet, ist somit für ihn als Meistersänger bezeichnend; er unterscheidet sich darin von vielen Zeitgenossen. In der 34. Hist. S. 52 verspricht die Wirtin Eulenspiegel hundert Dukaten, wenn er sie zum Papste führe, MG 544, 13 nur zehn; Hist. 87, S. 134 wetten Eulenspiegel und der Bischof um XXX Gulden, MG 938, 45 um zehn Taler; im Gedicht in Kellers Fastnachtspielen Bd. III, S. 1180 will der probst sechzig Schock geben, MG 451, 5 vierzig Gulden; Waldis IV, 16, S. 47, 10 ist von tausend Gulden die Rede, MG 834, 3 von «hundert stueck goldes»; Dec. VIII, 6, S. 492, 12 hat Calandrin vierzig Schillinge bei sich, MG 347, 19 sind es 20 Kreuzer; Pauli Nr. 35 Anh., S. 413 ist der Landsknecht dem Wirt «vff die zwentzig ducaten schuldig», MG 302, 11 zwölf Gulden; Pauli Nr. 462, S. 274 sind fünf Heller für den Ochsen und zwölf Gulden für den Hahn, MG 853, 38 drei Heller und zehn Gulden. – Bei der Masse von *Personen und Sachen* drückt sich Hans Sachs ebenfalls bescheidener aus als die Quelle. Im Buch der Beispiele der alten Weisen S. 174 nahm «die Nater ir kron vnd cleinat, das sy vnbeschlossen fand, souil sy des getragen mocht, vnd bracht die dem waller», aber MG 915, 23 «Bracht (sie) im ein köstlich gulden ring»; Dec. X, 2, S. 591, 23 macht sich der Abt auf den Weg «mit herlicher geselschaft», MG 70, 13 f. nahm er «Zwen můnich ... mit / Nach eines abtes sit», und wo im Dec. «alles mit sôldnern vmbbegeben» war, kommt Vers 17 «Selb drit ein edelmone»; Dec. VII, 1, S. 411, 33 hat die Frau «zwen gůt veißt kapaun ... bereyten lassen», MG 118, 23 ist es «ein gueten capaůn»; usw. – Auch die Anzahl der *Lebensjahre* beschränkt er häufig; aber nie erhöht er sie. Im Buch der Beispiele der alten Weisen S. 160 fragt der Fuchs «Wie viel ist der jar deines lebens?» Antwort der Löwin: «By hunderten», MG 222, 17 aber «Hůndert jar»; Waldis IV, 86, S. 223, 6 ist von «viertzig Jarn» die Rede, MG 844, 5 hat der Graf den Müller «dreysig jare»; Pauli Nr. 264, S. 176» ist ietz fünff iar das mir mein groszuatter ertruncken», MG 251, 6 war es «vor dreyen jaren». – Die *Zeitangaben* sind sehr oft bestimmter als in der Vorlage. Pauli Nr. 576, S. 326 steht «Wan er also mesz sang», MG 13, 5 f. «Ein mal am ostertage / Sang er das ampt»; Pauli Nr. 58, S. 48 wurde ein Beichtvater «Vf ein zeit zů gast geladen», MG 132, 3 «am ostertag»; im Narrenbuch S. 23, 299 f. «einß tages nit seer lang, / So alß der pfarrer messe sang», was MG 325, 2 ff. genauer bestimmt «aß er eins samstag nachtes (vor der Messe) zv vil linsen»; Steinhöwels Aesop Nr. 41, S. 139 «Ain leo in dem wald umstraiffet», MG 314, 1 «EIns morgens frůe ein alter leb umstraiffet», und im Aesop «In kurzen zyten darnach ward der leo gefangen», im MG Vers 23 «Nach dem vnd etlich tag waren vergangen»; und Aesop S. 148 wird berichtet «Do das der fuchs erkennet, ward er ettwas nydig ... vnd gieng für syn wonung», aber MG 364, 4 f. heißt es «Nach kůerczen tagen / Kam fur sein hôl ein fuchs». – *Orts- und Personennamen* setzt Hans Sachs sehr häufig ein, wo die Quelle keinen Namen hat, wie z. B. MG 13 «Poppenrewt» (Pauli Nr. 576), MG 58, 2 «Ein Franck» (Pauli Nr. 234 «einer»), der wohl aus dem Rollwagenbüchlein stammt (vgl. Festschr. S. 143 f.); MG 61, 2 erwähnt den «perckrichter im Jochimstal» (Pauli Nr. 364 «ein her»), MG 95, 1 lebte die Buhlerin in Augsburg (im Buch der Beispiele der alten Weisen S. 32 steht kein Name), MG 150 «ZW Wittenberg (Pauli Nr. 10, S. 21 «vff einer hohen schůlen»), MG 161, 11 «Lůebeck» (Pauli Nr. 407, S. 246 «ein ander stat»), MG 129 «In Meichsen» (Pauli Nr. 6, S. 18 «ein edelman», Ritter vom Thurn «Es wz ein fraw»), MG 254 «Straspurg» (Pauli Nr. 342, S. 214 «In einer stat»), MG 277, 1 «ZW Erdfurt» (Pauli Nr. 27 Anh., S. 408 «EIn stetlin ... im Briszgaw»), MG 286, 25 «Mit graff Hansen» (Pauli Nr. 204, S. 135 «des edelmans»), MG 292, 2 «Zw Lůebeck» (Pauli Nr. 197, S. 131 ohne Namen), MG 302 «Gen Speyer» (Pauli Nr. 512 Anh. 35, S. 413 «inn einer stat»), MG 308, 1 «zw Pasaw» (Pauli Nr. 564 ohne Namen), MG 309, 1 «Zw Insprůck» (Pauli Nr. 508 Anh. 31, S. 411 «In einer Stat»), MG 339 «in Pickardey ein abt» (Pauli Nr. 49, S. 44 «Wir lesen von einem apt»), ebenda Vers 19 f. «Kaiser Friderico / Ein prieff von Rome kome» (Pauli Nr. 51, S. 49 «Es het ein babst einem keiser geschrieben»), Vers 30 f. «er ist erzogen / Von Alberto genennet» (Pauli Nr. 51, S. 49 «ich hab sein vatter vnd můter kent»), Vers 37 ff. «Ein herczog zw Maylant / Vor jaren sase / Galeaz(o) genant» (Pauli Nr. 50, S. 49 «von dem hertzog von Meiland»), aber: MG Vers 40 berichtet nur «Het vil doctores» und Pauli l. c. «zu Pfafy», was eine seltene Ausnahme und aus der Bedeutungslosigkeit der Stadt in diesem Zusammenhang zu erklären ist. MG 455, 1 wiederum weiß «ZW Leipzig im colegiům» (Pauli Nr. 450, S. 268 «In einer hohen Schuolen»), MG 461 beginnt «ZW Aschen-půrg ain hecker sas» (Pauli Nr. 176, S. 121 «Es was vf ein mal ein geytiger man»), MG 469, 1 «IN Payren waren ... nůnen» (Pauli Nr. 65, S. 55 «Es was ein kloster»), MG 477 «ALs / man gewan Theba, die stat» (Buch der Beispiele der alten Weisen S. 76 «Es ward ein statt gewunnen»), MG 486 «ZW Funsing ... / Der Haincz Vnrw» (Pauli Nr. 25, S. 30 beginnt «Es was ein bauer»), MG 503 «ein knecht, hieß Grobian» in Vers 2 (Pauli Nr. 5 Anh., S. 391 «mit seinem knecht»), MG 608 «Ein fůersten kloster ligt im Francken lant, / Benedicter oren, Halsprůn genant» (Pauli Nr. 61, S. 51 «der het ein kloster sant Benedicter Ordens»), MG 612 Anh. beginnt «ZW Stras-purg sas ... / Ein půrger ... er rit / Gen Vlm auf ein reichstag» (Pauli Nr. 147, S. 107 «Es was ein man ... der ... hinweg fůr ein zeit lang»), MG 622, 1 f. «HErzog Fridrich / Zu Leipzig ... / Lag» (Pauli Nr. 499, S. 289 «der fürst von Saxen»), MG 623, 20 f. «peichten thet / Zw Kuedorf der schultheis» (Pauli Nr. 297, S. 192 «Es bycht ein mal ein buer»), MG 628 «ZW Maintz ein reicher purger sase» (Pauli Nr. 522, S. 300 «Vf ein mal was ein reicher man»), MG 692 «IM Niderlant / War ... Ein goltschmid gsell» (Pauli Nr. 29 Anh., S. 409 «Ein goldschmidt gsel ... kam»), MG 746 «ZW Drex-hawsen ein doller pawer sase» (Pauli Nr. 673, S. 373 «kam ein bawer in eim dorff»), MG 761 «AIn muellner was, / Zw Bamberg sas» (Pauli Nr. 306, S. 196 «Es was ein buer»), MG 851 «Am Poden se zw Linda» (Pauli Nr. 136, S. 99 «Es was ein frawe»), MG 858 «IN der stat Ach / Ein pfarer was» (Pauli Nr. 216, S. 142 «was ein doctor in einer stat»), MG 861 «ZW Kiczin-gen ein pfarer was» (Pauli Nr. 248, S. 164 «Es was ein priester ein schmarotzer»), MG 862 «AIn ritter sas in welschem lant» (Pauli Nr. 390, S. 238 «Es was ein riter»), MG 868 «IN Salczpůrg, der abteye, / Sant Petters, da war» (Pauli Nr. 500, S. 290 «In einer abtei was ein münich»), MG 869, 9f. «Reit ... gen Goren in der nehen (Pauli Nr. 111, S. 83 «füren ... in die stat»), MG 895 «ZW Magdenpůrg ein maler sas» (Pauli Nr. 412, S. 248 «Vf ein mal was ein maler»), MG 993 «ZW Magdenpůrg ein můnich sprünge ... kam gen Witenberg» (Wickram Nr. 21 «Ein außgelauffner Můnch ... kame»), MG 995 «EIn pauer in dem Kocherstal» (Wickram Nr. 62 «EIn ... Bauer saß inn einem Dorff»), MG 996 «Zv Straspurg vor manchem jar / Mein vater ein pil(d)hawer war» (Wickram Nr. 5 «Mein vatter ein Bildhawr gwesen ist»), MG 999 «ZW Nŏrlingen ein schneider sas» (Steinhöwels Aesop Nr. 156 kein Name); usw. Von diesen 40 MG haben 35 Pauli als Quelle und mit zwei Ausnahmen (MG 339 und 447) einen einheimischen Namen einge- setzt, ebenso die drei 993, 995 und 996, wo Wickram, und einer, 999, wo Steinhöwels Aesop, sowie MG 95, wo das Buch der Beispiele der alten Wei- sen die Quelle war. Ganz anders ist es in den Fällen, wo das *Decamerone* zugrunde liegt: da fand Hans Sachs wohl Orts- und Personennamen, hat sie aber fast nie übernommen. MG 947 wurden die italienischen Namen Calan- drino, Bruno usw. in die bäuerisch deutschen Eberlein Dildapp, Vlla Lapp usw. umgewandelt; MG 215 entlehnt er aus Dec. IX, 4 nur den Ceccus (im Dec. Cecco), aber nicht die Namen Angoliere und Forteingo (im MG «Knecht»), die Wirtschaft heißt im Dec. und im 15 Jahre späteren SG Bon Conuent, im MG hat sie keinen Namen. MG 22, 44 erwähnt «die můnich» (Dec. II, 8 «münch ... von Boloni»), MG 121, 1 «ein riter» (Dec. VI, 4 «eyn ... ritter ... mit namen genant Conrad Gianfigliaczi»), Vers 5 den «koch» (Dec. «koch genant Chichibio») und Vers 13 «des koches pul- schaft» (Dec. «fraw Brunetta»), MG 153, 10 «ein schlos» (Dec. V, 3 «castell Alangua»), MG 154 «vor jaren ein eyfrer wase» (Dec. VII, 5 «Es waz in der stat Rymel ein reich kauffman»); MG 191 hat aus Dec. IX, 9 die Namen Melisso, Joseph, Antiochia und Jerusalem nicht; ebenso wenig MG 238 aus Dec. VII, 4 den Ort Reczo und die Bezeichnungen Toffano und Gitta; im MG 257, 1 wird erwähnt «ein edle witfraw» (Dec. VIII, 4 «genant fraw Picharda»); MG 295, 1 hat aus Dec. IX, 7 nur den Thalano übernommen, nicht aber seine Frau Margaritta (MG Vers 2 «Der het ein zornig weibe»); die Quelle zu MG 466, Dec. IX, 5, hat Nicolo Râblein im Tal Kamerata, seinen Sohn Philipp, dessen Buhle Nicolsa, die Maler Nello, Buffelmacho und Bruno, sowie Calandrino und dessen Weib Tessa, der MG nur «DRey maler», einen «edelman» usw. Ebenso hat Hans Sachs sonderbarerweise in den zwei MG 819 (London) und 830a (Heidelberg), wo der Esopus des Burkhard Waldis Quelle ist, die Namen nicht übernommen (aber MG 834 erwähnt die «Paůier schlacht», wo der Esopus nur die «schlacht» aufweist: die Pavier Schlacht war wohl noch in vieler Leute Munde!). Die Ursache der

Auslassung ist sehr wahrscheinlich der fremde Klang der Namen des Dec.; nur «Rom» tönte nicht fremd, welchen Namen der Dichter im MG 240 übernahm; London und Heidelberg klangen in Nürnberger Ohren fremder. Beim MG 444 (Pauli) lagen die «Eidgenossen» und «Luzern» zu weit ab, wohl auch beim MG 311 das Elsaß. Aus ähnlichen Gründen überging er auch im MG 335 den Aristoteles und den David (Cyrillus), MG 412 den Namen Gaietani (Steinhöwels Aesop). Wir werden später noch sehen, wie Hans Sachs auch sonst gern in den MG ins Heimische umwandelt. MG 339 und 447 sind mit ihren fremden Namen Ausnahmen. In seltenen Fällen können aber gerade beim MG Reim und Kürze der Form schuld sein, wenn Namen weggelassen oder geändert werden. – Dieses sein Verhalten deutschen und fremdländischen Namen gegenüber dient der *Deutlichkeit*, Klarheit und Genauigkeit. Obwohl er sich in den MG nicht wie in den SG gehen lassen kann, treffen wir diese Eigentümlichkeit auf Tritt und Schritt an, daß er sich der Vorlage gegenüber schärfer und deutlicher ausdrückt; z. B. im Renner 14731 heißt es nur «Do er sich selb' da versan», MG 591, 54 «Mir ist gleich recht geschehen»; MG 903, 54ff. erfahren wir «Die (Frau) auf ein mal / Ein peutel stal, / Thet den heimlich verschlagen», bei Pauli Nr. 31, S. 33 nur «die fraw die het beschult», usw. – Gern fügt er noch *das Tüpflein auf das I:* wo in Jac. Freys Gartenges. Kap. 60, S. 75 der Scherer sagt «der ist herauß», fügt Hans Sachs MG 1019, 21 bei «Vnd maint den furz in zoren»; und in der 92. Hist. füllt Eulenspiegel das Geschirr «halber vol menschen drecks», doch MG 96, 25 f. bringt noch einen erklärenden Vergleich «Als ob die kandel schwere / Vol gǔeter pfennig were», usw. – Oft bestimmt er Begriffe *pedantisch genau:* Dec. IX, 4, S. 559, 12 legt sich der Bürger nach dem «male», MG 215, 8 «nach dem frǔemale»; Rosenblüts Schwank in den Fastnachtspielen ed. A. Keller III, S. 1186 erzählt von einem «münch», MG 485, 1f. ist es «ein junger mǔnich ... / Zw Leipzig im Thomaser orden»; im Buch der Beispiele der alten Weisen S. 91 sind «adern» erwähnt, MG 41, 33 «ochsen adren»; in der nämlichen Vorlage S. 60 «hundert pfund ysen», MG 95, 4 «drey hundert schineisen»; Dec. IV, 4, S. 273, 31 schickt sie ein «kleynet», MG 5, 41f. «von clarem gold ein ring»; Dec. VII, 4, S. 427, 14f. «der frawen freund (Verwandte) ... sich nit saumpten palde darkamen», MG 238, 45 sind es die «schweger»; der «baum» bei Pauli Nr. 135, S. 99 ist MG 77, 12 ein Pflaumenbaum; die «feiertag» Pauli Nr. 133, S. 96 sind MG 127, 6 Pfingstfeiertage; Pauli Nr. 132, S. 95 brannte das Haus «vff ein mal», MG 128, 9 «auf ein nacht»; Pauli Nr. 371, S. 227 «kam ein gast in ein Wirtshaus», MG 187, 4 «ain schmid»; Pauli Nr. 15, S. 24 verklagt das Mädchen «ein iungen gesellen», MG 863, 3 «Ein peckenknecht»; Steinhöwels Aesop Nr. 41, S. 140 «legten sie grosse gebett an den obern gewalt», MG 314, 49 «den herzogen patte». – Um deutlich zu sein, muß er oft trotz der Kürze des MG breit ausführen: nach der ersten Probe bei Pauli Nr. 423, S. 256 sprach der Vogt «du hast das erst wol bewert», MG 239, 31 ff. aber äußert er sich zum bessern Verständnis auch der Leute, die schwer von Begriffen sind, viel umständlicher so: «Das erst stueck hast verpracht, / Dw gingst vnd rietst auf dem gaůl. / Wo ist dein feint? las hŏren!»; in der 65. Hist. S. 101 «kunt Vlenspiegel etwas mit der schwartzen kunst sich behelffen», doch MG 284, 11 ff. ist viel wortweicher «Lies den schwancz abhawen gar gering / Eim alten gaůl / Vnd ließ in můeczen gancze. / Darnach seczt er mit plůt vnd harcz / Dem gaůl widerum an sein schwancz kolschwarcz»; in der 72. Hist., S. 114 «koufft (er) im ein bratten», das geschieht im MG 977, 11 f. umständlicher «Er loff hin vnter die flaisch disch, / Kaůfft einen kelbren praten frisch»; während Dec. VIII, 1 Anh. 236, S. 468, 1 f. «sein große liebe zu ir sich in neide bekeret», verdroß im MG 700, 23 ff. «Den edelman ... die zeit / Der frawen grose geizigkeit, / Das sie ir er alleine / Vmb důcaten verkauffen wolt. / Des wart er ir haimlich abholt, / Dacht im: ir gůnst ist kleine, / Liebt nur den pewtel meine»; ja manchmal erläutert Hans Sachs noch genau die innern Vorgänge bei den Personen, wie z. B. MG 853, 48 f. «Maint, sie het ir gewissen gestilt, / Erfůelt das gescheft ...». – Aber indem er sein Verlangen nach Deutlichkeit zu befriedigen sucht, *spielen ihm gelegentlich seine Schnellfertigkeit und Massenleistung einen Streich.* Hier nur wenige Beispiele. Pauli Nr. 41, S. 39 erzählt «da was ein apt», MG 247 beginnt aber «VOr zeit in Franckreich sasen / Zwen ept», «sasen» wohl des Reimes wegen, aber es ist nur von einem Abt die Rede, wie auch im spätern SG 263. Oder wenn MG 608, 38 von «fogel vnd andrem wiltpret» berichtet wird, so war das auch damals gegen den Sprachgebrauch. Steinhöwels Aesop S. 51 «gab es Esopo und sprach: Gee heim und gib das mynem (!) guotwilligisten» ist sorgfältiger überlegt als MG 46, 11 f. «Pring das / Der gůetwilligsten mein»; wie auch Vers 33. Sprachliche Unsorgfältigkeiten waren bei seiner Arbeitsweise nicht ganz zu vermeiden; MG 908, 2 ff. «Ein frumer priester vberaus / Derselb zu haus / Pey einem pecken war, / Welchem (dem «pecken»?) der dewffel hoch / Vnd schwer anfechtung thet erwecken»; in der 73. Hist., S. 115 «kom Ulenspiegel zů der Wesser in ein statt», MG 365, 2 «gen Wesser in die stat»; Waldis IV, 83, S. 215, 90 lobt der Wirt dem Käufer sein schlechtes Pferd, aber MG 824, 10 ff. macht er es selber schlecht (vgl. Festschr. S. 115 f.); und noch eine Stelle dieser Erzählung ist bemerkenswert: Waldis S. 214, 114 ff. nahm der Priester «ein bůntel stroh», umwickelt das Pferd damit, zündet das Stroh an, und «Das Pferdt von stund lauffen begundt. / So lang er mocht, folgt er jm nach», doch Hans Sachs fügt Vers 45 ff. bei «Vnd auf sein stroen grama sase», was unwahrscheinlich grotesk tönt: der Pfaff umwickelt das Pferd mit Stroh, setzt sich darauf, zündet das Stroh an, um den Gang des Pferdes zu beschleunigen, und dieses wirft ihn ab! Waldis II, 35, S. 218, 15 ff. «Die Spinne den todt fůr augen sach, / Vnd sprach ...», MG 832, 13 ff. wirft die

Schwalbe die Spinne samt dem Netz ins Feuer, «Die spin sprach ...»; trotz der Hitze hält sie eine längere Rede von vier Verszeilen! Manchmal kürzte der Dichter so stark, daß dem Quellenstoff der Geist entschwand und nur noch ein lebloses, dürres Gerippe blieb. Warum z. B. folgt Salomo MG 88, 12f. der Spur Markolfs? In von der Hagens Narrenbuch S. 265 meint Salomo, «es ware ein wunderliches thier». Doch sind solche Sünden nicht so zahlreich, daß sie das Bild des Erzählers verzerrten; es sind Ausnahmen, und sie hangen nicht nur mit der MG-Form zusammen. Schon Edm. Goetze (Festschr. S. 204) erwähnt «die eilende Hand des Dichters», wir spüren sie auch im MG nicht nur in der Handschrift, sondern auch in Inhalt und Stil. – Gerade bei der Betrachtung der Genauigkeit in seinem Schaffen erkennen wir, daß er nicht sehr oft aus rein poetischen Gründen ändert; häufiger geschieht es zur Verdeutlichung eines Charakters oder einer Handlung; poetische dann, wenn es sich um epischen Fluß, Anschaulichkeit und dgl. handelt. – Der Vollständigkeit wegen weise ich nochmals darauf hin, wie genau Hans Sachs in der Chronologie ist (vgl. S. 124f.), wie er Stollen und Gesätze gut abrundet (vgl. S. 20f.), wie er gut vorbereitet (vgl. S. 140ff.), und wie er einen gewissen Realismus pflegt (vgl. S. 136ff.).

Wie überall bei Hans Sachs hat der *epische Brauch* auch im MG seine große Bedeutung. *Feste Motive*, bestimmte Vorwürfe, Eigenschaften kehren immer wieder. Cyrillus I, 24, S. 32ff. z. B. wirft dem «onager» allerlei an den Kopf, «in sereno dolens et in tenebris gaudens lividus es; si mihi malum ingruerit, laetareris, si bonum contingeret, contristareris», dem ursus «accendabilis nemque nimis es pectoris et paratam vindictae ungulam habes, si fortasse in me vel in alium saevus irrueres, sic aut confunderes sociam aut ream hostiliter laniares», welchen scharf umrissenen Bildern aber im MG 19, 16ff. und 22ff. nur die herkömmlichen Vorhaltungen entgegen stehen wie vernunft = und sinnlos, hartmäulig, ohne Verstand beim Maulesel, rachselig, grimmig, zornig, tückisch, hämisch usw. beim Bären. In vielen MG wie z. B. im MG 965 werden immer die gleichen Moralfragen erörtert, oft unabhängig von der Quelle; wie sehr der Dichter am Brauch hängt, wie fest die Motive stehen, kann man etwa beim MG 335 sehen: Cyrillus I, 19, S. 27, 1ff. bittet die vipera den crinacius um seine Freundschaft, aber Hans Sachs stellt breit den Heuchler dem wahren Freunde gegenüber, das ist das hochwerte Thema, und darum berichten das zweite und das dritte Gesätz über den wahren Freund und den amicus fraudulentus, den die Quelle nur nebenbei erwähnt. Brauch sind ferner Prügel beim Ehestreit; Pauli Nr. 6, S. 19 kommt ohne sie aus, nicht aber MG 129, 39ff. Wo eine Frau buhlt, gehört ein Ehemann dazu, so MG 137, 1; Pauli Nr. 9 kennt diesen nicht, Hans Sachs hat ihn aus einer Nebenquelle, den Gesta, geholt, ebenso ist die herkömmliche Magd neu eingeführt, die bei Hans Sachs den Liebhaber rufen muß, ebenso krähen die Hähne ordnungsgemäß um Mitternacht, wie auch die Mannen bis Mitternacht sitzen bleiben, nicht nur bis zehn Uhr wie in Pauli Nr. 263, S. 175. Pauli Nr. 60, S. 51 ist der Sprecher «in zehen jaren ... nie erlicher gehalten worden», MG 249, 40 «In zwelff jaren»: hier und in vielen andern Beispielen ist zwölf noch die runde Zahl. Zum verschwenderischen Sohn gehört ein Vater, der ist MG 340, 1 ff. die Hauptperson zu Beginn der Geschichte, Pauli Nr. 63, S. 52 ist es «zuo den Barfuoßern ein doctor», der vom Sohn schlecht behandelte Pfaff. Pauli Nr. 499 sagt S. 289 «der fürst von Saxen» die drei Sprüche gegen die Pfaffen, MG 622, 9f. Klaus Narr, welchen die Quelle nicht erwähnt; denn solche Scherze sind Narrensache. Pauli Nr. 306, S. 196 «was ein buer», MG 761, 1 «AIn muellner war»: zum Esel gehört der Müller. Pauli Nr. 220, S. 145 f. hat ein Vater eine häßliche Tochter, und weil sie reich ist, werben nach seinem Tode viele Freier um sie, aber MG 289, 1 ff. ist sie «EIn schöne jůnge witfrau ... auch reich ueber die mas», die Häßlichkeit würde das herkömmliche feststehende Bild stören. Pauli Nr. 313 Anh. 14, S. 397 zieht der Pfaff, der von plündernden Landsknechten überfallen wird, «vberfeld», MG 305, 1 ff. «Durch einen walt», wie es sich bei solchen Überfällen gehört. Und Pauli Nr. 223, S. 149 trug man allgemein «vil trachten da her», MG 306, 9 «wiltpret vnd gůet fisch», wie es der Brauch ist. – Wie oft findet man dabei auch im MG *Anklänge an Altes*, z. B. an das Tagelied: Dec. IV, 5, S. 278, 11 berichtet «eynes nachtes Lisabetta czů irem lieben Lorenczen schlafen gieng vnd ires eltesten brůder nicht wargenomen hete», was MG 3, 63–6 (und ähnlich MG 509) ausführt «Sie waren baide wol gemuet / Nach ires hertzen lust; / Vmb die haimlich mordischen huet / Ir kaines gar nit wust». Oder wir werden manchmal an die alte deutsche Sage erinnert, z. B. wenn MG 3, 93 (aber nicht MG 509) die Brüder den Lorenzo unter einer Linde töten; die Anspielung im MG 366, 57f. «Vns sagt ein sprichwort alt: / Eck an den Perner kam» (auch MG 63, 47). Und sehr häufige Anklänge an das Volkslied finden wir: MG 3, 138 fügt den Vers bei «es mǔeß geschiden sein»; MG 5, 38ff. schreibt die Geliebte heimlich dem Ritter Gerbino «Das er kem in ir lande / Vnd damit nit lang saumet sich. / Darpey sie im aǔch schicket / In rechter lieb von clarem gold ein Ring», «Nün müstw ie verderben» (Vers 180), «Do antwort im der ritter jung» (Vers 182). Pauli Nr. 18, 25 «fand er ein reisingen hengst», wozu MG 151, 14 fügt «gezaǔmet auf grǔener haide». Wolframs Hönweise hat an sich schon volksliedmäßigen Rhythmus, gleich wie sein Vergoldeter Ton. Steinhöwels Aesop Nr. 40, S. 135 sah ein Frosch «ainen ochsen gaun uff ainer waid», aber MG 213, 1 ff. beginnt volksliedmäßig «EIn frosch sach ainen ochsen kuen, / Wol aus gemestet, gros vnd schuen, / Auf ein plumreichen anger gruen / Von gle und graß waidreiche»; und MG 40, 175 f. finden wir das alte «Fraw, ich pin dein, / Vnd dw pist mein». Immer wieder stoßen wir auf Stellen, wo Hans Sachsens MG, wie seine übrige Dichtung mit altem Singen und Sagen zusammenhängt. – Bei seiner großen Belesenheit hätte es ihm wohl öfter einfallen können, durch das Fremde, Seltene und darum Auffallende zu blenden. Das Gegenteil ist meistens der Fall. Wo er kann, überträgt er Ausländisches und Fernes *ins Heimische*. Den Ort der Handlung verlegt er gewöhnlich so nahe als möglich an Nürnberg. Pauli Nr. 17 Anh., S. 402 spielt die Geschichte «zwo meil von Cöln in einem dorff», MG 41, 1 f. «zw Ingolstat im Paierlant; / Zwo meil darfon ein dorff ist Winterspach genant»; Pauli Nr. 41, S. 39 spielt etwas «in Franckreich», MG 247, 1 «im Payerlant»; Pauli Nr. 5 Anh., S. 391 «ZV Straszburg», MG 503, 1 «GEn Augspurg»; in Bebels Facetien II, 35, S. 58 «Duo Bavari Romam profiscebantur», MG 570, 1 «EIn Schwab von Vlm gen Langenaw det laüffen»; Waldis IV, 5, S. 24, 1 (sowie Renner, Agricola usw.) steht nur allgemein «ein junger bruder», aber MG 500, 1 f. stellt ihn örtlich fest «EIn carthaus in Bairen gelegen, / Darinn ein wunderlicher münich ware» (SG 181, 1 sogar «EIn carthaws ligt im Payerlant / Pey Regenspurg»); Waldis IV, 50, S. 140, 1 saß «ZV Cölln ein junger Goldtschmidt», MG 514, 1 f. führt der Bauer «Gen Nürenwerg ein fueder holz»; Waldis IV, 67, S. 162, 1 ff. erzählt «ZVr zeit, da König Hans zu Dennemarck / Zu Wassr vnd Land sich rüstet starck, / Vnd Krieg hett mit den Hensestetten, / ... Da lagen etlich Knecht in Schone / ... Darunter war ein junger Gsell», jedoch MG 828, 2 f. «wollt' man zu Leipzig ein stüdenten hencken, / ... von Bamberg aus der state». Im Dec. X, 2, S. 591, 17 ff. «waz zů der zeit pabst Bonifacio der acht, czů dem geritten kam der reich abt von Klingen», während MG 70, 1 ff. «EIn abt was in dem Payerlant, / Sein aptey ... haiset zw Ranshofen», Bonifatius ist nicht erwähnt. Dec. II, 5, 1. Hälfte «der erczbischof von stat (Neapel) tode was», MG 106, 1 «ZW Maincz ein alter pischoff war gestorben». Pauli Nr. 81, S. 63 «gieng ... ein statknecht vberfelt in ein dorff», MG 78, 6 «Gen Regenspůrg»; in Steinhöwels Aesop Nr. 156, S. 333 f. hat der König einen guten Schneider, aber MG 999, 1 saß ein Schneider «ZW Nörlingen». Das Buch der Beispiele der alten Weisen S. 122 enthält eine Geschichte an den «staden des meres», woraus MG 433, 1 ein den Nürnbergern besser bekannter See wird. Aus einem Streit zweier Fürsten bei Waldis IV, 12, S. 39, 1 ff. macht MG 795, 1 den «pauren krieg». Aus dem «schön gerad züchtig vnnd tugendreichen Jüngling» im Dec. IV, 4, S. 272, 29 wird MG 5, 13 f. «ein küner degen / Mit renen, fechten, springen vil: / In allem ritterlichen spil / Was er der künest alzeit vnerlegen» – gerade wie so eine Leuchte in Nürnberg. In Steinhöwels Aesop Nr. 161, S. 345 «kam ein iüngling ... mit ... ainem habch uff der hand», MG 68, 19 führt er «ein falcken nach jegers sit» (SG 6, 31 «ein Sperber auf der handt»). Und MG 35, 35 ersetzt den vielleicht weniger geläufigen «edlen kostlichen jacinoten» bei Steinhöwels Aesop Nr. 147, S. 314 durch den bekannteren «edlen carfůnckel stein»; usw. – So paßt Hans Sachs auch gern Zeitangaben dem Nürnberger Kalender an; Pauli Nr. 513 Anh. 36, S. 414 wird ein König gewählt «auff den heiligen drey künig abent», MG 307, 3 «Am oberst abent spat» (oberstag = Epiphanias = 6. Januar = Drei Könige = das große Neujahr). Waldis IV, 74, S. 180, 1 f. wollte ein junger Bauernknecht sich «Vermieten vmb ein gwissen Solt», MG 797, 1 f. verdingt er sich «Ains mals am lichtmestage»; usw. – Allgemeine Gewohnheiten ändert er gern nach heimischem Brauch; und er betont dann oft sehr die Gewohnheit. MG 307, 6 trinkt man an Epiphanias dem Könige zu, «da man die gwonheit hat». Pauli Nr. 450 haben die Studenten einen Koch, MG 455, 7 kennt einen andern Brauch: «Ein altes weib das kochet in», und von den Speisen bei Pauli hat er nur die Erbsen übernommen, Eigengewächs sind Vers 29 f. «Wurst, hirs, krebs, hering, ... speck, / Morchen, rueben vnd kutel fleck». Eulenspiegel, Hist. 80, S. 126 regt sich der Wirt, da es «XII schlůg», MG 366, 16 Nürnbergisch «Als nůn die klain ur zwelfe schlug». Pauli Nr. 3, S. 16 «war ein abentürer ein Gauckölman», MG 98, 1 nennt ihn Hans Sachs «freyhirt». Pauli Nr. 58, S. 49 heißt es kurz «Da nun das gebratens kam, da was ein rebhün oder ein gebratner kappen, was es dan was», aber MG 132, 6 ff. schwelgt in örtlicher Erinnerung: «Man as ayer vnd fladen. / Darnach trueg man ein kalbskopf an, / Nach dem trůeg man ein gelbe ostersuppen dar / Vnd ein plat hais gesotner fisch». Wo Pauli Nr. 10, 21 einfach berichtet, er «verthet mit ir wz er het», schöpft der Dichter im MG 150, 7 ff. aus Erinnerungen von Studenten «Den sie kost aus der masen vil; / Was er solt verstůdieren, / Mit dem schlepsack an wůere / Vnd thet sein zeit verlieren. / Sein vater das erfůere / Vnd im hefftig ein prieff hin schrieb, / das er nit ausen plieb / Vnd aylencz heim kôm auf das ziel». – Brauch ist es auch, gegen die Juristen loszuziehen, wie wir weiter hinten noch sehen werden. Aber auch gegen verwandte Berufsleute. MG 96, 52–60 geht die Lehre nicht wie zu erwarten gegen Habsucht und Geiz, sondern an die Kuratoren und Vormunde, die wohl manchmal betrogen. Die Scharwächter in der 32. Hist. des Eulenspiegel S. 49 heißen im 104. MG Vers 9 «Schueczen vnd statknecht». MG 365, 31 fragt «ain scherg», während in der 73. Hist. S. 115 «die frembden leüt darzů» kamen. In heimischen Gerichtsbräuchen ist Hans Sachs wohl erfahren; MG 844, 10 ff. der Müller «gefangen ware, / Vnd in thůren geworffen also alter. / Man recket in, da pekennet er an der prob», «Man fůert in aus, dem můeller war sein herz gar schwer», «Nur essent ding er gstollen het; / Man derft in nit drůmb hencken», hingegen Waldis IV, 86, S. 223, 15 f. berichtet nur «Drumb er auch baldt zur selben fahrt / Zu dem Galgen verurtheilt ward». MG 546, 7 ff. wird im Gegensatz zu den Gesammtabenteuern II, XLVI, S. 374, 4 f. der Brauch des Hufeisentragens sachverständig breit geschildert. Pauli Nr. 27 Anh. erzählt von einem «burgermeister der vil mit den bawren vff dem land handelt, mit leihen, borgen», MG 277, 1 ff. ist es «ein juriste ... Den man schicket auf das lande,

/ Da er den pauren dŭeckisch strelt / Vmb ir pargelt / Am ghricht vnter der linden». Wie in Nürnberg vor Gericht getrödelt wurde, zeigt MG 1007, 11 ff. an Stelle des nur kurzen Satzes bei Pauli Nr. 125, S. 91 «Da es zu der sententz kam». Während sie bei Pauli Nr. 31, 33 das böse Weib «in das halszyssin stellen», muß sie MG 903, 9f. «in der stat / Zw schmach den schantstein dragen». Pauli Nr. 114, 85 gehen die beiden vor den Schultheißen, MG 490, 7f. «fur den richter»; und Eulenspiegel ruft in der 65. Hist., S. 101 die «lieben burger» an, MG 284, 35 das «gerichte». Und wo es Pauli Nr. 65, S. 55 einfach heißt «sie lagen in dem rechten mit einander, vnd was vil daruff gangen», wird MG 469 wieder anschaulich der Rechtsgang geschildert: «Sie lagen mit einander in dem rechten; / Vor dem fuersten an dem hoff ghricht / Lies iren anwalt fechten. / Das recht verzug sich jar vnd tag / Mit schrift vnd wider schrift(e). / Ein rat gab man ...» So hat noch oft auch in den kurzen Meistergesängen Hans Sachs manch hübsches Bild aus dem heimischen Rechtsleben gegeben. – Und mit unendlich vielen Erinnerungen aus dem ganz gewöhnlichen Alltagsleben seines geliebten Nürnberg bereichert er immer wieder den Stoff seiner Quellen. Es wird oft aus einem Gerippe eine lebendige Sache, ein kleines Kunstwerk. In der 32. Hist. nimmt Eulenspiegel «die flucht zu den süw marckt hin», MG 104, 30ff. «Den fischmarck strax hinabe / Vnd wart sich vnden schwencken / Hin ŭmb pey den fleischpencken, / Hinaŭf den sewmarck palde», und dann «Hinaŭf den hencker stege». In der 3. Hist. zieht Eulenspiegel das Seil «in ein ander huß dargegen vber», MG 528, 8 aber, wie es der Dichter wohl einmal sah, «an einen paum»; und in der 55. Hist., S. 86 ist von «den kurßnern an der fastnacht abent» die Rede, MG 705, 4f. flicht die örtliche Erinnerung ein «Da man vil schlemens pflage, / Igliche zŭnft pesŭnder», und auch hier wieder (vgl. S. 155) wird der Koch der Vorlage Vers 15 durch die gewohnte Köchin ersetzt; Vers 59f. fügt noch bei «Seit her thŭet man noch faczen / Die kursner mit der kaczen». In der 26. Hist., S. 38 «der hertzog kam», MG 687, 16 schildert Hans Sachs den Einzug so, wie er ihn wohl schon sah: «Der herzog ... mit seinem zeug» (Gefolge) kam. Im Buch der Beispiele der alten Weisen S. 185 ist die Rede davon, «das wir ... rŭwen in vnnserm besitzlichen wesen, das wir von vnnsern vordern ererbt haben», doch MG 916, 32 tritt an dessen Stelle das «vaterland», Vers 69 «Das liebe vaterlande». Dem schon früher erwähnten Wohnbrauch bei Waldis IV, 82, S. 209, 13 ff. im tiefen Keller entsprechend heißt es im MG 823, 3 ff. «Der hindenaŭs / Im hinterhaŭs / Einen altrewsen het», wie auch ähnlich im MG 896, 4ff. Wo es bei Waldis IV, 67, S. 163, 15 nur heißt «Die brachten auff ein jung Magd», schöpft MG 828, 9f. aus Nürnberger Erinnerungen «In dem erfand sich im frawhaus / Ain gmaine diren, die in haben wolte», was Vers 13–16 auch als Leipziger Brauch erwähnt ist; und wo es Waldis IV, 32, S. 89, 11f. allgemein heißt «Er kam ins Wiertshaus vnder dLeut, / Sein Pferdt auß zuuerkaufen heut», bringt MG 830, 10 f. heimische Einzelheiten «Als er gen Pasel eben / Kam, thet er sein gaul am rosmarck fail piten». Weit mehr als Pauli Nr. 192, S. 130 wehrt sich der Bürger Hans Sachs MG 74, 5–15, 16–23 und 31–38 breit gegen das Überhandnehmen von Priestern, Rittern und Juden. Pauli Nr. 27 Anh., S. 409 «fragt jn der pfortner», jedoch MG 277, 2 erwähnt der Dichter als Städter «Sein nachtpaůr», wie auch MG 964, 24 (Steinhöwels Aesop Nr. 110, S. 255) und sonst oft. MG 314, 26 wird der «diergartten» erwähnt (Steinhöwels Aesop Nr. 41, S. 139 «ward der leo gefangen, ze bruchen in ainem fröden spil»). MG 520, 5 f. geht man «gen walt / ... um Buhlschaft zu treiben» (in Steinhöwels Aesop Nr. 154, S. 329 «in synen wyngarten»). Dieser Aesop Nr. 17, S. 101 spricht von «husgesind» und «diener», MG 199, 24 von «knechten», dem bei Hans Sachs gewöhnlichen Ausdruck. MG 502 führt die Angaben bei Pauli Nr. 84 über die Erlebnisse einer Hausmaid in der Stadt und auf dem Schloß ausführlich vor, ebenfalls MG 934. In Wickram Nr. 23, S. 41 erfahren wir einen Totenbrauch: es «deckt sein weib ein schwartz tůch mit einem weißen kreütz auff jn, vnd zwey liechter also brünnend zů jm, eins zů haupten vnd das ander zůn füßen aller gestalt, alß ob er gestorben vnd ein leich wäre», was im MG 994, 22 ff. auf Nürnbergisch so tönt «die fraw ein schwarzes duch ueber in decket / Mit einem creůcz, eim roten, / Seczt ein weichkessel fůere, / Zw dem haupten sie aůch dem půeben / Auf zwen lewchter zwo prinnent kerczen stecket, / Macht ainen rawch wie zv aim doten». Auch jüdischen Brauch will er kennen: bei Wickram S. 87 sagt der Jud, «es wer wider sein gesatz, Wein mit den Christen zůdrincken», aber MG 1004, 15 weiß es genauer, er «Darff drincken nit der Christen wein». Usw. – Besonders den Handel beleuchtet Hans Sachs von allen Seiten und bereichert mit Einzelheiten daraus seine Meistergesänge. In der 65. Hist. des Eulenspiegel heißt es S. 101 «Der kauffman sah wol dz dz pferd schon wz, vnd gůt für dz gelt», und MG 284, 22 ff. «Vmb zwanczig gůlden er in pot. / Der rostawscher im in eim spot / Leget darauf nůr zehen gůlden rot; / Wan arck zw arck, / Kam zam zwen nasse knaben» – wohl ein häufiges Bild. Dem «Koler», auf den bei Waldis IV, 5, S. 142, 50 die Strohwitwe ihre Augen warf, entspricht MG 512, 1 f. ein Bauer, der Holz nach Nürnberg führt, auch keine seltene Gestalt. Pauli Nr. 493 Anh. 20, S. 405 wollte der Krämer das (bis Erfurt reichende Seidenband) nicht geben, doch MG 63, 38 fügt hinzu «Der kremer wolt im nicht halltten pezalten kaůff», was gegen den Handelsbrauch verstieß; und wo sich in der Quelle S. 405 der Bürgermeister «alsz ein weyser Her des handels nit mer annemen» will, denn schließlich «waren beyd nit eynfeltig kinder», gibt er sie im MG Vers 48 ff. «zw vir redlich man: / «Was die sprechen, da pleib es pey / Eim fůeder rotten wein» – ein heiterer Brauch. Solche Griffe ins Volksleben geben auch seinen kurzen Meistergesängen den Zauber der Frische. – Aus dem kirchlichen Leben bringt Hans Sachs oft solche Kleinigkeiten, die nach Herkommen und Erleben aussehen. Waldis IV, 89, S. 228, 1 ff. lag neben dem Kloster ein Wirtshaus mit schönen Frauen; dahin gingen die Mönche zur Erholung; jedoch MG 837, 9 ff. nahm sich der Bruder «vmb ein fiechmaid an, / Die in dem kloster vnden / Aüch dinet in dem mayerhoff, / Der det er haimlich manche schenck» usw. In Steinhöwels Aesop IV, 40, S. 103 f. ist die Nonne liebeskrank und erzählt das den andern Nonnen, MG 838, 1 ff. ist ihr Erlebnis eigenartiger, sie lädt ihre leibliche Schwester ins Kloster, erzählt ihr, und dann verläßt sie das Kloster. Dec. X, 2, S. 591, 23 macht sich der Abt «mit herlicher geselschaft» auf den Weg, MG 70, 13 f. «Zwen münich nam er mit / Nach eines abtes sit». Während Dec. I, 6, S. 43, 23 f. vor der Pforte des Klosters «große kessel mit suppen vnd prüe» den Armen verteilt werden, sind es MG 174, 45 ff. «in dem creutzgang ... / Suppen vnd kraut, gantz kessel vol.» Und wo Pauli Nr. 71, 58 «der an eim Sontag offenlich vor dem crütz müst gon, so man vmb die kirch gieng», muß er MG 290, 11 ff. «An dem süntag / So ... mit parfüesen füesen / Das crewz dragen vmb kirchen nabe, / Wen der pfarrer den weichprunn gabe». Alles wohl wie es Hans Sachs als Brauch gesehen hatte. So oft auch Aberglauben, wie z. B. MG 77, 12 ff., wo die «vnhuld» befiehlt «würff den zw der stünde / Die drey stüeck gegen orient, / Thw diesen segen gen der sünen sprechen», während sie Pauli Nr. 135, 99 von der Frau nur verlangt, sie «müsen drei mal werffen». – Nicht selten wandelt er in spätern Jahren katholische Vorstellungen in protestantische um. Pauli Nr. 412, S. 248 malt der Maler «die aller hubschesten Jesus kneblein», MG 895, 1 ff. aber «manig holtselig pild, / Lieblich, schön, zart vnd mild». Pauli Nr. 176, S. 121 erschrak «das gesind vnd bettet ieglichs fünff Pater noster vnd fünff Aue maria, da das gebet vsz was da sprach das gesind. Fraw wir müsen gesen haben ...», jedoch MG 461, 31 f. wird das katholische Gebet weggelassen, «Das gsind wart trawrikliche. / Ein knecht sprach, sie solten richten on». Also auch hier paßt sich Hans Sachs zeitgemäßem heimischem Brauch an. – Er liebt eigentliche *Schablonen*. Gewisse Figuren und Vorgänge kehren immer wieder. Kaleidoskopartig entstehen so ununterbrochen alte neue Bilder. So z. B. bei Fressen und Saufen. Pauli Nr. 513 Anh. 36 ist die Völlerei des Pfaffen nur angedeutet, MG 307, 30 bis 38 breit mit Einzelheiten aufgezählt, er ist «Des weines vol, / Der im noch grolczet vbersich». Pauli Nr. 654, S. 361 weiß, «des weins heten sie nit vergessen», doch MG 480, 11 f. berichtet, sie «süffen wie die schweine / Sie alle paide in die wet», und dem Nichtflüssigen wird Vers 4 ff. eine ebenso warme Teilnahme geschenkt: «Die kam in ains wirtes haůs, / Da lepten sie im saůs / Gar haimlich vnd verholen. / Gůet klaine fischlein man in pracht, / Ließen in praten fogel, / ... Die münich wurden gőgel / ... Vnd gingen erst zv pet, / Als der hon kret zw miternacht». Eulenspiegel Hist. 71, S. 111 erzählt breit «Der wirt ... schlůg vnd hüw zů,

vnd kocht den blinden», aber MG 348, 17ff. trotz der kurzen Meistersängerform noch viel breiter: «Der wirt trug aůf pier, prot vnd wein / Vnd
schlueg ein schwein / Vnd hies die plinden frŏlich sein, / Lies sie sant Mer-
ten eren». Pauli Nr. 249, S. 164 erzählt vom großen Fresser «da er fier gebratner kappen het gessen, vnd fier rephüner, vnd ... XL. herter eyer, vnd
ein pfunt altz kesz»; MG 345, 13ff. übertrifft ihn: «Man seczt im fůer ... /
Frisch grundel, hais gesoten fische, / Frisch praten fögel ob der glůet, /
Frisch capaůn vnd rebhůner guet, / Frisch wilpret res, / Frisch pier vnd
darzw frischen weine, / Frisch nůes vnd kes, / Frisch new gepachne seme-
lein», und dann folgt Vers 21 bis 46 der Akt des Fressens. Wickram Kap. 70,
S. 127 die Gäste «den Wirdt tapffer hießen auftragen», MG 991, 4ff. hatten
sie «wilpret vnd fisch / Vnd ain kŏstlich gemůeße / Von mandel, zůecker
sůeße», was ebenso eingehend erzählt ist wie im fast dreimal längeren
SG 314. Bei Festmählern wiederholt er sich freudig: im Narrenbuch S. 231,
2237ff. sagt Neithart Fuchs nur zur Frau «es kompt: / der fůrst vnd jagt, / er
meint, er wŏl sich frŏden mit vns nieten / hie etwan mangen tag», MG 90,
26ff. geht ins Einzelne «Hewt wirt vnser gnediger herr / Im alten forste
jagen. / Richt zw ein kostlich abentmal / Im vnd dem hofgesinde; / Mit
deppich schmŭck den newen sal, / Perait acht pet gar linde». – Ebenso
Prügelszenen mit ihren verschiedenen Bestandteilen sehen einander alle
gleich. Auch sie sind für Hans Sachs ein Fest gewesen. Eulenspiegel
(9. Hist., S. 13) «schlůg den hindersten finsterlich mit den füsten nach dem
kopff, der hinderst verließ den ymenstock auch, vnd fiel dem forderen in
das har, also das sie vber einander dummelten, vnd einer verließ den andern», womit wir MG 529, 35 bis 44 vergleichen: «Der forderst den imen
korb fallen liese / Vnd placzt dem hintern in das har / Vnd in zw boden
riese; / Der sich starck wider weren war / Vnd det vnter den aůgen in
zerkraczen. / Vnd pey dem har ainander wol vmbzůegen / Auf der wisen
hin vnde her, / Ins maůl ainander schlůegen, / Als obs ein gsellen rawffen
wer. / Darnach entloffens wie die nassen kaczen». Das ist der Haupt- und
Lieblingssport des Dichters, es ist DIE Prügelei. Sie kehrt immer wieder
unübertrefflich in innerm Leben und im Ausdruck. Hans Sachs schreibt
fachmännisch und mißt die Portionen reichlich zu. Wo sich bei Waldis
IV, 74, S. 182, 59 der Bauer einfach über den Knecht hermacht («gar weidlich vberschritt»), zerlegt MG 797, 40ff. die Handlung: «kam zůmb knecht
ůeber das pet, / Schlueg darein mit dem flegel / Ein starcken straich sechs
oder acht» mit Fortsetzung Vers 47f. Höchst sachkundig erzählt MG 191,
31 bis 53, wie der Maultiertreiber sein Weib prügelt, als Ergänzung zur
Quelle, Dec. IX, 9. Dec. VII, 4, S. 427, 16f. «sie ... mit gůtem trucken streichen sein haut gar woll perten», platzten sie ihm MG 238, 48ff. mit bösen
Worten «ins hare, / In ein dem kot vmbzůegen, / Pis er pat vmb genaden».
Pauli Nr. 150, S. 109 er «die arm fraw fast vbel» schlug, MG 193, 45ff.

«Schlug er sie hart zu nacht / Vnd sie bei irem hare nam / Vnd ein kreis mit ir macht / In der stuben auf vnde ab». Während bei Pauli Nr. 589, S. 331 der erste Rat der Alten ist: Schlag gegen ein Auge, der zweite: gegen das Schienbein, verlegt sich MG 957 statt auf die Art mehr auf die Technik der Prügel wie z. B. Vers 16 bis 27. – Ebenso beliebt ist die Darstellung versuchten oder vollzogenen Ehebruchs. Im Schwank Rosenbluts (Fastnachtspiele ed. Keller III, S. 1186) geht die Frau zum Mönch im Kloster, aber im MG 485 erzählt das vorangestellte Gesätz, wie der Mönch zur Frau kommt und vom Mann erwischt wird, was dann erst den Anlaß zum Klosterbesuch der Frau gibt. Waldis IV, 50, S. 142 bittet die Frau den Köhler, «ihr einen Nagel in die Wand zu schlagen», und sie nimmt ihn bei der Hand, was MG 512, 14ff. so ausführt: «Schlueg sie ein ayrimschmalz im ein, / Seczt im zv ain kandel mit wein. / Die fraw det vmb in mawsen». Gewöhnlich braucht Hans Sachs die Schablone wie in MG 700: ein reicher alter Mann hat ein junges schönes Weib, dieses wird von einem andern geliebt (vgl. Dec. VIII, 1 Anh. 236, S. 467); oder wie in MG 297 (Steinhöwels Aesop Nr. 155, S. 331 «ain kouffman ... befalhe ... das wyb syner schwiger, sie ze bewaren»). Das sind die Frauen, von denen MG 83 sagt, wer die überlisten wolle, «Der můes gar frůe aufwachen!» – Daneben ragt hervor die Schablone des bösen, zänkischen Weibes. Hans Sachs will mit dieser ergötzlichen Figur gewiß ebenso der Erziehung wie der Komik dienen. Waldis III, S. 307, 23f. weiß vom Bauern nur er «nam eine vor, / Die het er bey eim halben Jar», MG 665, 14ff. entwirft ein anschauliches Bild von der Tätigkeit einer Megäre: «Vnd e herůmbher kam das jar, / Hausorg vnd weib het in schir fressen gar, / Im war sein leib / Gancz důerr vnd schnackat woren: / Die zen er kaům pedecken kund; / Der hossen er nit mer so glat aůfpůnd». Einer Andeutung von Steinhöwels Aesop S. 51 folgend ist MG 46, 4 bis 8 das Weib des Xantus «zornig, entwicht, / Ze mal pŏes, widerspenig, / Vpig vnd vberwennig, / Dem mann nye vntertennig, /» wieder erstanden, «Die sich lies straffen nicht», und dem entsprechen die Verse 24 bis 54. Die Frau Dec. IX, 7, S. 573, 19ff. ist «die czörnigest die ye warde vnd in keinen weg nach nyemant rate noch synne thon wolt noch nyemant waz, der nach irem willen thon möcht», jedoch MG 295, 2 ist das Bild noch viel schrecklicher, denn der Mann «het ain zornig weibe, / Zenckisch vnd poshaftig, also / Vor irem gron vnd můerren / Der frůme man gar schwer / Wie sie peinigt sein leibe, / So künd doch das nicht wenden er. / Jn neppiclich anschnůerren ...» usw. Dec. III, 6, S. 200, 4f. sind «die wort vnd große klage der frawen» erwähnt, MG 474, 50 «placzt (sie) im nach dem hare». Pauli Nr. 134, S. 98 «fieng die fraw aber mit im an zůhadern», MG 71, 33ff. «Die fraw mit worten in an schnůrt, / Hies in ein esel, dropfen vnd ein narren, / Im haůs sie hin vnd wider půrt. / Mit fluechen gros wart sie gronen vnd scharren». Im Schertz mit der warheyt. 1563. Bl. XXXIIII' «EVner starb etlich jar

nach seiner frawen», MG 712, 1 ff. schildert diese grell als böses Weib; usw. –
Sogar der raubritterliche Überfall hat seine herkömmliche Form. Dec. X,
2, S. 591, 26f. wird der Abt «in eyner enge versperret», MG 70, 15 in einem
Wald. Dec. V, 3, S. 328, 27f. ging der junge Römer «des weges irre»,
MG 153, 14 erfolgt der Angriff, als er «rayte durch ein finster holcz»; so
noch MG 305, 1ff. u. a. (vgl. auch S. 153f.). Dabei ist der Mondschein beliebt, wie z. B. MG 119, 42 «Pey dem monschein sie sehen kůnde (Dec. IX,
1, S. 550, 14f. konnte «die fraw von dem liecht daz die statknecht herfür ge-
czogen hetten Rinuczo … gesehen»). – Schablone, Brauch oder einfach nach-
lässige Wiederholung finden wir auch sonst an allen Ecken und Enden.
Schablonenhaft ist, wie wir S. 153 sahen, der Vater mit dem verschwenderischen Sohne. Oder daß MG 478, 8 «der doctor» das Rezept schrieb (im Buch
der Beispiele der alten Weisen S. 59 «nach rat des appoteckers»); daß der
Pfaff in MG 830a, 9f. schimpft (Waldis IV, 14, S. 43, 17ff. spricht der Pfaff
ruhig). Steinhöwels Aesop Nr. 135, S. 285 beginnt mit dem Stier «Ain junger wilder stier widert sich des joches», MG 211, 1 schablonenhaft mit dem
Besitzer «EIn pawer het ain jungen stier». In der nämlichen Quelle S. 170
wurde «Über ain zyt … der leo rüwig umb syn gelübt»; derartiges pflegt
Hans Sachs zu begründen, MG 24, 2ff. ist der Löwe «an jaren alt, … Zw
lawffen … gar nymer docht, / Sein narůng nicht erjagen mocht», und er ver-
schont dann nicht wie im Aesop den schmeichelnden Affen, sondern natürlich Vers 34 den Fuchs, den schlauen, mit seinem «schnaůpen». Waldis II,
57, S. 246f. erwähnt den Adler und das Haus, aber MG 831 den «adlar ků-
nig» und den dazu gehörenden «palast». Und wie der König einen Palast
hat, so ist die Abtei reich: z. B. MG 22, 4 «Ein gar mechtig reyche aptey»
(Dec. III, 8, S. 216, 35 «ist ein abteye gelegen»). So reitet Dec. X, 4, S. 603,
6 der Ritter «gen Boloni in sein hauß», MG 173, 40 «Pey Bolonia auf sein
schlose». Selbst die Verführung eines Mädchens hat hier seine bestimmte
Technik; bei Waldis IV, 89, S. 228 etwa heißt es vom Klosterbruder nur
kurz, er «thet jr freundtlich anlachen», MG 837, 12ff. «det er (ihr) haimlich
manche schenck, / Mit pulerey er ir nachloff, / Pis er doch peret die fich-
maid, / Mit der machet er ain peschaid, / Ins kloster sie zv tragen». Des
Pfaffen Schablone lautet u. a. MG 70, 4ff.: er «aß vnd dranck daˬ aller pest, /
Das er wart faist vnd wolgemest, / Gros wie ein kachelofen. / Zwlezct wůrt
im eng vmb die průest, / Vnd mocht gar nimer essen, / Allein het er zw
drincken luest» (Dec. X, 2, S. 591, 19f. ist ihm nur «eyn kranckheit in den
magen angestoßen»). Diebe (Pauli Nr. 82, S. 64 «zwen dieb») sind bei Hans
Sachs oft Bachanten wie z. B. MG 31 (SG 100 und 216, MG 449 usw.). Der
wunderliche Mann ist wie MG 60, 5f.: «Deglich er gronen, můrren det, /
Wart sie oft schlagen, rauffen vnde reißen» (Pauli Nr. 139, S. 101 «was also
ein letzer meyer, das er nichtz für gůt wolt haben»). Die Bauern werden
auch in den Meistergesängen breit gemalt; Pauli Nr. 32 Anh., S. 411 «kame

C. GEFÜHLSÄUSSERUNG

Die durch strenge Regeln bestimmte kurze Form des Meistergesangs sollte eigentlich auch auf die Äußerung der Gefühle Einfluß haben und sie einschränken. Das Gegenteil geschieht. Beispiele wie SG 285, 31ff. sind äußerst selten, wo der «Balwirer» erschrickt, nicht aber im kürzeren MG 1019.

Wenn irgendwie möglich, erwähnt Hans Sachs neu, ganz im Gegensatz zur Quelle, den Seelenzustand, in dem etwas geschieht. Wie häufig wird doch in seinen Meistergesängen *gelacht*, nicht aber in der Vorlage! So lesen wir bei Pauli Nr. 345, S. 216 «In dem liesz der babst eine kleine nidere thür machen», MG 82, 33 «Gůnt ir (der Gesandtschaft) der babst zw lachen / Vnd lies ... machen». Pauli Nr. 63, S. 54 «bliben sie alle vnd er auch bei gůten eren», MG 340, 57 «Det im der schalckheit lachen». Im Buch der Beispiele der alten Weisen S. 182 «wond er, das sy ein mensch gethon», MG 864, 33 «Schewcht die gar nit. Des det der falsch aff lachen». MG 828, 38ff. (Waldis IV, 32, S. 90, 41f.) fügt der Dichter bei «Da lachten sie sein alle». Dec. IX, 2, 553, 22ff. «die nunnen alle ir gesicht gen der ebtessin wurffenn, auch des warnamen», aber MG 263, 52 «Fingens all an zw lachen». Auch MG 345, 26 (Pauli Nr. 249, S. 164) finden wir die Bereicherung «Des lacht der fuerst mit seinen retten», und so noch oft – ein höchst einfaches Mittel, um fröhliche Stimmung zu erzeugen (vgl. S. 107f.). – Andere Male drückt jemand seine *Verwunderung* aus: MG 239, 40 (Pauli Nr. 423, S. 256) heißt es neu vom Vogt, er «wůndert sich vast». MG 844, 14 (Waldis IV, 86, S. 223, 20) hört der Graf das «vnd verwůndert sich hart darob»; hier und in weitern Beispielen wird dadurch Spannung erhöht. – Gelegentlich *ärgert sich* jemand, ohne Hinweis der Quelle. Pauli Nr. 25, S. 30 finden wir nur «thet im vil schaden als der nar meint», MG 486, 8ff. «Fras im das kolkrawt gros. / Das den Fůnsinger vertros. / Wider sich selber rette». Oder – noch einer von den zahlreichen Fällen: MG 13, 20ff. (Pauli Nr. 576, S. 327) erwähnt auch die ärgerliche Empfindung des Pfarrers «Der pfarrer wůrt verdrossen / Der schwinden gab / Vnd drabet ab, / Het ein drappen geschossen». – Auch *Freude* wird oft im Gegensatz zur Quelle betont. MG 94 (Buch der Beispiele der alten Weisen S. 130) «frewt sich des hönigs mannigfalde». Waldis III, 91, S. 381 «Must er den halben stůmpffet drumb geben», doch MG 789, 52ff. «entron (er) also stůmpffet / Vnd kůmpfet, / Der fuechs des freuden het». Steinhöwels Aesop IV, 6, Nr. 66, S. 178 «die bök ... gesammet waren», MG 208, 3f. «Gedachten (sie) in freudigem mut, / Niemand möcht in abbrechen»; usw. – Auch das *Fluchen* ist eine nicht gar seltene neue Gefühlsäußerung. So wird MG 793, 16f. zum Satze in Waldis IV, 73, S. 178, 24 beigefügt «Der fuerman flůchet ser». – Das *Erschrecken* wird gemeldet. Waldis IV, 74, S. 182, 61 «rieff der knecht», MG 797, 43 f. «Der knecht erwachet, / Erschrack hart an dem ende»; Steinhöwels Aesop Nr. 17, S. 101 «der esel ... truket den herren so hart, das er die diener anrüffet», MG 199, 23 aber «erschrack» der Herr, «meint, er wer wütig woren». – *Furcht und Sorge* sind oft erwähnt; Dec. VI, 4, S. 388, 28 f. bringt die bloßen Tatsachen «mit dem von irer red ließen vnd des morgens frü» ..., aber MG 121, 39 ff. auch Gefühle: «Der koch die nacht lag vngeschlaffen, / Forcht, sein herr wurt in grimig straffen». Steinhöwels Aesop Nr. 73, S. 186 «antwürt im der esel», MG 140, 9 ff. heißt es «Der esel lag in sorgen, / Forcht des wolffs hinter list, / sprach ...». – An Stelle von Gefühlsleere tritt manchmal große *Leidenschaft;* Pauli Nr. 35, S. 36 hat der Bauer «ein grose katzen die satzt er in den trog»; aber der Bauer im MG 242, 10 ff. «det fast pûchen, / In zoren sich auf plasen / Vnd schwûer ain aufgereckten aid, / Er wolt in herczenleid / Die mews ausrewtten jûng vnd alt. / Ein alte kaczen er da het» ...; Pauli Nr. 474, S. 279 «ward im ... kein almûsen», MG 867, 4 f. fügt Hans Sachs noch bei «Da wart er in im selb zuernen vnd drawren». – Wenn einem *das Herz schwer* wird, sagt es der Dichter. Waldis IV, 86, S. 223, 16 (der Müller) «zu dem Galgen verurtheilt ward», ebenso MG 844, 18 «Man fûert in aus», und: «dem mûeller war sein herz gar schwer»; wie auch MG 71, 10 (Steinhöwels Aesop Anh. aus Arrian Nr. 22, S. 286) «Sein hercz das war im schwere» von Hans Sachs angefügt wurde. – Auch das *Schamgefühl* betont er oft. Dec. IV, 1, S. 247, 33 ff. wird festgestellt «vmb des willen ir gedacht vnd fürnam wie sy in stille geheym möcht einen bûlen vnd liebhaber gehabt», hingegen MG 4, 35 ff. «Kein mon er sie mer geben wolt. / Des det sich hart bedriben / Die fraw vnd offenwart es nit vor scham». Dec. I, 9, S. 50, 14 f. «Der künig ... nicht anders dann als erste von dem schlaffe erwachet were», MG 865, 33 f. «Der kûnig wûrt darob schamrot, / Erwacht sam aûs dem schlaffe». Pauli Nr. 503, S. 291 «man im vergantet», MG 163, 13 f. «er schier kam zw aremûet. / Des thet er sich vast schemen». So ähnlich noch MG 8, 34 f., MG 290, 18 f. usw. – Manchmal wird *geseufzt.* Pauli Nr. 436, S. 261 erzählt kurz und unsentimental «Der sun gab im zwo ellen dûchs», aber MG 462, 17 ff. «Der sun sach in gar tüeckisch an, / Mit vntrew er pesessen was, / Des vatters bit vnd flehen war verloren. / Jedoch der vnuerstanden bock / Dem vatter zwo elen grobes tuch gabe ... / ... Der ging seufzent dahin allein». – Und viel öfter als in den Vorlagen *weint* jemand. Pauli Nr. 462, S. 273 «nam die fraw den ochsen», MG 853, 11 ff. dachte sie an das Testament, «Det drumb wainen vnd rûellen». – Oft auch ist jemand *traurig.* Der Mann, der bei Pauli Nr. 147, S. 107 «hinweg fûr ein zeit lang», «trawrig was» im MG 612, 33 Anh. – Steinhöwels Aesop Nr. 65, S. 177 «Ain panther tier fiel in ain gruoben», wozu MG 10, 4 f. ergänzt «Sein hercz vor *angst* zw pidmen ane hûeb». Hunderte Male noch bezeichnet Hans Sachs die *Stimmung:* MG 33, 42 (Steinhöwels Aesop Nr. 94. Extravag. 14, S. 231) fügt bei

«Gros rew in im erwůchs». Steinhöwel S. 50 geht der Knecht in den Saustall hinab und schneidet einem Schwein einen Fuß ab, MG 67, 20 lesen wir «Sein herr ein saw het, was im lieb». In der nämlichen Quelle S. 86 ist der Löwe über den Esel zornig, MG 205, 13 ff. nimmt sich Hans Sachs auch des Esels an: «Das vertros hart den leben / ... Der esel stůnd in sorgen gros, / Vermerckt des leben zoren plos, / Forcht, er wůrd von sein zen zerrissen werden». – Unzählige Male finden sich in den Meistergesängen unseres Dichters Stimmungen *mit Charakterzeichnungen verbunden* wie MG 363, 13 f. «Das gfiel dem fuchs gar wol; / Wann er stack liste voll». Alle diese sind vollständig neue Andeutungen, seelische Ergänzungen des Dichters ohne Spuren in den Quellen.

Ebenso häufig wird eine in der Quelle vorgefundene Handlung stimmungsgemäß ausgemalt, z. B. gibt Hans Sachs an, in welcher Stimmung *etwas gesagt wird*. Cyrillus I, 19, S. 26, 5 «dixit ei», MG 335, 4 gibt die Empfindung an: «Der sie mit worten frech an sprach». Jac. Frey, Gartenges. Kap. 60, S. 74 «sprach die Magd», MG 1019, 23 war die Magd froh, «patscht die hent zam». Waldis IV, 86, S. 224, 33 «sprach» der Müller, MG 844, 31 f. «Der můller dieff ersewfzen thet / Vnd antwort». Pauli Nr. 294, S. 191 «sprach» sie, MG 124 berichtet sie «mit sewfzen tieff vnd schwere» und 24 f. «In zoren rot sich pald anzůend / Der můnich». Pauli Nr. 216, S. 142 «Die dochter sprach», MG 858, 24 f. «Sam rot vor scham / Die dochter sagt». Steinhöwels Aesop Nr. 76, S. 190 «sprach das schauff», MG 220, 4 «Das schaff fing an mit sanffter straff». Wickram Kap. 70, S. 128 spricht der Wirt «Find ich dich da?», MG 991, 37 ff. «Ligstw hie in der rw?», und der Dichter fügt bei «Den gast mit zw peschemen». – Oder es wird gesagt, welche Gefühle eine *Handlung* begleiten. So heißt es im Renner 12144 «Daz weip einē and'n man enphie», während sie ihn MG 592, 6 «freůntlich entpfinge». Pauli Nr. 423, S. 256 «meint» der Knecht, MG 252, 34 «Maint» er «in sein dollen sinnen». Steinhöwels Aesop Nr. 121, S. 286 «Do Jupiter syn undankbarkeit ... merket», MG 333, 21 f. «Jupiter mit schmacheite / Hôrt sein vndanckparkeite». Schertz mit der Warheyt. Bl. LXXV' «Heynacht hat mir traůmet / dz mich diser Lôw zutodt bisse / Stecht damit ein handt», aber MG 751, 8 ff. streckte er «sein hent mit grosem lachen / Dem leben in sein rachen».

Noch öfter stoßen wir auf Verstärkung der Leidenschaft, größere Erregung. Renner 14727 «er ... sagte die rede dem richter gar», MG 591, 38 er «det sich důeckisch mewlen». In der 69. Hist. des Eulenspiegel S. 109 «sprach der bader», MG 100, 21 «Der pader zornig wůrt, sprach zw im»; und in der 26. Hist., S. 38 «sprach» der Herzog, MG 687, 27 «Der herzog lacht der arglistigen sin»; auch Hist. 81, S. 127 «sprach» der Wirt, MG 709, 23 f. «der wirt ... / Flůecht ser, sprach». In den Gesammt-abenteuern Bl. II, XLVI, S. 377, 39 heißt es nur «Daz wil ich tuon», MG

546, 36f. «Der teuffel mues dein walten! / Jedoch ja wol! es sei vmb den!»
Auch Pauli Nr. 208, S. 139 «sprach» die Frau sanft «du mŭst aber sorg zŭ
im haben», MG 59, 30f. aber «Dem weib gefiel der anschlag nit, / Vnd
weret dem man sere», und weiter heißt es Pauli Nr. 139 «Die fraw sprach,
ach wa hastu den yszschmarren hingethon vnser kind?», aber Vers 37
«schrey» die Frau. Pauli Nr. 493 Anh. Nr. 20, S. 405 berichtet kurz «Das
wolt der kremer nicht thŭn», MG 63, 31ff. mit viel mehr Temperament
«Das thw ich nicht. / Gen Erdfŭrt ist wol dreißig meil; / Mir kleckten nicht
all porten, / Die man icz hat zw Franckfŭrt feil. / Nem dein Weispfenning!»
Pauli Nr. 191, S. 129 «sprach» der Geselle, der Prädikant «saget», doch
MG 75, 23ff. «Der nachtpawer schrey lawt: ‚Das ist nicht ware‘. / In der
kirchen wart ein aŭfrŭr, / Aufer des volckes schare, / Vnd als das volck
gestillet wŭr ...». Oder Unzufriedenheit statt Zufriedenheit: Pauli Nr. 512
Anh. 35, S. 414 «das war der gŭt gsell zŭfriden, vnd gedacht ...», MG 302,
17f. «Der lanczknecht mŭest mit schant den procken schlucken, / Rŭest sich
haimlich hernach». Wo Pauli Nr. 223, S. 150 «Diser kauffman meint»,
empfindet er MG 306, 31ff. viel stärker: «Erst klopfet dem kaŭfmon sein
hercz / Vor angst vnd herczen laid, / Der angstschwais im ausdrange».

Gelegentlich mag wieder der Reim Veranlassung sein, auch die Gefühle zu betonen wie z. B. MG 32, 39 «Jupiter sprach in spotë (: note)
(Steinhöwels Aesop Nr. 21, S. 111 «do sprach er»), und noch oft.

Daß Hans Sachs, obwohl er das Unflätige bei Seite läßt, gelegentlich
seinen Gefühlen wenig Zwang antut, ist ein Rückfall in die Mode seiner
Zeit. In der 69. Hist. des Eulenspiegel ist S. 109 vom «sprachhuß» die Rede,
MG 100, 28 vom «scheishaŭse», usw.

Ganz vom Stil seiner Zeit aber entfernte sich Hans Sachs, indem er sogar
in den gedrungenen Meistergesängen die Personen ihre Gefühle reichlich
äußern läßt. Auch das ist ein Grund des geheimnisvollen Zaubers, der einen
aus seiner Poesie anspricht.

D. CHARAKTERISIERUNG

Welch große Rolle überall bei unserm Dichter der Humor spielt, haben wir u. a. S. 106f. und 119ff. an vielen Beispielen gesehen. Es ist notwendig, in diesem Abschnitte noch einen allgemeinen Überblick über diesen besondern Humor des Hans Sachs zu werfen, weil er sich in seinen Charakteren am klarsten äußert. Mit Satire und Ironie gibt der Dichter die Sünder dem Gelächter preis; aber noch feiner mit seinem Humor, der seiner herzlichen, gütigen und alles verstehenden Gesinnung entsprang. Er bedient sich, wie wir sahen, vieler Mittel: heiterer Wortbildungen, Wortspiele, komischer Vergleiche, Mischung von erhabenem Wollen und lächerlichem Ergebnis, sein Lachen ist «ein Affekt aus der plötzlichen Verwandlung einer gespannten Erwartung in nichts» (Kant). Hans Sachs hatte seine besondere humoristische Technik; aber seine heitern Erfindungen sind nicht etwas Ausstudiertes, Gemachtes, nicht willkürlich ausgedacht, sondern Einfälle, die aus unerschöpflichen Vorräten sprudeln. Darum wirken seine Bilder immer so ursprünglich Hans Sachsisch, nie abgedroschen. Für ihn selbst bedeutete der Humor sehr vieles; denn Hans Sachs macht den Eindruck eines Menschen, dessen Leben stets unter Hochdruck stand. Daß er es schwer nahm, sieht man am besten in den Jahren seiner innern religiösen Kämpfe, aber auch am Ernst, mit dem er die Laster geißelt: das war seine Aufgabe, und der Humor bewahrte ihn vor seelischer Überhitzung, aber auch vor Selbstüberschätzung. Er lächelte wohl über die Schwachheiten der andern, aber auch über die eigenen. Er besaß «die glückhafte Fähigkeit, sich selbst zum Besten zu halten» (Goethe). Hans Sachs war nicht einfach ein Spaßmacher, der sich vor Versammelten sehen und hören ließ; seine Dichtung bot ihm auch Erholung und Entspannung, und mit dem Humor trat er vielfach lauernder Erregung und der Schwermut entgegen, nicht zuletzt in den weltlichen Meistergesängen und den übrigen Schwänken und Fabeln, ähnlich wie einst Luther dem melancholischen Hieronymus Weller befahl: «Du sollst scherzen und lachen mit deiner Frau und dadurch die teuflischen Gedanken verjagen und guter Laune sein!» Hans Sachsens Humor war das Öl, das Härten und Hitzen bei unvermeidlichen Reibungen – etwa in lehrhaften Charakteren – linderte und kühlte.

Am meisten Humor und die vollkommensten Charakterzeichnungen brachte Hans Sachs wohl in seinen Fastnachtspielen, weil er dort Raum für alle die vielen Einzelheiten fand. Auch im behaglichen Spruch konnte er sich beschreibend gehen lassen. Erstaunlich aber ist, wie er es noch im Meistergesang versteht, das oft verwickelte und starre Gerüst durch Zutaten zu einem lebendigen Mikrokosmos auszubauen, also trotz Kürze noch besser zu charakterisieren.

Fast immer sind seine Geschöpfe *wirklichkeitsnäher*, anschaulicher als in der Quelle. In Jac. Freys Gartenges. Kap. 60, S. 74 anvertraut sich die Pfaffenmaid gleich dem Scherer, MG 1019, 7f. will sie zuerst selber den Dorn im Fuß ausziehen; er bricht aber ab; dann geht sie zum Scherer; ihre Gestalt besitzt so mehr innere Kraft. Cyrillus I, 24, S. 31f., 36f. wirft der Fuchs dem Hund nur vor «provocator inimitiae es», MG 19, 14 fügt er, seinen Seelenzustand enthüllend, noch bei «Des ich entgelten mũset». Pauli Nr. 1, S. 15 zecht der Narr nicht mit dem Gesinde, MG 241, 25f. «Der narr wie zufor pey in sase / Vnd mit in schlemet», worauf er sie beim Edelmanne verklagt; sein Charakter wird damit schärfer umrissen. Pauli Nr. 60, S. 51 wird vom Abte gesagt «der brach den armen lüten das almũsen ab», MG 249, 3ff. vom Gastmeister; denn dieser wird am Ende bestraft und gewinnt so als Menschenbild durch Schuld und Sühne. Oder Pauli Nr. 296, S. 192 fragt der Beichtvater das Kind, «ob es auch in das bet brüntzlet. Es sprach ia»; feiner fügt MG 124, 8 hinzu «es wolt sein nimer thone». So sehen wir in sehr vielen weitern Fällen noch, wie sich Hans Sachs in seine Figuren hinein-fühlt und sie uns selbst im wortkargen Meistergesange noch nahe bringt. – Zu diesem Zwecke verstärkt er auch die *Verschiedenheit der Charaktere*. Ren-ner 14707 bemerkt der Gevatter nur matt «Des enmak iezont niht gesin», MG 591, 10ff. aber recht höhnisch «Ist mir nit eben, / Was dũrft ir meines zorens, / Meins schlagens vnd rũmorens? / Vil pas darff sein mein weibe / Zw zuchting iren leibe», und wo Renner 14717f. vom Gevatter gesagt wird «D'schrei vnd strebte vaste wider. / we gevater! waz tvt ir?», finden wir Vers 27ff. einen argen Schwächling: «Der gfater der lag vnden, / Mit strai-chen vberwũnden / Vnd pot sich lang zũmb rechten»; und wo Renner 14729 «d'richt' sp'ch», haben wir Vers 49 den lachenden Richter. Oder Pauli Nr. 114, S. 85 sprach die Arme kläglich, der Garnknäuel gehöre ihr, MG 490 aber verklagt die böse Reiche die Arme vor dem Richter; dort in der Vorlage hat die Reiche ihr Garn «vff ein weisz düchlin», Vers 16 groß-artiger «Auff lauter welsch nusschalen» gewunden, die Arme bei Pauli «vff ein klein steinlin», im MG Vers 21 ärmlicher «Auff haben scherbelin»; dort «sagt» die Arme, Vers 19 sagt sie «demuetig». Steinhöwels Aesop Nr. 85, S. 200 begegnete der Fuchs der Katze «und sprach», MG 225 grüßt die Katze – demütig – zuerst. – Charakteristische Handlungen verdeutlicht Hans Sachs manchmal durch *spruchartige Redewendungen*. Pauli Nr. 345, S. 216 lacht der Papst über die Bauern, MG 82, 35ff. auch, aber dieser fügt noch den Ausspruch des Papstes bei «Was grob vnferstanden ist, / Kan nimant wiczig machen». Und Pauli Nr. 17 Anh., S. 403 meldet die Bauerntochter nur «wir hand vnser kũ verloren», MG 145, 52 noch «O, das der dieb am galgen mũes erworgen». – Und wie oft charakterisiert Hans Sachs seine Leute *rassiger*, temperamentvoller als die Quelle! Auch da hemmt ihn die Kürze des Meistergesanges nicht. Im Buch der Beispiele der alten Weisen

S. 32 überlegt die Frau sehr lange, betet und sagt dann, Gott habe ein Zeichen an ihr getan, jedoch MG 95, 26 schreit sie gleich los: du verfluchter Mann! Ebenso wird MG 546, 13 das schuldige Weib rassiger, indem es selber «ein eisen glueet hais» macht (Gesammtabenteuer Bl. II, XLVI, 64 «daz îsen wart ze hant gegluot»). Wickram Nr. 7, S. 20 «spricht» der Landsknecht, wie er den sauren Wein versucht, MG 998, 22 «flûecht» er; usw. – Auch ganz *neue Charakterzüge* bringt er wieder und wieder aus seinem reichen Schatze bei. Im Buch der Beispiele der alten Weisen S. 52 handelt es sich bei der Schildkröte darum, «sich von der statt an ein andre, da nit gebrest des wassers wäre, ze thund», MG 476, 11 f. aber «Zum wayer, den sy het erwelet lengst», welche überlegende Vorsicht neu ist (nachher schadet die Eitelkeit). Waldis IV, 43, S. 108 spricht der diebische Schneider, indem er sich selbst bestiehlt, nur «Gott geb dem brauch (zu stehlen) den ritt! / Was thut die lang gewonheit nit», aber mit der scherzhaften Wendung MG 819, 36 ff. entpuppt er sich als Humorist: «Dein sol werden verschonet; / Wan diese varb genczlich nit taûg / In mein diebs aûg». – Bisweilen charakterisiert er in aller Kürze *durch einen Namen*. Pauli Nr. 5 Anh., S. 391 ist nur von einem Knecht die Rede, MG 503, 2 heißt dieser Grobian. Pauli Nr. 135, S. 98 geht das Weib «zu einer alten frawen, die manchem geholfen het», MG 77, 5 ist es «Ein alte zawberin», und Vers 9 «die alt vnhuld».

Ein anderer Grund der guten Wirkung liegt auch darin, daß Hans Sachs trotz der kurzen Meistergesangsform **f r ü h z e i t i g   A u s k u n f t   g i b t   ü b e r   d i e   C h a r a k t e r e**. Bei Pauli Nr. 265, S. 177 «bulet» der Jüngling «vmb ein frawen», hingegen MG 615, 3 ff. (wie dann im späteren viel längeren SG Nr. 125) «Vmb ein zart schöne frawen, / Die doch glaûben vnd trawen / An irem eman hilt». Ebenso hat im Gedicht in den Fastnachtspielen ed. Keller III, S. 1180 der Maler «das allerschönste weip», wozu MG 451, 3 fügt «War doch an iren eren stet». Daß die Magd einäugig ist, erfährt man in der 13. Hist. des Eulenspiegel S. 19 erst bei der Prügelei, MG 103, 11 schon gleich am Anfang. Auch im Buch der Beispiele der alten Weisen S. 60 wird der Wirt nur einfach erwähnt, MG 93, 7 stellt er sich gleich vor «als treu wie golt». MG 478, 3 (Buch der Beispiele der alten Weisen S. 59) wird neu von dem schönen Weibe gesagt, daß es «An ainem apodecker hing». In der nämlichen Quelle S. 182 heißt es nur «kam ein ander aff zû jm», MG 864, 6 f. «Ein ander aff aus neid vnd has / Dem affen war aufsecig», was sein Wesen enthüllt. MG 512, 7 wird die Frau gleich charakterisiert «jung, frech vnd gaile» (vgl. Waldis IV, 50, S. 144 ff. und Festschr. S. 130). Steinhöwels Aesop Nr. 76, S. 190 setzt sich die Krähe auf ein «schauff», MG 220, 2 «Auf ein einfaltig, frûmes schaff». In der gleichen Quelle S. 200 begegnet ein Fuchs «ainer kaczen uff dem weg», MG 225, 2 f. trifft er «ain alte kacz, / Fuersichtig vnd gescheide»; und Aesop S. 252 «Ain knab hütet der schauff»,

MG 526, 1 «ES hůet der schaff ein loser knabe». Usw. – Auch wo die Vorlage zuerst erzählt und dann beiläufig charakterisiert, kehrt Hans Sachs die Reihenfolge um. Das Buch der Beispiele der alten Weisen S. 76 beginnt eine Geschichte «uff ein tag gieng er mit sinen zweyen wybern ... vnd sy beid waren übel becleidt», MG 477, 4ff. beginnt «Dieselben heten allepaid / An zway elent zerrisne klaid, / Das man in sach dardurch ir plose leiber. / Ainsmals ging der arme hirt ...». Waldis IV, 43, S. 108 kaufte ein Schneider ein Stück Tuch, trug es heim, um für sich selbst ein Kleid zu machen, schnitt zu und warf ein Stück hinter sich, im MG 819 hatte ein Schneider die Gewohnheit, beim Schneiden die Kunden zu bestehlen; als er einmal für sich selbst ein Kleid schnitt usw. Auch diese ziemlich häufige Umstellung des Quelleninhaltes ist bezeichnend für das dichterische Profil des Hans Sachs.

Wenn der Narr, wie wir oben S. 168 sahen, mit dem Gesinde, das ihn dann verklagt, vorher selber schlemmt und immer geschlemmt hat, dann steckt in den ihm verabfolgten Prügeln poetische Gerechtigkeit, nicht aber bei Pauli Nr. 1, S. 15, wo vom Narren vorher gar nicht die Rede war. Diese poetische Gerechtigkeit auch im Meistergesang einzuführen, ist Hans Sachsens eifriges Bestreben. Auf der gleichen Seite ist der Fall des MG 249 erwähnt, wo der Gastmeister die Schuld hat, nicht der Abt (Pauli Nr. 60, S. 51); denn jener wird bestraft. In der 38. Hist. des Eulenspiegel «verneint» S. 59 der Pfarrer «all zeit dem fursten dz er dz pferd nit wolt verlassen», MG 279, 5 «Der pfaff im des kain andwort gab»; je frecher der Pfaff, desto gerechter die Strafe. In der 80. Hist., S. 116 verlangt der Wirt von Eulenspiegel nur Bezahlung «für dz mal», MG 366, 37ff. heißt es «Gib zwen weispfenning / Vnd mir auch das frůemal / Wie ander gest bezal!» Es ist so mehr poetische Gerechtigkeit, wenn er dann nur mit dem Klang des Geldes bezahlt wird; denn hier im MG wollte er überfordern. Oder wenn MG 476, 17f. die zwei Geier der Schildkröte noch sagen «Ob iemant dich dut fragen / Auff dem weg, so red gantz vnd gar kein wort!», ist die Verschuldung der Schildkröte größer als im Buch der Beispiele der alten Weisen S. 52, wo sich die Vögel mit den Worten begnügen «Nymm ein clein höltzlin in dinen mund vnd behalt das hart in dinen zenen». In der nämlichen Quelle S. 58 hat der Vater Bedenken und warnt, aber MG 779, 41 «het der schalck sein vater alt / In holen paŭmb versorgen», wodurch der Alte mitschuldig wird, und wie sie ihn dann erwischen, ist seine Bestrafung poetische Gerechtigkeit. Und MG 512, 48ff. klagen im Gegensatz zu Waldis IV, Nr. 60 Frauen über die Strafe durch den Bauern, der sich nicht verführen ließ; so wird noch besser sichtbar, daß ihnen recht geschehen ist. Hans Sachs redet nicht nur von der Strafe, er zeigt sie auch der Gerechtigkeit wegen. Damit mehrt er das Dramatische in den MG. In derselben Vorlage S. 414, 118 lesen wir nur «Dafůr ich dich daheim will stroffen»;

das wird MG 788, 53 ff. ausgeführt «,Ins teuffels nam! Gehaim, sicz auf ein stůel / Vnd mir ain zwiren spin!' / Vnd decz waidlich mit fewsten knoten / Vnd zog sie lang vmb pey dem har / Vor der schůel hin vnd wider dar / Vnd kneufflet ir die oren aůf». Waldis S. 343, 22 ff. schließt die Geschichte vom Arzt, der die Patientin bestohlen, ganz einfach: «Denn sie jetzund weniger seh / Im Hauß von all jren Haußgerådt, / Denn da sie noch den gbrechen het»; MG 787, 56 ff. rundet ab zur Betonung der poetischen Gerechtigkeit, indem er beifügt «Der arzet wůrt schamrot, / Dacht: das ich hab getragen aůs, / Die fraw erfaren hate; / Pillich mein lon mir abgewinnet, / Zog ab mit schant vnd spot». Oder S. 182, 59 heißt es bei Waldis nur, daß sich der Bauer über den faulen Knecht hermacht («Den Knecht gar weidlich vberschritt»), MG 797, 40 ff. fällt die nötige Strafe reichlicher aus: «kam zůmb knecht ůeber das pet, / Schlueg darein mit dem flegel / Ein starcken straich sechs oder acht», und ähnlich Vers 47 f.; Waldis S. 216, 127 ff. kommt der pfäffische Pfründenjäger und Kurtisane noch gut weg, er folgt, wie wir schon sahen, dem brennenden und durchbrennenden Pferde nach, «Biß ers zuletsten nimmer sach» und lacht über den Schaden; doch MG 824, 52 ff. wirft ihn das Pferd in den Staub, er kommt um das Pferd, um die Pfründe in Rom und, wie im 58. Fastnachtspiele, noch um seine «kellnerin». Waldis S. 44, 80 mußte der habgierige Beichtiger statt des Karpfen «essen kleine Visch», MG 830a, 49 f. ist die Speisekarte einfacher: «Můest er vnd auch sein geste / Prey vnd krawt essen schlecht»; und wenn MG 546, 13 die eifernde Frau selbst das Eisen glühend macht (vgl. S. 169), verdient sie die Strafe um so mehr. Dec. II, 5, S. 89, 35 f. wird die Grabschändung entdeckt, und zum Schluß laufen alle davon samt dem Diebe, jedoch MG 106, 39 ff. wird dem «kirchner», der den Dieb entwischen ließ, das Land verboten, womit das Recht zur Geltung kommt. Pauli Nr. 81, S. 63 ist der Stadtknecht (den dann der Teufel holt) unschuldig, MG 78, 1 f. ist es ein Prokurator, «der vil lewt petrueg». MG 302, 5 ff. hat der Wirt den Betrug viel mehr verdient als bei Pauli Nr. 512 Anh. Nr. 35, S. 413, aber auch der Landsknecht Vers 17 f. «můest mit schant den procken schlucken / Růest sich haimlich hernach» (Pauli «das was der gut gsell zufriden, vnd gedacht du wilt rucken»). MG 305, 8 ff. sind die Bitten der Landsknechte viel stärker als bei Pauli Nr. 313 Anh. 14, S. 397; darum verdient der geizige Pfaff den Schaden viel mehr. MG 746, 10 fügt Hans Sachs noch das Motiv vom verbrannten Haus bei (Pauli Nr. 673, S. 373), und so ist es dann gerecht, wenn der Pfleger eins auf die Nase kriegt. Pauli Nr. 243, S. 161 schließt «da schlůg der brůder den man zů dot, vnd thet die (Untaten) alle drü, hüt dich», wozu MG 908, 45 ff. fügt «den priester man pald fing / Vnd als er morgens nuechter wart, / Schampt sich so hart, / Das er sich selber hing». MG Anh. 612, 54 ff. «Sties (der Mann die Frau) von im aůs / Die eprecherin aus dem haůs / Vnd sie im elent liese» (Pauli Nr. 147, S. 107

sprach der Mann nur «so ken ich euch nit me»). Auch hier kann nur eine reichliche Auswahl unter den Beispielen zeigen, wie viel die Betonung der poetischen Gerechtigkeit durch Hans Sachs zur klaren Charakterisierung beiträgt.

Wie sehr der charakterisierende Hans Sachs bei der poetischen Gerechtigkeit die Gesetze einer höhern Sittlichkeit beachtet, so folgt er auch der Linie folgerichtigen Denkens. Trotz der einengenden Meistersängerkunstform begründet er die Charaktere und die ihnen entsprechenden Handlungen. Pauli Nr. 364, S. 224 «was ein her het ein kellerin»; das veranschaulicht MG 61, 3 «Ein frölich man, der ueber tag vil wirtschaft het» und Vers 4f. «ein maid ... / Die alle ding credenczt», was die Gastlichkeit dieses Bergrichters beleuchtet. Waldis IV, 74, S. 181, 13 ff. sagt der Bauernknecht dem Bauern «Wenn jr mich wolt des morgens wecken, / So dörfft jr mir das ziel nit strecken / Vnd mich aufftreiben also gach», was Hans Sachs eigenartig begründet im MG 797, 7 ff.: «Ich hab ein solich plage: / Zv morgens ich im pet oft schwicz / ... So kůnt ich nit aufsten vom pet, / Pis der schwais hat ein ende». Solch drollige Einfälle finden wir oft, des Dichters *Erfindungsreichtum* scheint unerschöpflich gewesen zu sein. Wie viel lebendiger tritt MG 819 der Schneider vor unsere Augen, wo der Vers 35 ff., wie wir schon S. 169 sahen, genau begründet, warum er sich selbst und den Besitzer nicht bestiehlt: weil «diese varb genczlich nit taůg / In mein diebs aug». Waldis IV, 14, S. 42, 4 heißt es vom Schultheiß, der des Nachbars Weib begehrt, nur «Wiewol er des nit ward gewert», MG 830a, 5 f. durchleuchtet etwas den Frauencharakter: «Doch plieb er von ir vngewert; / Sie forcht pösen verdacht». Wo Waldis II, 69 S. 259, 1 «DEr Ber ein Bynen korb besach», vertieft sich MG 833, 1 ff. sogar in eines Bären Sinnen und Trachten, hier «fand ein per / Ein pinkorb, der / Wolt hônig lecken voren». MG 157, 23 ist der Spottvogel «in neid peweget» und steht auf (Pauli Nr. 653, S. 360 stand er nur auf). Pauli Nr. 374, S. 228 verlangen die Gäste Wein, MG 187, 12 ff. macht den Witz verständlich; der Wirt hatte ihnen schwachen, wässerigen Wein vorgesetzt, «Des sein gest all darob vertriesen». Meistens liegt Hans Sachs höchstens eine Andeutung vor; «vff ein zeit» bei Pauli Nr. 345, S. 215 entspricht im MG 82, 6 «Als ir sach was geente», also mit Bezug auf ihre Handlung. Oder Waldis IV, 83, S. 214, 114 «nam er ein bůntel stroh», MG 824, 41 f. fand er «am weg ein pŭschel stro»; so weiß man, woher er es hat, immer werden Denken, Tun und Lassen möglichst mit charakteristischen Einzelheiten erklärend veranschaulicht. – Oft genügt *ein Wort*. Cyrillus I, 5, S. 9, 16 «vulpes» ist MG 72, 1 «ein vralter fůechs» (er kann sich nicht mehr die Speisen erjagen). Cyrillus II, 30, S. 67, 34 «Columba» enspricht MG 92, 1 «EIn gancz schneweiser tawber» (sein Widerwille gegen den luteum). Cyrillus I, 13, S. 19, 10 «gallinas» sind MG 334, 9 «Zwelff hennen, waren faist vnd gůet» (darum das Verlangen des

Raben nach ihnen). In der 22. Hist., S. 31 wird «Vlenspiegel» nur so angeführt, MG 543, 1 meldet «VNütz war Eulenspiegel alt» (darum wurde er Turmwart); «ein ber» im Buch der Beispiele der alten Weisen S. 91 ist im MG 41, 15f. «ein per, / Hůngrig, průment» (darum der Angriff); ebenda S. 52 «flügt die schiltkrät», MG 476, 24f. aber «stoltz / Fleugt die schiltkrot» (unvorsichtig). Waldis IV, 67, S. 7, 162 «ein junger Gsell» ist MG 828, 2 f. «Reicher lewt kind» und Student (darum sucht ihn seine «freuntschaft» vor dem Henker zu retten); in der gleichen Quelle III, 43, S. 331, 2 findet sich «ein Luchß», MG 846, 1ff. beschreibt ihn: «ein wolgestalter lůechs, / In im groser hochmůet aufwuchs, / Weil sein hawt schone flecken het, / Geleich den plumen war durch malt. / Seiner ausen gleisenden gstalt / Er sich gar ser aufpleen det» (darum stolz); «ein ... weybe» Dec. III, 8, S. 217, 10f. ist MG 22, 13ff. «ein ... frawen ... einfeltig von sinnen» (leicht zu verführen); «eyn tůcher» im Dec. S. 410, 26 ist MG 118, 3 «ein verber» (dümmer?); so ist auch «ein arczt» Dec. S. 519, 29 im MG 181, 1 «ein jung doctor» (er will in den Venusberg gehen); «ein fraw» in Pauli Nr. 576, S. 326 ist MG 13, 11 «Ein ganz vraltes můeterlein» (sie benimmt sich senil); usw. In allen diesen oft viel wortreicheren Quellen fehlt jeweilen jeder deutliche Ansatz zu diesen kurzen charakterlichen Begründungen. – Selbst *ganz neue Geschehnisse* fügt Hans Sachs oft noch als charakteristischen Grund bei, warum eine Person so und nicht anders handelt. MG 215 (Dec. IX, 4, S. 558) beschuldigt Ceccus den Wirt des Diebstahls, «weil sein kamer stůnd offen» (Vers 29). MG 137 hat das buhlende Weib einen Mann, die Hauptquelle, Pauli Nr. 9, erwähnt ihn nicht, der Dichter entnahm ihn mit anderem den Gesta (so erscheint das Weib schlimmer); und MG 378, 16f. schildert deutlicher die typische Pfaffenhure mit der Zugabe «Die maid war naczend schlaffen; / Wan sie was gar stůedfol» (Eulenspiegel Hist. 11). MG 529 stehlen die Diebe den Bienenkorb, weil sie «leicht ir armuet trieb» (Vers 13; gleiche Quelle Hist. 9). Waldis III, 54, S. 343 gibt die Frau dem Arzt ohne Grund den Lohn nicht, MG 787, 24f. weil ihn die Magd vielfach stehlen sah und das der Frau anzeigte. Waldis II, 35, S. 218, 13f. kam die Schwalbe durch das Fenster geflogen, MG 832, 8ff. gibt uns Hans Sachs ein wenig Schwalbenpsychologie: «Als nůn ins haůs nit kůnt die schwalb / Vnd sach die abentewer, / Das necz vor dem loch allenthalb, / Da flog sie vngehewer / Hin durch zw lecz» / ... Dec. IV, 1, S. 247, 30 kehrt die Tochter nach dem Tode des Mannes zum Vater heim, MG 4, 28f. auch, aber «In mitler zeit war ir muter gestorben»: ein Grund mehr. Dec. II, 5, S. 89, 18 «Er in der kirchen vnd vmb das grabe leut vernam», wir wissen jedoch nicht, warum die Leute kamen; MG 106, 14ff. belehrt: (der Dieb) «lies den stain vber das grabe fallen, / Das der fal in dem thum gar lawt / Im gwelb det wider hallen / ... Der kirchner erschrack, in den thům wart schlaichen, / Zw sehen, was gerůmplet het». So erhält die Handlung des «kirchners» einen Sinn, seine Figur etwas von einem Charakter. Pauli Nr. 81, 63 «stůnd der buer in der schüren»: warum? MG 78, 24ff. erklärt, sie «kamen ans tor / ... weil man aůf spert, / Kam der Jůd («buer») vnd wart auch darfor». Pauli Nr. 133, S. 96 «schlůg (der eine Mann) seine fraw zů dem ersten, vnd darnach (warum?) die andern zwo auch», MG 127, 15ff. «der schlueg sein frawen rain vnd wol / Die zwo mit spot sie drieben. / Da fiel er auch ueber die zwo». So legt Hans Sachs noch in vielen Fällen die Beweggründe des Handelns dar, um Charaktere zu zeigen und schärfer zu zeichnen. – Auch charakterisiert er seine Menschen oft noch mit einem *Hinweis auf die Umwelt*, den Beruf, das Alter usw. Pauli Nr. 17 Anhang, S. 402 bringt den Kuhdieb in einem neutralen Wirtshaus unter, MG 145, 3 wahrscheinlicher bei einem Bauern. Pauli Nr. 136, S. 99 ist es allgemein ein «man», der ein sehr «geistliches» Weib hat, MG 851, 2f. «Ein schmid, der ein frölich man wase, / Jůng vnd starck mit gesundem leib», erotischer als sie. Pauli Nr. 82, S. 64 stehlen «zwen dieb», MG 31 (wie auch MG 449 und SG 100 und SG 219) Bachanten, welche meistens armen Gesellen oft stahlen. So ist auch, wie wir schon sahen, aus dem Stadtknecht in Pauli Nr. 81 zum Einziehen von Schulden bei den Bauern im MG 78 ein Prokurator geworden, welche Art Menschen zu betrügen pflegten, und der Bauer ist durch den Juden ersetzt, da es sich um Geldsachen handelt. Pauli Nr. 407 hat ein Kaufmann, MG 161 aber ein Jüngling «ein mezen lieb». Auch damit beleuchtet Hans Sachs einen Charakter deutlicher. – Oben S. 169 sahen wir, wie der Dichter frühzeitig charakterisiert. Sehr bemerkenswert ist nun, wie *bald* er auch mit der *begründeten* Beleuchtung seiner Personen einsetzt. Pauli Nr. 392, S. 239 wird im Rat länger als gewöhnlich beraten, die Mutter erwartet Vater und Sohn zum Imbiß und möchte wissen, was so lange behandelt wurde, während MG 256 schon 6ff. erzählt wird, daß im Senat Geheimhaltung beschlossen wurde: damit wird uns das Schweigen des Knaben Papirius gleich klar. Dec. VIII, 6, S. 489, 29ff. wird der Geiz des Calandrin erst nachträglich erwähnt, aber MG 347 heißt es schon 4f. «Als er in schicket nit der wůerst, / Stelen sie im ains nachcz den schweinen pachen». Dec. I, 9, S. 49, 32 ist «ir von etlichen pösen puben gross widerdrieße» getan worden, sodaß «Ir fürname das dem künige zu klagen», was wir im MG 865 besser verstehen, wo es schon Vers 10 heißt «Weil doch sein hofgsind solichs het gethan». Pauli Nr. 45, S. 41 «was auf ein mal ein ritter der het ein narren»; die Wesensart dieses Herren gibt MG 143 gleich am Anfang an: «MAn ließet von / Eim edelman / Rawbischer art; / Mit geicz, hoffart / War er alzeit vmbgeben. / Er schůnt vnd zwang, / Die armen drang, / Er spilt vnd dembt, / Er půlt vnd schlembt, / Fůert gar ein půeben leben». – Immer wieder bemüht sich Hans Sachs, die charakterisierenden Beweggründe zu *verdeutlichen*. Cyrillus I, 24, S. 175 legt der Wirt die Gäste «in ein kamer», MG 252, 21f. in eine «kamer finster gar / Vnd vberal vermachet», womit das

Benehmen des Ritters und seines Knechtes, die am Morgen meinen, es sei noch Mitternacht, begreiflicher wird. Pauli Nr. 306, S. 196f. kam einmal den Müller und sein Weib «ein andacht an», nicht mehr zu saufen, doch MG 761, 3ff. verstehen wir die beiden besser: der Wirt hat ein feistes und trinksüchtiges Weib, beide sind stets voll, sie haben viel Geld, doch keinen Appetit mehr; aber da nun die Sauserzeit naht («Der sueße most / Det mit dem herbst her nahen»), brechen sie Vers 43f. ihr Gelübde. Viel lebendiger werden die Charaktere durch solche Einfälle des Dichters. Auch sympathischer ist MG 512 der Bauer, wenn er Vers 23 die Frau vor Untreue gegen den Mann behütet, «Weil ir mir alles guetes thuet», als Waldis IV, 50, S. 142, 66ff. (vgl. Festschr. S. 130), wo er nur aus Angst vor dem Herrn handelt. MG 795, 23 ist aus dem jungen Teufel (Waldis IV, S. 40, 35) ein alter geworden; denn der ist erfahrener. Pauli Nr. 144 kommt die Nachbarin ohne Grund, MG 83, 30f. «Ein nachtparin die wolt hinein / Entlenen einen hopfen». Steinhöwels Aesop Nr. 1, S. 80 denkt der Hahn, der im Mist eine Perle gefunden, wie es wäre, wenn ein «gytiger» Mann sie gefunden hätte, MG 376, 9 wird aus diesem ein «weiser» Mann, was die ganze Frage in eine höhere Lage hebt. Und wie gespannt wird die Seelenstimmung der Frau, wenn es MG 256, 23ff. heißt, der Senat habe beschlossen, ein Mann solle fortan «vil weiber» haben, statt Pauli Nr. 392, S. 239, wo der Rat meint, «man solt einer frawen noch einen man geben». Waldis II, 62, S. 252, 3f. erklärt die Frau «jr seht, wie meine hab / Von tag zu tag nimpt immer ab», doch wie viel süchtiger ist sie MG 786, 8f., wo sie klagt: «Ich nem an narung abe. / Darumb ains mannes mir not thet».

Aber weil Hans Sachs so flink dichtet, entgeht ihm manchmal ein charakteristischer Zug der Quelle. Dec. IV, 5, S. 277 greift der älteste der Brüder beim Liebesverhältnis der Schwester ein, MG 3, 49 («ein brueder») schwächt die Wirkung ab, da der Älteste Rechte besitzt. Dec. II, 2, S. 59, 20 erwartet die Frau auf die Nacht den verliebten Markgrafen und ist darum beim unerwarteten Erscheinen des jungen Rinaldo schon liebebereit; MG 387 fehlt das; MG 19 ist die Begegnung des Fuchses mit dem Raben weggelassen, ebenso die Moral der Quelle (Cyrillus I, 24); darum paßt der Titel «Die fuechsisch geselschaft» nicht mehr, und der Fuchs ist weniger scharf charakterisiert. Auch begründet und erklärt Pauli Nr. 41, S. 39 das Benehmen des Narren besser als MG 247, 2ff., und in der Vorlage sieht der Narr den Gast «stetz» und später «lang» an, aber MG 247, 8 «der nar den doctor ansach». Pauli Nr. 26 Anh., S. 408 hat der Knecht «zwo saw kauft» (Hochzeitspärchen!); denn er will heiraten; MG 854, 4f. nur eine Sau, obwohl er auch Hochzeit feiert. In der 17. Hist., S. 26 waren von den Patienten Eulenspiegels «etlich die in .X. iaren nit von bet kumen waren», welchen wirkungsvollen Zug wir im MG 19 vermissen. Im Buch der Beispiele der alten Weisen S. 174 «die nater ... nam da ir kron vnd cleinat, das sy vnbeschlossen fand, souil sy des getragen mocht, vnd bracht die dem waller», MG 915, 23 brachte sie ihm nur «ein köstlich gulden ring», aber damit begreift man weniger, wieso der Goldschmied weiß, daß der Schmuck dem König gestohlen ist; das ist auch der Fall, wenn wir in der nämlichen Quelle S. 173 vom Pilger lesen, er «band ab das seil, damit er gegürtet was», während es Vers 5 nur heißt «Ein sail ließ er hinabe gon»; auch hier fragt man sich, wie der Pilger im Walde plötzlich zu einem Seile kommt. MG 512 begründet Hans Sachs den Ehebruch der Frau mit der Abwesenheit ihres Mannes während einem Jahre, Waldis IV, 50, S. 140 (vgl. Festschr. S. 130) aber viel ausführlicher, indem er damit beginnt, daß der Rat den Goldschmied schickt, ein Bergwerk zu prüfen, dieser nimmt umständlich Abschied von der Frau, auf dem Markte findet er allzeit Leute, die nichts zu schaffen haben, ihm um geringen Lohn dienen usw.; MG 67, 18 meint Esopus, die Katze habe den Schweinskopf (den der Herr abgehauen), in Steinhöwels Aesop S. 50 lesen wir es besser: «Esopus ... argwonet wol, wie das zuo gegangen wäre», er kennt eben seinen Herrn und dessen Handlungsweise! MG 397 läßt der Dichter das charakteristische Motiv aus Steinhöwels Aesop und dem 4. Fastnachtspiele weg, daß der Mann vor der Abreise «daz wyb syner schwiger» befahl. MG 325 ist vom Pfaffen nur erzählt, daß er Samstagnacht zu viel Linsen aß, und daß das Unglück geschah, als er «frw ueber altar» stand; im Narrenbuch S. 23, 401 ff. ist der Mann anschaulicher geschildert: «Do hub er an mit seiner leer / vnd sagt den pawren aber heer / Von heilligen vnd von dissen, / Von eckeren vnd von wissen. / In dem erlengt sich die predig, / Do wurden linssen in im ledig ...»; erst so erlangt der arme Pfaff Teilnahme. Sowohl die Arbeitsweise des Hans Sachs als die Form des Meistergesanges sind wieder schuld, daß er oft bezeichnende Charaktermerkmale wegläßt.

Neben den Bauern, die der Dichter hauptsächlich mit seiner Aufmerksamkeit beehrt, hat er besonders Freude am Pfaffen. Dieser spielt auch in den Meistergesängen von Anfang an wie in den Quellen eine lächerliche Rolle. Aber es ist leicht zu beweisen, daß Hans Sachs den Spott und die Abneigung gegen ihn noch vermehrt. Die Köchin in der Quelle verwandelt sich MG 278 (Eulenspiegel Hist. 11), MG 1019 (Jac. Frey, Gartenges. Kap. 60, S. 75) usw. in die «pfaffenhuer». Der Pfarrer im MG 13 hofft während der Messe, «Des mir vileicht / Wirt ein güette presencze». MG 70 rückt den feisten Abt in den Vordergrund, während Dec. X, 2, S. 591, 12 mit dem Edelmanne Chino beginnt. Die Stelle in Pauli Nr. 192, S. 130 «Es sein nit priester gnůg, es bedörfft sunst einer nit sechs oder siben pfründen haben» ist im MG 74, 5–15 mit schweren Angriffen gegen Pfaffen und Bischöfe ausgeführt. Pauli Nr. 194, S. 291 beichtet ihr sündhaftes Tun «ein dochter», MG 124, 16 «ein nůenlein», und während sie dort beichtet, bei dem (nur mit einer Nachthaube bekleideten) Priester gelegen zu haben, fügt sie im MG noch bei, «wie sie het in dem kor ein fůercz gelassen / Vnd auf dem kirchoff průdelt auf ein wasen». Die Habgier der Pfaffen geißelt Hans Sachs im MG 131, wo der erbschleichende Mönch 50 Gulden für sein Kloster, 30 zu einem «jartag», 12 für sich und 12 «in ides gozhaůs» ins Testament schreibt statt je 10 Gulden wie in Pauli Nr. 497, S. 288. Pauli Nr. 16 Anh. wird der Wüstling ein Eremit, MG 146a ist Hans Sachs aber gegen Eremiten- und Bettelwesen, der Mann fing «ein recht örmlich vnd zůchtig leben, / Wurt noch ein redlich man pey seinen tagen». Bei Pauli Nr. 204 stammen alle zwölf Kinder der sterbenden Frau von zwölf weltlichen Vätern, MG 286, 27 «Das dritte kint des pfarers war». Pauli Nr. 654 sind «die vollen completen» «zwen ordens man», MG 480, 1 ff. sind es auch zwei «můnich», aber «die hetten haimlich gelt / Vom opfer abgestolen». Eine Nonne «het heimlich mit einem man gesündt», MG 610, 3 «mit einem jungen pfaffen». Mit den Jahren wird Hans Sachs mehr und mehr leidenschaftlicher Prediger. Die Stelle in Pauli Nr. 499, S. 289 «die verkaufen ein gantz iar korn vnd haben keine äcker. Die andern münch ... verbringen grose büw vnd haben kein gelt. Die dritten münch ... machen vil kinder, und haben kein frawen» wird MG 622, 22–64 zu breitem Angriff erweitert, und der Dichter vertieft den Gegensatz zwischen den drei Klöstern einerseits und dem Fürsten anderseits, indem er diesen jenen entgegenstellt, was die Quelle nicht hat. Waldis IV, 14, S. 43, 17 ff. redet der Pfarrer in der Beichte ruhig mit dem Schultheißen, MG 830a, 9f. schimpft er ungehörig. Waldis IV, 89, S. 229, 37f. spricht der Abt «Denn alles, was das Aug nit sicht, / Dasselb auch nit das hertz anficht», und der Mönch antwortet nicht, wohl aber MG 837, 33 ff. «Nechten eůer genad / Auf solchem satel (= Weiber) rite / Das alt sprichwort eůer gnad wol kent: / Wo der abt selb die wůerffel legt, / Da mag wol spillen das conůent». Waldis IV, 40, S. 104, 44 hat die Klage der Nonne keine Folgen, MG 838, 49ff. hingegen verlässt sie mit ihrer Schwester unter Protest das Kloster. Pauli Nr. 474, S. 279 sagt der Mesner zum läutenden Bettelmönche «gedult die soltest haben, die ist auch dot, deren lüt ich», aber MG 867, 14ff. heftig «Ich lewt icz deiner paciencz; / Wan dein gedult ist zwar aůch hewt gestorben, / Welche ir můnich all gemein / Fůrgebt mit gleisnerischem schein, / Darmit ir habt gros gůet vnd gelt erworben. / So man eůch iczůnd nit mer geit, / Wirt ewer schalckheit offen, / Das ir seit lewt wie ander lewt, / Wie man an dir das spůeret». Obwohl Hans Sachs MG 1003 am Anfang des kurzen Tones wegen den Stoff der Quelle (Wickram Nr. 68, S. 125f.) sehr kürzte, fügt er die Worte des «faczman» gegen das Ave Maria, den Glauben und die Beichte hinzu. In der gleichen Quelle Nr. 49, S. 87 gibt der Pfaff auf das Schimpfen der beichtenden Frau über des Pfaffen Gebote keine Antwort, aber MG 1006, 33ff. wird er zornig und spricht «Gieb her das / Peicht gelt vnd fris darnach flaisch oder las!» So wird Hans Sachs mit dem Alter immer mehr dogmatisch, und der Humor tritt zurück; bisweilen fügt er wie z. B. MG 298, 37–45 eine lange Tirade bei, hier gegen das Papsttum (Pauli Nr. 83, S. 65). Aber im allgemeinen ist der Pfaff die hauptsächlichste komische Figur. Dec. X, 2, S. 591, 19 f. war der Abt «eyn kranckheit in den magen angestossen»; das wird MG 70, 4 ff. so gedeutet: «Der aß vnd dranck das aller pest, / Das er wart faist vnd wolgemest, / Gros wie ein kachelofen. / Zwleczt wůrt im eng vmb die průest, / Vnd mocht gar niemer essen, / Allein het er zw drincken luest». Eulenspiegel Hist. 92, S. 142 steht vom Pfaff, «er schlůg die hend in die kant», MG 96, 33 ff. «Der pfaff wolt vil erschnappen, / Det in die kandel dappen / Vnd die hant gar peschisse, / Zornig sie heraůs risse, / Kotig pis vbert knůebel / Vnd stanck gar leichnam ůebel. / Der pfaff sich segnet vnde / Recht wie ein pfewffer stůnde». MG 307 (nicht aber im umfangreicheren Schwank), wie noch oft in Meistergesängen, fügt Hans Sachs bei, daß am Schluß über einen, hier über den Pfaffen, gelacht wurde. Wie bescheiden sagt Pauli Nr. 340, S. 54 von den Menschen, «ich kan keinen vor dem andern erkennen, sie sein alle gleich graw bekleidet», und wie angriffslustig tönt es MG 340, 49 ff. «Den rechten ich nit kennen kon; / Sie sint einander gleiche; / Wan sie sint alle esel grab, / Vnd wie die narren pschoren, / Vnd mit stricken, wie dieb, vmb gůrtet woren, / Sint auch all parfůs wie die gens» /; dann geht der Spötter lachend heim. Ideologische und künstlerische Absichten treffen in solchen Fällen zusammen; naturgemäß überwiegen im Alter die ersten.

Gleich schlimm werden meistens die *Weiber* geschildert, die jungen wie die alten. Hans Sachs weiß auch im Meistergesang immer noch ihnen einen neuen Bengel nachzuwerfen. Eulenspiegel Hist. 1, S. 5 ist es «die gewonheit dz man die kinder nach der töffe in dz bierhuß trege», MG 668, 7 «Gingen die weiber ins wirtshaus», (vgl. auch Verse 13 und 17). MG 512 sind die zwei Weiber viel schamloser als bei Waldis IV, 50; auch weiß Waldis III, 98 nichts von einer Liebschaft wie MG 788, 30 ff. «ein heimlicher půel / Dort auf der schůel» der Frau wartet. Wo bei Pauli Nr. 144, S. 105 das Weib nur weint, heißt es MG 83, 41 f. «Sie wůnt ir hent vnd raůft ir har, / Det fast schnůpfen vnd plasen». Besonders das alte Weib verfolgt der Dichter mit seinem Spotte, wo er nur kann. So heißt es in Steinhöwels Aesop Nr. 155, S. 330 ff. «erschrack die frow vnd verbarg ieren buolen», MG 397, 27 aber «die alt verstegt den jůngling», und breit sind dann Vers 41 ff. die schlimmen Kupplerinnendienste der alten Mutter geschildert gegenüber den leisen Andeutungen der Quelle. – Mit Behagen verschärft der Dichter in liebevoller Ausführlichkeit die Strafen der Vorlage! Statt bei Waldis III, 98, S. 414, 118 «Dafür ich dich daheim will stroffen», vernehmen wir im MG 788, 53 ff. «Ins teuffels nam! Gehaim, sicz auf ein stůel / Vnd mir ain zwiren spin!», und dann zieht der Mann sie lange an den Haaren herum und «kneufflet ir die oren aůf»; und die Frau «drolt haim mit schnellem laůff» und ist fortan dem Manne untertan. Auch im MG 191, 31–43 und sonst noch häufig steht mit vielen Einzelheiten, wie das Weib geprügelt wird: dieser Vorgang veranlaßt den Dichter gar oft, die Enge des Meistergesanges zu sprengen! – Und der geplagte Mann! Die ihn hetzenden Weiber sind auch im Meistergesang gewöhnlich viel schlimmer als in der Quelle. So MG 520, 24ff. gegenüber Steinhöwels Aesop Nr. 154, S. 330. Waldis III, 16, 307, 23f. «nam (der Mann) eine vor, / Die het er bey eim halben Jar»; anders geht es ihm MG 665, 14ff. «Vnd e herumbher kam das jar, / Hausorg vnd weib het in schir fressen gar, / Im war sein leib / Gancz dürr vnd schnackat woren: / Die zen er kaům pedecken kund; / Der hossen er nit mer so glat aufpůnd.» Ein häufiger Fall. Kommt Hans Sachs in dieses Fahrwasser, dann kennt er auch in den Meistergesängen keine Hemmung; MG 665 z. B. hat nur 39 Verse.

Gegen die Juristen hegt er mehr als nur Abneigung. Einige Beispiele zeigen, was er ihnen über die Vorlagen hinaus vorwirft. Pauli Nr. 81, 63 «gieng vf ein mal ein statknecht vberfelt» um Geld einzuziehen, MG 78, 1ff. «EIns tags ein procurator zůeg / Vber felt, der vil lewt petrueg», und Vers 37f. folgt «Wolt got, der dewffel holt darzw / All falsch juristen, klein vnd gros, / So het manch frümer vor in rw.» Pauli Nr. 402, 245 bemerkt der eine der beiden zürcher Kampfhähne «wan wir einander gar verderbten, so spottet man vnser», MG 487, 24f. heißt es deutlicher «Die juristen haben den nucz, / Vnser man spoten dute». Pauli Nr. 124, 91 erzählt «Die hat lang ein sach an dem rechten gehabt hangen», MG 492, 4ff. «Kam in armut / Vmb al ir gut / Durch der juristen schare». Pauli Nr. 125 erzählt nur «Do es zů der sententz kam», MG 1007 aber wird 11ff. breit die Trödelei gezeigt, wie beide Parteien nicht nachgeben wollen, «Wie soliches geschicht noch oft, / Verechten paid mer gelcz vber die haůptsům weit», der Richter führt sie an der Nase herum, vertröstet sie ein ganzes Jahr. MG 161 werden 40ff. in Einen Topf geworfen «financzer vnd wuecherer, / Vurkawffer, falsch jůristen, / Aufseczmacher, můnczfelscher vnd all drůegner, / Simoneyer, rauber vnd dieb, / Falsch spiller vnd die lůegner, / Die stellen aůf vil strick vnd necz / Dem volck mit schwinden listen» – Ebenbild der «aranea» bei Cyrillus 3, 15, S. 91. Pauli 27 Anh., S. 408 ist der «pawrenschinter», ein «burgermeister», der viel mit den Bauern auf dem Lande handelt, ihnen leiht und borgt, MG 277, 1ff. aber «ein juriste ... / Den man schickt auf das lande, / Da er den pauren důeckisch strelt / Vmb ir pargelt / Am ghricht vnter der linden». MG 550 fügt Hans Sachs den Schluß an «Der richter sint noch mer im lant, / Die nichs thůn an geschmirte hant»; und MG 618, 17ff. «Also welch richter vor der thür / Den reusing zeug hört klingen, / Der lest offt weit / Boßheit vnd vngerechtigkeit / In seim vrteil fürtringen». Der üble «student» in MG 240 und 425 wird im MG 750 zum «juristen», und MG 96 richtet sich die Lehre Vers 53–60 nicht wie zu erwarten gegen Habsucht und Geiz, sondern an die Kuratoren und Vormünder. Kurz bei jeder sich bie-

E. LEHRE

Immer ist Hans Sachs die Lehre wichtig. Was ich in meiner kurzen Betrachtung über «Hans Sachs als Dichter in seinen Fabeln und Schwänken» (Beilage zum Jahresber. des Gymnasiums Burgdorf, Schweiz, 1908) geschrieben habe, gilt auch für die Meistergesänge: lehrhafte Verallgemeinerungen wie z. B. «Wie noch maniger eyfrer důete» (Spruch 74, 6 und MG 154, 6), breite lehrhafte Umschreibung von Andeutungen der Quelle durch Verstärkung der Gegensätzlichkeit usw.

In den Fabeln ist die Lehre besonders eine Hauptsache. So sind im MG 41 mit 51 Zeilen 13 am Schluß als Lehre beigefügt – im SG 244 mit 130 Versen ist fast die Hälfte Lehre: also mußte sich Hans Sachs im MG immerhin nach dem Bau richten. Dennoch sind z. B. im MG 213 36 von 66 Versen Lehre, MG 213 mehr als das dritte Gesätz; MG 200 beschränkt sich der Dichter auf die Hauptsache (vgl. S. 20ff.), dafür sind 22 von 39 Versen Lehre. MG 203, 204, 218 usw. haben ebenfalls mehr als ein Gesätz Lehre. In diesen fünf Meistergesängen ist Steinhöwels Aesop die Quelle; aber auch bei vielen andern Vorlagen finden wir dieses Verhältnis.

Sogar beim Schwank kann die Lehre überwiegen; in den Versen 1318–1362 des Narrenbuches wird der Besuch der 24 betrunkenen Bauern beim Herzog in Wien geschildert, MG 99 nur in den vier Versen 27–30, dafür füllen Lehren gegen Trunksucht das ganze dritte Gesätz. Am Schluß des MG 117 ersetzt Hans Sachs, wie wir schon sahen, den guten Witz, daß die jungen Gesellen dem Mönch Zwiebel die Feder wieder geben und er sie dann nächstes Jahr von neuem braucht, durch eine Lehre gegen Mönchsbetrug. MG 129, 54–57 wird der Scherz bei Pauli Nr. 6, S. 19 über die Glatzen durch zwei Lehren ersetzt, MG 234, 57–60 ebenso der heitere Schluß in Steinhöwels Aesop durch Lehre; MG 401 bringt ein ganzes lehrhaftes Gesätz anstelle der anregenden Erzählung in Nr. 111 von Steinhöwels Aesop; ähnlich MG 477, MG 486 usw. Im Renner 14700ff. lesen wir 24 Verse lang Bericht über den Vorgang und nur sieben Verse über die lehrhafte Gerichtssitzung, aber MG 591 haben wir ein ganzes Gesätz voll Gericht, also 29:7 statt 2:1. Die Erzählung scherzhaften Inhalts wird so oft Mittel zum Zweck. In solchen Fällen dient die Lehre gewiß nicht zur Auffüllung.

Zur stärkeren Wirkung der Lehre braucht Hans Sachs, wie wir schon z. B. S. 25f. sahen, besonders in jüngeren Jahren, die Aufzählung. Ich erwähne das Quodlibet MG 11, die MG 12, 19, 20 u. a.; Cyrillus 1, 24, S. 32, 6ff. wirft der Fuchs dem Bären vor, «accendibilis nempe nimis es pectoris et paratam vindictae ungulam habes, si fortasse in me vel in alium saevus irrueres, sic aut confunderes sociam aut ream hostiliter laniares», aber MG 19, 16ff. bringt die altbekannten lehrhaften Vorwürfe, und dann fügt der Dichter der Wichtigkeit der Lehre wegen noch Luchs, Sperling, Rabe und Heze (Elster) bei.

Besonders bei den Fabeln schließt Hans Sachs gern das ganze dritte Gesätz als Lehre an über lehrhafte Stoffe wie Gottesgabe (MG 81), Geiz (MG 115), Hinterlist (MG 140), Arglist (MG 205), Aesop predigt Einigkeit (MG 208), Bosheit (MG 211), Völlerei (MG 232), Schmeichelei (MG 334) usw.; in MG 220 (Arglist) + 1 Vers, MG 222 (Vergeltung) + 2 Verse und noch in vielen andern mehr als das dritte Gesätz. – Aber selbst bei Schwänken scheint, wie eben erwähnt, die Lehre vielmal die Hauptsache gewesen zu sein. Im MG 36 mit einem Aesop-Stoffe ist das ganze dritte Gesätz Lehre; ebenso nach Steinhöwels Aesop der MG 68 (Einfluß Brants, vgl. Festschr. S. 53), MG 99, MG 102 (Pauli), MG 401 (Aesop), MG 486 (Pauli), usw. Auch in den Schwänken sind in solchen Fällen die Stoffe ganz lehrhaft: falsche Zungen, Trunksucht, Geiz, Liederlichkeit, Trotz u. a. In den späteren Jahren sind solche lehrhafte Schwänke seltener, wie später noch zu sehen ist.

Also ist die Art der Quellen doch nicht ohne Einfluß auf die Anzahl der Moralverse gewesen. Eine Übersicht über die am meisten benützten Quellen macht das noch deutlicher. Dabei wird zwischen Schwänken und Fabeln (meistens Tierfabeln, außer etwa den MG 36, 67, 671, 783, 935, 958, 961, 962, 228 A, 408 A, 522 A nach Steinhöwels Aesop) unterschieden. Das Verhältnis zwischen Gesamtversezahl und Moralversezahl, die Häufigkeit der das ganze dritte Gesätz füllenden Moral und die Fabeln und Schwänke ohne moralisches Zöpfchen sollen in Prozenten angegeben werden.

	Total der Meistergesänge	Verszahl und Moral		3. Gesätz nur Moral		keine Moral am Schlusse	
	(1)	(2)		(3)		(4)	(5)
		Schw.	Fab.	Schw.	Fab.	Schw.	Fab.	Schw.	Fab.
1. Brant	20	85%	15%	19 %	23%	23,5%	66%	18%	—
2. Buch d. B. d. a. Weisen	26	58%	42%	17 %	12%	6,6%	18%	24%	—
3. Cyrillus	13	—	100%	—	20%	—	46%	—	—
4. Decamerone	49	100%	—	7,6%	—	—	—	36%	—
5. Eulenspiegel	37	100%	—	21%	—	—	—	54%	—
6. Gesta	5	100%	—	6 %	—	—	—	20%	—
7. Pauli	136	97%	3%	15 %	20%	5 %	—	32%	—
8. Plutarch	10	100%	—	10 %	—	20 %	—	20%	—
9. Steinhöwel	105	19%	81%	12,7%	19%	2,5%	3%	45%	4,8%
10. Waldis	32	78%	22%	23 %	24%	12 %	57%	64%	14 %
11. Wickram	14	100%	—	19 %	—	—	—	53%	—

Unter (2) ist ersichtlich, daß Brant, das Buch der Beispiele der alten Weisen, Waldis und besonders Pauli mehr für Schwänke als für Fabeln benützt wurden, aber das Decamerone, Eulenspiegel, die Gesta, Plutarch und Wickram nur für Schwänke. Umgekehrt dienten Steinhöwels Aesop hauptsächlich und Cyrillus ausschließlich für Fabeln. (3) zeigt, daß die Fabeln gewöhnlich eine etwas längere Schlußmoral enthalten als die Schwänke. Bei (4) ist zu sehen, daß die schwankhaften Meistergesänge viel seltener das dritte Gesätz mit Moral gefüllt haben als die Fabeln; und in den Reihen (5), daß es bei diesen Quellen nur in den Schwänken Meistergesänge ohne Schlußmoral hat. Alle Fabeln besitzen sie außer vier mit Steinhöwels Aesop und einer mit Waldis als Quelle, aber MG 7 mit dem «Satirus» ist fast ein Schwank, MG 32 gibt Jupiter vorher die Antwort-Lehre, MG 548 (30 Verse) und MG 948 (27 Verse) sind sehr kurz, und in jenem liegt die Moral in den Schlußworten des Fuchses, in diesem im Gebrumm des Wolfes; in der Fabel nach Waldis MG 793 spricht der Wolf die Lehre aus. In allen diesen fünf Fällen ist deutlich Platzmangel sichtbar. – Außerdem verwendete Hans Sachs den Dorpius für eine Fabel (MG 593). Alle andern Quellen sind Vorlagen für Schwänke! So Agricola MG 390 (mit o Moralversen am Schlusse), Alciatus MG 255 (o), Apollodor MG 684 (9), Apulejus MG 246 (4), MG 585 (o), Athenaeus MG 110 (fast anderthalb Gesätze), Bebel MG 479 (o), MG 570 (o), MG 588 (o), MG 726 (4), Bernardinus de Bustis MG 165 (o), Beroald MG 468 (o), Eppendorff MG 167 (7), MG 168 (3), MG 178 (o), MG 183 (o), Folz MG 525 (o), MG 556? (o), MG 733? (o), MG 850 (o), Seb. Franck MG 540 (7), MG 697 (2), Jac. Frey, Gartenges. MG 1019 (o), Fröschel von Laidnitz MG 411 (4), Gesammtabenteuer MG 546 (o), Claus Narr MG 501 (9), Leben des Aesop MG 388 (8), Lucianus MG 599 (o), Narrenbuch MG 325 (o), MG 672 (2), MG 674 (o), MG 678 (1), Neidhart MG 90 (o), MG 99 (3. Gesätz), MG 980 (o), Petrarca MG 327 (o), MG 751 (2), Plinius MG 680 (10), Poggius MG 337 (o), MG 358 (o), MG 766 (5), MG 848 (o), Piovano MG 134 (o), Renner MG 591 (o), MG 592 (2), Ritter vom Thurn MG 698 (3), MG 728 (o), MG 729 (4), Rosenblüt MG 451 (2), MG 453 (5), MG 485 (1), 568 (o), MG 595 (o), Schertz mit der warheyt MG 712 (7), Schiltbergers Reisebuch MG 782 (o), Straßburger Rätselbuch MG 315 (o), Stobei Scharpffsinnige Sprüche MG 763 (o), Theokrit-Alciatus MG 265 (3. Gesätz), Valerius Maximus MG 385 (o). Das sind 32 seltener benützte Quellen für 59 Schwänke, und von diesen 59 sind 34 ganz ohne Schlußmoral. Mehr als das dritte Gesätz mit Lehre angefüllt finden wir nur bei Athenaeus MG 110 (60/28) gegen die Heuchler, das dritte Gesätz bei Theokrit-Alciatus MG 265 über die Schmerzen der Liebe und bei Neidhart MG 90 gegen Trunksucht, alle drei Themen von höchstem Reiz! Bei Apollodor MG 684 lockte theologisches Geplänkel, MG 501 (Claus Narr) bringt einige damals wohl zeitgemäße Verse gegen Krieg, MG 388 (Leben

Aesops) und MG 680 (Plinius) lehrhafte Stoffe; MG 712 (Schertz mit der warheyt) lockt das böse Weib zum Predigen. Die übrigen sieben Meistergesänge enthalten wohl am Schlusse Füllsel. Also gewisse Quellen waren für Schwänke geeignet, gewisse für lehrhafte Fabeln mit entsprechend langer Schlußmoral. Laster reizten zu Tadel, heitere Geschichtchen weniger.

Im allgemeinen ist die Lehranwendung in den Schwänken kurz, wenn viel geschieht, wie etwa in den MG 28 (5 von 85 Versen), 82, 96, 117, 119, 215, 234, 241, 249 usw. nach Quellen wie dem Decamerone, Eulenspiegel u. a. Ja es gibt sogar Fabeln, wo Hans Sachs dem Stoff der Vorlage keine Lehre anhängt, z. B. die MG 228, 335, 446, 548, 793, 802, 948 oder wie in MG 969 nur eine ganz kurze. Wenn in solchen Fällen dennoch ein lehrhaftes Anhängsel vorhanden ist, dann kann es Auffüllung sein: wie oft, ist schwer zu sagen. Jedenfalls haben, wie wir noch sehen werden, auch kleine Meistergesänge und, wie eben gezeigt wurde, eigentliche Schwänke nackte Lehre am Schlusse, wenn es um «curatatores, formünder», böse Weiber und dgl. geht. Die grosse Geschicklichkeit des Hans Sachs im Versemachen ließe vermuten, daß er ohne weiteres die dritten Gesätze nur mit Erzählung ausfüllen konnte. Gewiß war er geschickt genug, aber bei seiner fast hemmungslosen Arbeitsweise war es wohl gelegentlich bequemer, mit belehrenden Versen auszufüllen; ganz abgesehen von seinem angebornen Lehrtrieb. – Bei Fabeln kann der Inhalt so lehrhaft sein, daß sich eine besondere Lehre am Schlusse ganz erübrigt, z. B. im MG 335 (Cyrillus 1, 19) oder MG 833 (Waldis 4, 99), wo ohnehin die starke Kürzung der Quelle von 538 auf 66 Verse der Erzählung schadet und einer Lehre nur kläglichen Raum übrigläßt.

Hans Sachs hat einen Hang zur Lehrhaftigkeit. Gar oft kommt ihn die Lust an, unverhüllte Moral in die Geschichten *einzuschmuggeln;* so MG 288, wo in den Versen 20 und 32 der «eren»-Standpunkt der Frau betont wird (Pauli Nr. 205), MG 329 (Steinhöwels Aesop Nr. 3) die Verse 20 ff. und 33 ff., MG 846 (Waldis 3, 43) Verse 21 ff., MG 858 (Pauli Nr. 216) Verse 37 ff., usw. – Als dann nach und nach die *protestantisch-religiöse* Belehrung dazu kam wie schon MG 298 (Pauli Nr. 83) (und noch mehr im 13 Jahre spätern SG), da wurde die Lehrhaftigkeit breiter. – War ein Stoff so recht *nach seinem Herzen* wie z. B. Steinhöwels Aesop Nr. 16, 93 oder 140 (MG 557, 760 und 784) u. a., dann folgt ihm Hans Sachs sklavisch – mit oder ohne Moral. – Nicht selten geschah es, daß der Schalk in ihm triumphierte und er die zahme Lehre der Quelle durch einen Spaß ersetzte wie MG 297: die 12. Hist. im Eulenspiegel schließt «Ir wöllen des schalckhafftigen knechts nit müßig gon, biß das er euch in alle schand bringt», aber die Verse 38 ff. lauten «Also sie zam saßen, / Frölich drůncken vnd asen / Sampt den pauren zwmal: / Es war fiech wie der stal».

Als Kunstwerke gewinnen viele Meistergesänge durch die Endmoral nicht. Diese wünscht man gelegentlich fort. Nur ein einziges Beispiel: Steinhöwels Aesop Nr. 7 schließt «was sol uns dann künfftig werden, wann die sunn ander sunnen bringen würde?», wozu MG 545, 25 ff. ganz überflüssig fügt «Also wird dieser dieb auch kinder haben / Seiner art, gleich den raben; / Die werden auch zu greiffen umb vnd vm, / Dann es fehlet das alte sprichwort harte: / Es lest art nicht von arte», und jetzt erst folgt die eigentliche Moral. Störende Beispiele wie in MG 229 finden sich oft, wo Hans Sachs manche erzählerisch brauchbare Einzelheit wegläßt aus Steinhöwels Aesop Nr. 44, z. B. das Verhalten des Adlers, nur um Platz für die Lehre zu finden: sobald man die Meistergesänge als Kunstwerke auf sich einwirken läßt. Aber diese Lehren gehören zu Hans Sachs wie die Mahnungen an den geneigten Leser zu Johann Peter Hebel und die gewaltigen Predigten zu Jeremias Gotthelf.

Überblicken wir die rund tausend Fabeln und Schwänke unter den Meistergesängen des Hans Sachs mit und ohne bekannten Quellen, so finden wir bei den *Fabeln*, wie wir schon S. 182 in der dritten Reihe sahen, im Umfang der Lehre eine gewisse Regelmäßigkeit. Zwar ist ihre Anzahl für eine brauchbare Statistik ziemlich klein, da Hans Sachs in einem Jahre nie mehr als 20 Meistersängerfabeln geschrieben hat. Die fabelreichsten MG-Jahre sind 1545 bis 1555. Aus diesem Zeitraum finden sich sieben Fabeln ohne Moral am Schlusse: im MG 335 vom Jahre 1546 sind die letzten zweieinhalb Gesätze Lehren im Munde des Igels, im MG 440 von 1547 alle drei Gesätze Klagen des «arm klagent wolff», die Schlußworte des MG 548 von 1548 die Lehre des Fuchses, MG 793 von 1552 offenbart der Wolf die Quintessenz, im MG 802 vom gleichen Jahre liegt diese in der letzten Zeile, und im MG 835 ebenfalls von 1552 sagt sie der «erschlagen man», MG 948 von 1555 der betrogene Wolf. Vor 1545 gibt es nur drei Fabeln ohne besondere Moral am Ende, MG 7 von 1528 liegt sie in den Worten des «Satirus», MG 32 (1532) in denen des spottenden Jupiters und im MG 89 (1538) in den Schlußworten des «schlurchet storch». Die Fabeln von 1545 bis 1555 mit Schlußmoral geben folgendes Bild:

	(1)	(2)	(3)
1545	851:332 = 37,8%	851:20 = 2,35%	332:20 = 6,02%
1546	689:178 = 25,9%	689:16 = 2,32%	178:16 = 8,99%
1547	262:107 = 40,8%	262:13 = 4,58%	107:13 = 12,15%
1548	558:143 = 25,6%	558:13 = 2,33%	143:13 = 9,65%
1549	557: 61 = 17 %	357: 7 = 1,96%	61: 7 = 11,44%
(1550	54: 18 = 33,3%	54: 1 = 1,85%	18: 1 = 5,55%)

1551	181: 75 = 41,4%	181: 8 = 4,42%	75: 8 = 10,66%
1552	429: 72 = 16,8%	429: 8 = 1,86%	72: 8 = 11,11%
1553	276: 44 = 15,9%	276: 5 = 1,81%	44: 5 = 11,36%
(1554	89: 28 = 31,4%	89: 2 = 2,24%	28: 2 = 7,14%)
1555	450:107 = 23,7%	450:10 = 2,22%	107:10 = 9,34%
Durchschnitt	= 28,1%	= 2,55%	= 9,40%

Vergleichen wir aus diesen Jahren 1545 bis 1555 die Gesamtverszahl bei den Fabeln mit der Verszahl der ihnen angehängten Moral (1), so ergibt sich ein Schwanken von 17% bis 41,4% und leichte Abnahme der Moralmenge im Laufe dieser Jahre um ein halbes Prozent. Eine Erzänzung dazu bilden (2) ein Vergleich der Fabelverszahl mit der Anzahl der Fabeln in den verschiedenen Jahren: die durchschnittliche Verszahl in den Fabeln schwankt zwischen 22 und 55, und wir bemerken eine geringe Zunahme; sowie (3) das Verhältnis der Moralverse zur Zahl der Fabeln: fast 1% Zunahme. Es ergibt ein Vergleich der beiden Gruppen (1) und (2), daß bei den kurzen Fabeln die angehängte Moral verhältnismäßig länger ist und umgekehrt. In den kürzesten Meistergesängen vom Jahre 1547 (20 Verse im Durchschnitt) nimmt die Lehre fast die Hälfte ein (über 40%), im durchschnittlich längsten Meistergesang von 1553 (über 16%), nur etwa ein Sechstel. 1550 und 1554 fallen kaum in Betracht. Das sind grobe Vergleiche, und wir dürfen zudem nicht übersehen, daß wir bei den Meistergesängen mehr als bei den andern Fabeln und Schwänken die Auffüllung mit Versen beachten müssen. Die Jahre vor 1545 brachten 28 Fabeln, nämlich 1520 1 (5), 1528 4, 1530 2, 1532 3, 1533 4, 1536 1, 1537 2, 1538 2, 1540 2, 1541 3, 1543 4, und die Moralverszahl ist 19,58% der Gesamtverszahl, also in diesen jüngeren Jahren unter dem Mittel. Nach 1555 finden wir keine Fabeln mehr. – Anders bei den *Schwänken*. Fallen auf rund 129 Fabeln nur zehn ohne angehängte Moral, so bei den Schwänken 429 auf etwa 800; das heißt, daß die Lehrhaftigkeit bei den Schwänken in diesem Verhältnis kleiner ist als bei den Fabeln, also 24mal. Schrieb Hans Sachs im Jahre höchstens 20 Fabeln (1545), so sind z. B. aus 1548 gar 90 Schwänke vorhanden. Auch deren Blütezeit beginnt 1545, und sie dauert bis 1556. Ihr folgt die Hochflut der geistlichen und weltlichen Sprüche. In jenen an schwankhaften Meistergesängen reichen zwölf Jahren stieg die Zahl plötzlich von durchschnittlich zehn im Jahre auf 48 (1545), 71 (1546) usw. Aber 1557 sind es nur noch zwei Schwänke, 1558 6, 1560 sowie 1561 noch je einer. In den zwölf Jahren von 1545 bis 1556 ergibt sich folgendes Verhältnis zwischen der Gesamtzahl der Schwankverse und der Verszahl der angefügten Moral (1), der Gesamtverszahl und der Zahl der Schwänke (2), sowie zwischen der Zahl der Moralverse und der Zahl der Schwänke (3):

	(1)	(2)	(3)
1545	$2477:131 = 5,28\%$	$2477:48 = 1,93\%$	$131:48 = 34,3\%$
1546	$3386:235 = 6,94\%$	$3386:71 = 2,09\%$	$235:71 = 30,2\%$
1547	$3537:210 = 5,93\%$	$3537:70 = 1,97\%$	$210:70 = 33,3\%$
1548	$4659:287 = 6,16\%$	$4659:90 = 1,93\%$	$287:90 = 31,3\%$
1549	$2163:90 = 4,15\%$	$2163:39 = 1,80\%$	$90:39 = 43,3\%$
1550	$2537:102 = 4,02\%$	$2537:59 = 2,32\%$	$102:59 = 57,8\%$
1551	$3665:156 = 4,25\%$	$3665:78 = 2,12\%$	$156:78 = 50,0\%$
1552	$2649:107 = 4,03\%$	$2649:52 = 1,96\%$	$107:52 = 48,6\%$
1553	$1623:48 = 2,95\%$	$1623:33 = 2,03\%$	$48:33 = 68,7\%$
1554	$2397:84 = 3,50\%$	$2397:46 = 1,96\%$	$84:46 = 54,7\%$
1555	$913:40 = 4,38\%$	$913:21 = 2,30\%$	$40:21 = 52,5\%$
1556	$2084:67 = 3,21\%$	$2084:40 = 1,92\%$	$67:40 = 59,7\%$

Durchschnitt $= 4,56\%$ $= 2,03\%$ $= 47\ \%$

Die zehn Meistergesänge von 1557 bis 1561 enthalten keine Schlußmoral mehr. Die früheren Durchschnittszahlen lauten:

	(1)	(2)	(3)
bis 1530	$1831:161 = 8,79\%$	$1831:20 = 1,09\%$	$161:20 = 12,5\ \%$
» 1532	$1182:85 = 7,36\%$	$1182:18 = 1,52\%$	$85:18 = 21,17\%$
» 1534	$624:51 = 8,17\%$	$624:11 = 1,76\%$	$51:11 = 21,56\%$
» 1536	$994:107 = 10,76\%$	$994:19 = 1,91\%$	$107:19 = 17,76\%$
» 1537	$804:95 = 10,54\%$	$804:17 = 2,11\%$	$95:17 = 17,89\%$
» 1538	$570:38 = 6,66\%$	$570:11 = 1,93\%$	$38:11 = 28,94\%$
» 1539	$880:115 = 13,06\%$	$880:16 = 1,81\%$	$115:16 = 13,91\%$
» 1540	$418:75 = 17,94\%$	$418:9 = 2,15\%$	$75:9 = 12,0\ \%$
» 1541	$1153:102 = 8,84\%$	$1153:21 = 1,82\%$	$102:21 = 20,58\%$
» 1542	$186:26 = 13,97\%$	$186:2 = 1,07\%$	$26:2 = 7,7\ \%$
» 1543	$492:50 = 10,16\%$	$492:9 = 1,81\%$	$50:9 = 18,0\ \%$
» 1544	$955:75 = 7,85\%$	$955:19 = 1,99\%$	$75:19 = 25,4\ \%$

Durchschnitt $= 10,34\%$ $= 1,74\%$ $= 18,0\ \%$

(1): wenn man die zwei zeitlichen Hälften (also hier 1530 bis 1538 mit 1539 bis 1544) miteinander vergleicht, sieht man, daß vor 1545 die den Schwänken angehängten Moralverse zunehmen, und zwar sind es etwa 14%, 1545 bis 1556 auch, aber da sind es nur noch 10%, die Lehrhaftigkeit nimmt immer noch zu mit dem Alter, wenn auch langsamer (bei den Fabeln nahm sie ab; der Segen war dort schon am Anfange groß). (2): auffallend gleichmäßig bleibt die Durchschnittslänge der Schwänke vor und nach 1545 (wie ja auch bei Fabeln eine Änderung vor und während der Blütezeit kaum wahrnehmbar ist). Diese Beständigkeit der Verszahl hängt mit der Meistergesangsform zusammen. (3): die auf einen Schwank fallende Moralversezahl nahm vor 1545 um etwa 7% ab, mit dem Alter aber um 15% zu (wie ja auch bei den Fabeln 10% Zunahme ist); dieser Unterschied beleuchtet die ständige Zunahme der gesamten Moralversezahl (1), auch bei den Fabeln.

Einiges Licht auf die Wichtigkeit der Lehre wirft auch ein Vergleich der Morallänge mit der Länge der Töne, und zwar sämtlicher Meistergesänge.

Verszahl	(1) Moralverse	(2) ohne Fabeln	(3) ohne Moralverse			
21	18,41%	15,27%	6 von	15	=	40 %
24	6,99%	6,08%	19 »	28	=	67,8 %
27	14,52%	11,11%	12 »	16	=	46,15%
30	5,30%	2,37%	15 »	21	=	66,66%
33	6,71%	5,72%	17 »	28	=	60,71%
34	—	—		2		
36	10,16%	5,71%	22 »	44	=	50 %
39	13,71%	2,25%	30 »	55	=	54,54%
42	12,86%	7,47%	25 »	69	=	36,37%
45	8 %	8,18%	17 »	39	=	43,59%
48	8,68%	4,97%	19 »	42	=	45,23%
51	8,60%	4,37%	23 »	67	=	34,32%
54	9,58%	5,49%	39 »	92	=	54,92%
57	4,06%	4,59%	30 »	72	=	42,22%
60	6,62%	5,48%	110 »	229	=	48,03%
63	7,09%	5,95%	8 »	15	=	53,33%
66	4,60%	4,66%	27 »	54	=	50 %
69	4,35%	7,24%	2 »	4	=	50 %
Durchschnitt = 8,84%		6,29%	421 »	902	=	46,67%

Bei Betrachtung der Reihe (1) ergeben sich drei Gruppen, erstens die Meistergesänge mit kurzen Verszahlen von 21 bis 33: die Moralverssumme schwankt zwischen 5,3% und 18,41%, Durchschnitt 11,85%, also über obigem Gesamtdurchschnitt 8,84%; der Kropf muß geleert werden, und da ist eben bei kurzen Meistergesängen die Moral im Verhältnis länger, auch wird da manches nachgeholt, was im erzählenden Text übergangen werden mußte. Darum war wohl auch bei der zweiten Gruppe, den Meistergesängen mit 36, 39 und 42 Versen, die Schlußmoral auffallend lang bei einem Durchschnitt von 12,24%. Und die dritte Gruppe von 45 bis 69 Versen mit dem niederen Durchschnitt 6,84% zeigt nur, daß bei langen Meistergesängen manches Erbauliche schon vor der Schlußmoral gesagt werden konnte. Reihe (2): unter den obigen ca. 900 erhaltenen Meistergesängen mögen sich rund 150 Fabeln und fabelähnliche befinden, also ein Sechstel oder 16,66%. Es müßte drum bei den Schwänken ein Sechstel weniger als 8,84% Durchschnitt, d. h. 7,37% vorhanden sein, es sind aber nur 6,29%. Der Unterschied 1,08% ist das Übergewicht der Schlußmoral bei den Fabeln gegenüber den Schwänken. Weniger als wir erwarten. Die Prozentzahlen bei (2) sind die der reinen Schwänke; in den drei Längegruppen ist ihr Verhältnis 8%, 5% und 5,6% (ohne die Meistergesänge mit 69 Versen nur 5,46%). Wo beim Vergleich von (1) mit (2) der Prozentunterschied größer als ein Sechstel ist, bedeutet das um so größern Reichtum an moralisierenden Schlußversen bei den Fabeln; also bei Meistergesängen mit 21, 24, 33, 36, 57, 60 und 63 Versen haben die Fabeln und die Schwänke ungefähr die gleiche Prozentzahl von lehrhaften Schlußversen, bei den andern sind die Fabeln damit reicher gesegnet als die Schwänke: Meistergesänge mit 27 Versen etwa 1%, mit 30 2%, mit 39 9%, mit 42 3%, mit 48 2½%, mit 51 2½%, mit 54 2½%; Ausnahmen bilden nur die Meistergesänge mit 45 und 57 Versen, wo die Schwänke 1½% und 1,2% mehr Moralverse aufweisen; auch die mit 66 Versen fallen mit einem Mehr von 3,5 zugunsten der Schwänke aus der Reihe wie die wenigen mit 69 Versen. Reihe (3): groß ist die Zahl der Meistergesänge ohne Schlußmoral! Fast die Hälfte, und zwar hat die erste Gruppe von 21 bis 34 Versen etwa 56% ohne Moral, die mit längeren Verszahlen rund 46%. Also haben erwartungsgemäß die kurzen Meistergesänge öfter Moralverse als die langen. Unter den Meistergesängen ohne Moralverse finden wir nur sieben Fabeln: MG 948 (27 Verse), MG 548 (30), MG 446 (36), MG 228 (39), MG 802 (42), MG 793 (48), MG 440 (60). Welche Töne Hans Sachs mit Vorliebe für Fabeln und welche für Schwänke brauchte, ersieht man aus der Übersicht S. 34ff.

Da fast die Hälfte aller Meistergesänge ohne Schlußmoral ist, darf man vermuten, daß es Hans Sachs nicht unmöglich gewesen wäre, auch die andere Hälfte so zu schließen. Der Inhalt dieser Schlußverse zeigt, daß sie nicht nur oder hauptsächlich zur Auffüllung, sondern in hohem Maße für die Lehre dastehen. Scheinbar wiederholt sich der Dichter nachlässig in seinen abschließenden lehrhaften Versen. Aber bei genauer Beobachtung entdeckt man auch da einen großen Phantasiereichtum: trotz allem Anschein wiederholt er sich eigentlich in der Schlußmoral sehr selten. Bei den rund 480 (von etwa 900) Meistergesängen mit Schlußmoral lassen sich 403 verschiedene Eingangsformeln finden wie «Alhie pey der geschichte secht», «Pey dem ein weyser nem die ler», «Ein weibspild hiepey wol gedenck», «So geutt es am gepirg noch heut» usw. Bisweilen sind es einfach bedeutsame Feststellungen einer Erkenntnis, meistens aber Lehren. Wohl fangen z. B. sechs Dutzend moralisierende Schlußverse mit «Also» und davon der sechste Teil mit «Also wer» an und etwa vierzig mit «Darum», rund dreißig mit «So», über zwanzig mit «wer» usw., aber kaum wird man den damit beginnenden Satz zweimal ganz gleich finden. Es heißt «Aus dem merckt man» (MG 489), «Aus dem merckt man vůrware» (MG 114), «Aus dem merck wol» (MG 167), usw., aber stets ist etwas geändert, so daß eine Absicht spürbar ist. Hans Sachs scheint sich in den 35 Jahren des Meistergesanges hierin überwacht zu haben. Andernfalls hätten sich sicher gleichlautende Sätze eingeschlichen. Diese Tatsache wirft wiederum ein Licht auf das innere Wesen des Dichters, indem sie den auch anderswo sichtbaren Reichtum an Formen und Bildern aufdeckt. Darum ist seine Lehrhaftigkeit nicht langweilig. Der Inhalt der Lehre ist im allgemeinen bedeutend, wenn auch hausbacken. Und seine Lehren sind wirkungsvoll, weil sie immer wieder eingehämmert werden, und zwar von einem, der Lehren aussprechen darf. Einen ganz besondern Reiz haben die kurzen Kernsprüche am Schlusse der MG 8, 26, 29, 79, 83, 119, 121, 122, 147, 149, 153, 157, 162, 170, 181, 186, 192, 193, 195, 198, 215, 231, 234, 238, 240, 241, 243, 246, 263, 292, 293, 295, 307 usw. Sogar in den 62 Fällen, wo Hans Sachs in den lehrhaften Schlüssen eine Quelle angibt, ändert er ständig die Formel. Dreißigmal kleidet er die Erwähnung Aesops in ein anderes Gewand; MG 211 heißt es «Die fabel schreibt Auianus», MG 227 «Auianus / Die fabel hat beschrieben», MG 783 «Wie Auianus vns peschreibt», MG 784 «Die fabel wir / Mit irer zir / In Aůiani lesen». (Vgl. auch S. 99 f.)

Über die Weltanschauung des Hans Sachs ist schon oft geschrieben worden (Kurt Hunold: Zur Soziologie des «zünftigen» deutschen Meistergesangs. Diss. Heidelberg 1932; Jette Münch: Die sozialen Anschauungen des Hans Sachs in seinen Fastnachtspielen. Diss. Erlangen 1936; usw.). Hier soll vornehmlich von seinem Verhalten zur Quelle die Rede sein. Da tritt deutlich zutage, daß er statt Philosophie handgreiflich praktische Belehrung ad hoc bringt. Ist schon die Quelle hausbacken, dann entnimmt ihr der Dichter die Moral mit Vorliebe so, wie sie ist. Von Cyrillus benutzte er wahrscheinlich (Edm. Goetze, Sämtliche Fabeln und Schwänke 2, S. IX) eine Übersetzung aus dem Jahre 1490. Ich kenne nur das Speculum Sapientiae. Diese Vorlage hat Hans Sachs in 14 Meistergesängen verwendet (MG 19, 28, 72, 92, 115, 116, 232, 334, 335, 965, 966 und am gleichen Tage 967, 968 und 969; außerdem in 14 Spruchgedichten). Während sich Cyrillus tiefsinnig über Freiheit und dergleichen ergeht, gibt Hans Sachs statt Spekulationen nüchterne Ratschläge, Lehren für das tägliche Leben über Ehe, Pfaffen, Untreue, Kinder, Liebe, Ehebruch, Kunst, Zank, Völlerei, Buhlerei, Neid, Geiz, Kuppelei, schlimme Weiber, Schwatzhaftigkeit, Verschwendung, Papisten, Wucher, Ablaß, Bestechlichkeit, Bauerntölpel, Schwiegermütter, Straßenraub, Trunksucht und Aberglauben. Ein

Beispiel. Cyrillus I, 14, S. 20f. lesen wir «labores enim quamdiu sustinebit membrorum societas, nequaquam me rapiet vagationis captiva libertas aut otiositas cordis tempestatibus fluctuans», woraus Hans Sachs macht MG 968, 11f. «Arbeit ist mir nůecz und gesünd, / Macht wol geschmack die speis im münd ...»; (das vier Jahre später entstandene Spruchgedicht 225 ist ungehemmt lehrhafter, und statt drei hat es fast 40 Verse volkstümlicher Lehre angehängt). Vielfach ist das Thema der Moral ganz verschieden von dem der Quelle. Hie und da ist unser Dichter tiefer, wenn etwa die Vorlage Ansätze zu eingehender Betrachtung bietet wie MG 102 bei Pauli Nr. 178. Typisch aber sind alleweil Sätze von der Art «Drůmb spricht man: frauen liste / Vnvberwintlich iste ...»

Denn neben einem kleinbürgerlichen Banausentum finden wir öfter bei Inhalt und Ausdruck der Lehre reife Gewandtheit und erstaunlich gediegene Treffsicherheit. MG 761, 58ff. lesen wir

> «Das triebens das gancz jare,
> Vnd wurden wol
> All tag zwir fol,
> Pis sie vertarben gleiche.
> Kein warnung, straff halff an in nicht.
> Salomo spricht:
> Wer wein lieb hat
> Frw vnde spat,
> Der selbig wirt nit reiche.»

Oder MG 665, 38f. den witzigen Schluß
> «Nůn dencket an
> Den wolff, ir jůngen gsellen!»

MG 83, 56f. den unsterblichen Spruch
> «Wer frawen vberlisten wil,
> Der můes gar frůe aufwachen.»

MG 153, 59f. die Erfahrung
> «Wer in der lieb wil sein ein ritter,
> Der mues versuchen sůes vnd pitter.»

Und MG 195, 57ff.
> «Also in pulschafft sich zu zeitt
> Irrthumb begeitt,
> Das man maint, man hab wol gefischt,
> So hat man frösch gefangen.»

MG 181, 60 das weise Finəle
> «Narren můs man mit kolben lawsen.»

Auffällt, wie Hans Sachs auch in den Meistergesängen im Gegensatz zur Quelle oft die Trunksucht bekämpft. MG 631 (vgl. Vers 21), dessen Vorlage wir noch nicht kennen, dürfte Wort für Wort von ihm selbst stammen. MG 908, 57 bis 66 und zahllose andere Fälle von Schlußmoral gegen Trunksucht sind seine Beifügungen.

Und doch ist Hans Sachs nicht zimperlich. Aber anstössige Wendungen ändert er in den Meistergesängen noch häufiger als anderswo. Das mag mit dem Wesen des Meistergesanges zusammenhangen. Die Stelle in Steinhöwels Aesop Nr. 161, S. 345 «In die ließe er binden an einen pfal ... uncz an die gmecht» heißt MG 68, 12 «pis an den pauch» (wie auch SG I, Nr. 6 «gürtel», «knie»); Dec. VII, 1, S. 413, 13 f. «O fantasma die des nachtes get mit ragedem zagel ge in den garten vnder den pösen pfersig paume» entspricht MG 118, 48 ff. «Dw pões gespenst alwegen, / Hast an der pfincztag nacht dein raum! / Ge hin vnter dem pfirsing paům». Wenn es am Schluß der Quelle zu MG 288, bei Pauli Nr. 205, S. 136, heißt «Du solt wol schelck finden, die die huszthür zûnacht vff heben, das sie nit kirren, so die frawe vff die bûlschafft wil gon», schwächt Hans Sachs Vers 38 ff. sogar noch diese Anzüglichkeit ab: «Ge, wo dw wilt! thw icz nachgeben, / Auf das nûr wir / Haben teglich so wol zw leben.» Pauli Nr. 65, S. 55 «verstûnd» die Äbtissin, «das er sie hûren schatzt», MG 469, 37 f. «Die eptissin den hinterlist det mercken, / Das sie der fûerst nit hilt fuer frûm». Wo es sich Dec. II, 6, S. 201, 21 f. um leidenschaftliche Liebe handelt («Darnach lange zeit mit einander in verporgner liebe lebten»), wird MG 466, 55 f. nur Verschwiegenheit gelobt («So pleibt die sach haimlich stil, / Verschwiegen pey vns peden»). Wie auch die Stelle Dec. IX, 5, S. 562, 24 f. «der ... zu zeiten ein schöne frawe in das neüe hauß verporgen füret» im MG 466, 11 «Das edel weib», 14 «der edlen frawen hoffzyt» und 55 «Die edel fraw vnd edelmon» ins Ziemliche umschrieben wird. Pauli Nr. 216, 142 «Die dochter sprach wol, er hat mich vmbfangen», MG 858, 24 ff. aber «Sam rot vor scham / Die dochter sagt: / «Ja, er hat mich vmbfangen». Dec. IX, 569, 6, S. 569, 22 f. hat «ein iung gesel» eine Liebschaft mit einem Mädchen, sie «was ein schöne iunckfraw züchtig vnd vnuerheyret pey czwelff iaren alte»; doch der Meistergesang geht über das Alter hinweg, MG 899, 2 weiß nur: «Der het ein dochter», und wenn in der Quelle Vers 34 f. der Jüngling «hin für ander weg mit dem iungen schönen meydlin eins worden wen in liebet pey einander zu sein», kennt der MG keine Fortsetzung des Verhältnisses. In der Historie vom 6. Sept. 1540 (Werke II, S. 245 bis 250) wird eine Geschichte ganz nach Dec. V, 8 erzählt; Nebenquellen sind möglich, und Hans Sachs nennt seine Vorlage nicht; im Dec. erleiden Herr Guido und das verfolgte Weib ewige Pein, er, weil er sich aus unglücklicher Liebe tötete, sie, weil sie hart war und an seinem Selbstmord Freude hatte; doch MG 863 a Anh., 37 ff. haben die beiden die Ehe gebrochen und sind vom betrogenen Ehemann getötet worden nach den Gesetzen guter Moral. Dec. V, 4, S. 336, 38f. erzählt: «Katharina mit irem rechten arme Riciardo halse vmbgeben hette, vnd mit de linckenn hant in pey dem dinge des ir frawen euch vnder den mannen am meisten schamet zu nennen begriffen het», und ähnlich S. 337, 12 und 17, wogegen MG 937, 42 sich mit dem Satze begnügt «Da die zwa nacket lagen». Und MG 1019 ersetzt die eindeutige Schlußrede des Scherers (Jac. Frey, Gartenges. Kap. 60, S. 74f.) durch den duftenden Abtritt der Magd. Diese zahlreichen Beispiele waren nötig, um den Unterschied zwischen Hans Sachs und seinen Zeitgenossen zu beweisen.

Wie die Meistergesänge haben auch die Spruchgedichte gewöhnlich eine Moral angehängt. Bei diesen zahlreichen Spruchgedichten wird oft die Zeilenzahl der Moral durch die gewünschte Länge der Spruchgedichte bestimmt, wenn Hans Sachs einige Zeit lang eine gewisse Verszahl bevorzugt; da die Spruchreihe 239 bis 250 (Ausgabe Goetze Bd. II) immer 130 Verse zählt, muß z. B. im SG 246 die Moral 23 Verse ausfüllen; hat die Reihe 202 bis 212 124 Verse, dann hangen z. B. dem SG 207 22 Verse Moral an; 299 bis 303 enthalten je 100 Verse, darum hat z. B. SG 301 27 Verse Moral, 220 bis 229 124 Verse, darum z. B. SG 226 40 Verse Moral, usw. Wenn wir das Verfahren des Hans Sachs bei der Schlußmoral der Meistergesänge mit dem der Spruchgedichte vergleichen, kommen diese Spruchgedicht-Serien (etwa ein Dutzend) also nicht in Betracht. Zweitens ebenso wenig die Spruchgedichte, die eigentlich Meistergesänge mit nichtstrophischem Baue, dem trochäischen -e und etwa kleineren Änderungen am Schlusse sind wie MG 114 (SG 59), MG 115 (SG 60), MG 117 (SG 61) usw., es mögen gegen drei Dutzend sein. Drittens die Spruchgedichte, deren Texte so lehrhaft sind, daß am Schlusse nichts mehr für Lehrzwecke übrig bleibt wie MG 19 (SG 90) «Die füechsisch geselschaft», MG 36 (SG 291) «Die zůngen», MG 48 (SG 213) «Die drey wachsenden ding», MG 54 (SG 304) «Das Baderthier», MG 64 (SG 47) «Die ameis mit dem grillen», MG 68 (SG 6) «Das Narrenbad», MG 73 (SG 292) «Sanct Niclas bild schwert drey ding», MG 108 (SG 181) «Der spieler mit dem dewfel», MG 165 (SG 147) «Der dewffel suecht im ain růestat auf erden», MG 186 (SG 307 und 380) «Die krebs im esel», MG 249 (SG 83 und 261) «Der karg abt», MG 547 (SG Werke IV, S. 328 bis 330) «Dreyerley hairat», MG 764 (SG 149 und 382) «Der růment frosch», MG 765 (SG 176) «Der weynend vogler», MG 783 (SG 23) «Fabel vom neidigen vnd geizigen», MG 830 (SG 361) «Des schmids sun mit seim traumb»; auch die mit theologischen Streitfragen von den 40er Jahren an: MG 278 (SG 146) «Ein gesprech aines pischoffs mit dem Ewlenspiegel von dem prillen machen», MG 298 (SG 253) «Der dewffel mit dem gnadprieff», MG 398 (SG 195) «Die engel hůet», MG 425 (SG 245) «Der muellner mit dem stůedenten», MG 542 (SG 160) «Der dewffel lest kain lanzknecht in die helle faren»; oder gar die, wo es sich um

etwas ganz Besonderes handelt wie MG 534 (SG 112) mit dem Hieb gegen die
«Sew payren». Also fast zwei Dutzend mit überquellendem Belehrungsdrang.
Im ganzen kommen demnach ungefähr 70 MG-SG-Paare von etwas über 200
nicht in Betracht. Schauen wir uns die bleibenden 130 Paare an, so ist zuerst auf-
fällig, wie die Doppelbehandlung eines Stoffes als MG und SG im Laufe der
Jahre abnimmt. Bis 1532 finden wir noch 37% aller 27 Fälle in beiderlei Form,
1534 33% (von 3), 1536 47% (von 15), 1538 25% (von 11), 1540 sogar 66%
(6 von 9), 1541 24% (von 21), 1542 keine, 1543 37% (von 8), 1544 21% (von
19), 1546 22% (von 86), 1548 16% (von 110), 1550 21% (von 61), 1552 16%
(von 62), 1554 8% (von 48), 1556 12% (von 41), 1558 0% (von 6). Das mag
daher kommen, daß dem Dichter nach und nach immer mehr reichhaltige
Quellen bekannt wurden. In diesen Jahren finden wir im Durchschnitt folgende Schlußmoral-Prozentzahlen bei Meistergesängen und Spruchgedichten:

bis	MG	SG
1532	6,5%	27 %
1533	16 %	20 %
1534	—	—
1535	—	—
1536	14 %	20 %
1537	2 %	20 %
1538	11 %	20 %
1539	—	
1540	—	
1541	15 %	30 %
1542	—	
1543	—	—
1544	7 %	17 %
1545	5 %	13 %
1546	4 %	13 %
1547	13 %	20 %
1548	6 %	14 %
1549	2 %	12 %
1550	0,5%	15 %
1551	4 %	14 %
1552	—	9 %
1553	5 %	10 %
1554	2 %	5 %
1555	7 %	23 %
1556	1 %	7 %
1557	—	25 %
Durchschnitt	6 %	16,7%

Also nach Abzug obiger drei Gattungen (Reihen, nichtstrophische Meistergesänge und ganz lehrhafte) sind überall die Moralverszahlen bei den Spruchgedichten bedeutend größer als bei den Meistergesängen, nämlich 16,7% gegen 6%. Es sind das die Gesamtverszahlen im Verhältnis zu ihren Moralverszahlen sowohl der Meistergesänge als auch der Sprüche. In so starkem Maße zwang das Meistergesangschema den Dichter, die unmittelbare Belehrung auf fast ein Drittel zu kürzen, was ihm wohl oft schwer fiel.

F. SCHLUSS

Bei diesen Hans-Sachs-Untersuchungen wurden möglichst nur Fragen des Meistergesangs behandelt. Mehrmals mußte aber die Grenze überschritten und gelegentlich sogar die Gesamtdichtung des Meisters herangezogen werden, um seinen Meistergesang zu beleuchten.

Bert Nagel hat in seinem «Deutschen Meistersang» mit bewundernswerter Klarheit den typischen meistersängerischen Stil festgestellt, der über Jahrhunderte hinweg gleich bleibt, von Regenbogen über Hans Sachs bis zu den Entartungen der Spätzeit. Dieser Typus herrscht vor. Aber auch Nagel gibt S. 197 zu, daß es den Meistersängern nicht ganz an individuellen Zügen fehlt. Diese galt es hier bei Hans Sachs zu finden durch einen Vergleich mit den Quellen.

Und zwar eben bei den Fabeln und Schwänken unter den Meistergesängen! Schon ein oberflächlicher Vergleich mit den geistlich-biblischen Meistergesängen des Hans Sachs zeigt ja große Unterschiede z. B. in der Erdverbundenheit. Aber das Thema ist immer das gleiche, das christliche Weltbild. Und gerade die Fabeln und Schwänke unter den Meistergesängen offenbaren, daß, um mit Nagel zu reden, «das Bildungserlebnis des reinen Stoffwissens das zentrale geistige Erlebnis dieser Dichter gewesen ist» (S. 200). Die Lehrhaftigkeit geht nebenher. Hans Sachs hat, wie die Übersicht oben auf S. 96f. zeigt, mehr weltliche als geistliche Meistergesänge gedichtet; nicht weil ihn die Reformation von den geistlich-biblischen Stoffen wegführte: das Gegenteil ist der Fall.

Mit Hans Sachs beginnt der Niedergang des reinen Meistergesanges, da er nicht mehr Nur-Meistersänger ist. Im Gegensatz zu früheren Meistersängern spielen bei ihm die weltlichen Stoffe eine große Rolle. Darum lohnt eine Erforschung des Eigenartigen bei seinen Fabeln und Schwänken mehr als bei den geistlichen Meistergesängen, wo allgemein der Dichter an die größten Fragen des Lebens mit oft ganz ungenügenden Mitteln hinangegangen ist.

Es hat sich folgendes Gesamtbild ergeben. Die strenge Meistergesangsform brachte für den Dichter große Mühen mit sich. Schon die oft schwierigen Reimverhältnisse, die Stollen usw. bedingten Stoffänderungen, besonders Kürzungen. Behandelte Hans Sachs eine Geschichte als Meistergesang und als Spruchgedicht, dann meistens zuerst als Meistergesang, und zwar vor 1550 ausnahmslos; wohl aus Bequemlichkeit. Oder mit größerem Ernst und mit mehr Reife? Denn die 60 Fälle bequemer wörtlicher Wiedergabe liegen alle vor 1550. – Eine Übersicht über die Töne ermöglicht, endlich Licht zu bringen in die Verhältnisse der Tonwahl. Oft bevorzugte er einen Ton nur der äußern Ähnlichkeit zwischen Namen und Inhalt des Meistergesangs wegen, bisweilen scherzhaft-ironisch; über hundertmal aber liegt eine wirkliche Übereinstimmung vor zwischen Namen und Inhalt, und sehr oft stoßen wir auf einen Anklang des Anfangverses an den Namen des Tones; eine Spielerei, aber nicht ganz ohne erzählerische Wirkung. Manche Töne waren für die rund 135 Fabeln ungeeignet, besonders der in 124 Meistergesängen gebrauchte Rosenton, der Ton der weltlichen Erzählung. Einerseits liebt Hans Sachs bei den Tönen Abwechslung, anderseits hat er, besonders in jungen Jahren, den Ton aus verschiedenen Gründen kurz nacheinander wiederholt. 66 Töne verwandte er für weltliche und 111 nur für geistliche Stoffe, 78 mehrheitlich für weltliche, 41 mehrheitlich für geistlich-biblische Stoffe, fünf für gleich viele. Dabei überwiegt im allgemeinen die Freude an der Anwendung weltlicher Stoffe. 732 Meistergesänge finden wir in den Tönen für nur weltliche Stoffe, 894 in denen mit nur geistlich-biblischen; die Tönegruppe mit mehrheitlich weltlichen Stoffen hat neben 803 geistlichen Meistergesängen noch 140 weltliche usw.; alles Zeichen, daß Hans Sachs zwischen weltlichen und geistlichen Tönen einen starken Unterschied machte. – Die Übersicht über die Meistergesänge und Spruchgedichte, sämtlicher Dichtungen des Hans Sachs ergibt fünf Abschnitte: – 1522, – 1543, – 1555, – 1560 und – 1569. Ein ebenso mannigfaltiges Bild ergibt eine Schau über die Anfänge der Meistergesänge.

Neben dem Zwang der Form wirkte aber eine fast unbezwingbare Freude am Erzählen. Der Stil des Hans Sachs ist, man darf das schon sagen, ungepflegt, schnellfertig; aber wir stoßen doch recht oft auf sorgfältige Überlegungen und Verbesserungen der ihm vorliegenden Darstellungen, und der große Bilderreichtum stammt zum größten Teil von ihm selbst. Er arbeitet die Pointe heraus, bringt gewöhnlich einen wirkungsvollen Schluß zustande. Es wird bei ihm mehr gelacht als in den Quellen. Witz ist häufiger als Ironie. Grotesken, Gegensätzlichkeiten tragen zur Belebung bei. Daß er sein Wissen gern zeigt, überrascht bei einem Meistersänger nicht. Aber mehr als andere kann er anschaulich darstellen; er übersieht nicht den Wert charakterisierender Einzelheiten, schreckt freilich nicht immer vor Vergröberungen zurück. Besonders in Meistergesängen der späteren Jahre sieht man oft, daß ihm – ausnahmsweise – die Quelle im Augenblick des Dichtens nicht vorlag. Die Abweichungen von der Quelle haben stets einen Zweck; so wenn er erst die Ruhelage und dann die Störung bringt, die Hauptperson herausstellt, geschickt – oder weniger geschickt – vereinfacht, durch Abrundung für den Fluß der Erzählung sorgt, sowie durch behagliche Einführung, Streichung unnötiger Personen oder sprachlicher Wiederholungen. Der Realismus seiner Erzählung ist charakteristisch: die Bilder werden wahrscheinlicher, drastischer, gegensätzlicher, formvollendeter. Der knappen Form des Meistergesanges wegen muß die Handlung meistens umgegossen werden, und so kann der Dichter durch neue Spannung, Steigerung, sorgfältige Vorbereitung, frühzeitige Einführung der Personen wirken. Es fällt auf, wie er die Genauigkeit den Quellen gegenüber mehrt, sorgfältiger begründet. Er liebt bestimmte Zahlen, meidet Übertreibungen, hat sehr gern bestimmte Namen des Ortes und der Personen. Und heilig ist ihm ein gewisser epischer Brauch; so liebt er auch Anklänge an Altes und Heimisches. In seiner Erzählungsweise verrät vieles die Herkunft aus der Meistersängerschule; aber gerade hier sieht man auch die Eigenart des Hans Sachs, seine Persönlichkeit stark hervortreten gegenüber andern Meistern.

Ein Vergleich mit den Quellen zeigt immer wieder, wie wichtig der Dichter das Seelische nimmt. Hunderte Male erwähnt er neu den innern Zustand, in dem eine Person handelt. Andeutungen verstärkt er, und er steigert wenn möglich bis zur Leidenschaftlichkeit.

Auch die Charakterisierung ist den Quellen gegenüber verschärft, wobei ihm sein Humor half. Die Zeichnung der Charaktere ist im Durchschnitt viel deutlicher, durch Gegensätzlichkeit farbiger, und zwar charakterisiert er meistens schon vor der Tat. Die poetische Gerechtigkeit betont er, Handlungen werden durch Charaktere begründet usw., alles das trotz der zwingenden Form des Meistergesangs. Aber freilich schadet die Eilfertigkeit manchmal auch da. Bedeutend ist sein Krieg mit den Pfaffen; konfessionelle Gründe sind selten. Die Juristen waren nie volkstümlich, und überfordernde, diebische Kaufleute gibt es immer.

Seine Kenntnisse zeigen und belehren geht auch im Meistergesang des Hans Sachs nebeneinander. Bei der Fabel, ja selbst im Schwank überwiegt die Lehre nicht selten. Verschiedene Tabellen sollen zeigen, wie groß der Einfluß einer Art von Quellen auf die Zahl der Moralverse ist; wie verschieden die Länge der Moral bei Fabeln und bei Schwänken in den verschiedenen Altern des Dichters ist; sie vergleichen die Morallänge je mit der Länge der Töne bei sämtlichen Meistergesängen, ferner die Moral bei den Meistergesängen mit der Moral der Spruchgedichte. Immer sehen wir, wie die Form den Meister zwang, seine handgreifliche Alltagsmoral in den Meistergesängen zu kürzen.

Der Vergleich mit den Quellen hat also manche neue Erkenntnisse ans Licht gebracht, obschon nur die Hälfte der Meistergesänge herangezogen wurde, wohl der bedeutendste Teil der Werke des Hans Sachs, die Fabeln und Schwänke, und obwohl Hans Sachs an den andern Meistergesängen nicht gemessen wurde. Seine Kunst ist die Kunst eines großen Bürgers aus den engen Gassen einer alten Reichsstadt, der alles, was er wußte, so lebensnah schilderte, als wäre es in oder bei Nürnberg geschehen; aber ohne viel Verständnis für die höchsten Höhen geistigen Erlebens; denn er stand nicht auf der Seite der Hochzucht des Geistes, sondern auf der natürlichen Lebens. Aber er hat nicht einfach den Quellen nachgeschrieben, sondern dem Stoff, das wurde ausführlich gezeigt, den Stempel einer bedeutenden und künstlerisch begabten Persönlichkeit aufgedrückt.

ABKÜRZUNGEN

AfdA: Anzeiger für deutsches Altertum. L., 1876ff.

Arch. f. LG: Archiv für Litteraturgeschichte. Hg. v. R. Gosche, später F. Schnorr v. Carolsfeld. L., 1870–87.

Bebel: Heinrich Bebel, Facetien. Drei Bücher. Hg. v. Gust. Berbermeyer. Stuttg., 1931, Bibl. des Ltt. Ver. Nr. 276.

Buch der Beispiele der alten Weisen: hg. v. Wilh. Ludw. Holland. Stuttg., 1860, Bibl. des Litt. Ver. Nr. 56.

Buch der natürlichen Weisheit: s. Cyrillus, ed. Graesse, S. 298.

Cyrillus: Die beiden ältesten lateinischen Fabelbücher des Mittelalters, des Bischofs Cyrillus Speculum sapienciae und des Nicolaus Pergamenus Dialogus creaturarum. Hg. v. J. G. Th. Graesse. Stuttg., 1880, Bibl. des Litt. Ver. Nr. 148.

Dec.: Decameron von Heinrich Steinhöwel. Hg. v. Adelbert von Keller. Stuttg., 1860, Bibl. des Litt. Ver. Nr. 51.

DLZ: Deutsche Literatur-Zeitung, Red. v. M. Roediger, A. Fresenius, P. Hinneberg u. a., B., 1880ff.

Eulenspiegel: Neudrucke deutscher Litteraturwerke des XVI. und XVII. Jahrhunderts. Hg. v. Paul und Braune. Halle, 1884, Nr. 55–56.

Euph.: Euphorion, Zeitschr. für Literatur-Geschichte. Hg. v. Aug. Sauer. 1894ff., Bamberg, dann Wien.

Fastnachtspiele ed. Keller: Fastnachtspiele aus dem 15. Jahrhundert. Gesammelt von Adelbert Keller. Vier Bände. Stuttg., 1853–58, Bibl. des Litt. Ver. Nr. 28, 29, 30 und 46.

Festschr.: Hans-Sachs-Forschungen. Festschrift zur vierhundertsten Geburtsfeier des Dichters. Hg. v. A. L. Stiefel. Nürnberg 1894.

Jak. Frey, Gartenges.: Jakob Freys Gartengesellschaft (1556). Hg. v. Johannes Bolte. Stuttg., 1896, Bibl. des Litt. Ver. Nr. 209.

Germ.: Germania. Vierteljahrsschrift für deutsche Altertumskunde. Hg. v. F. Pfeiffer, später K. Bartsch, dann O. Behaghel. Wien, 1856–92.

Gesammtabenteuer: Gesammtabenteuer. Hundert altdeutsche Erzählungen. Hg. v. F. H. v. d. Hagen. Drei Bände. Stuttg. und Tübingen, 1850.

Gesta: Gesta Romanorum. Hg. v. Adelbert Keller. Quedlinburg, 1841.

Goetze: Sämtliche Fabeln und Schwänke von Hans Sachs. Bd. 1 und 2 hg. v. Edm. Goetze, Halle, 1893ff., Bd. 3 bis 6 hg. v. Edm. Goetze und Karl Drescher, 1900ff. Neudr. deutscher Litteraturwerke des XVI. und XVII. Jahrhunderts.

JbfndLG: Jahresberichte für neuere deutsche Litteraturgeschichte. Begr. v. M. Herrmann und Szamatolski. L., dann B., 1893ff.

Jb. f. germ. Phil.: Jahresberichte über die Erscheinungen auf dem Gebiete der germ. Philol. L., 1879ff.

MG: Meistergesang.

Narrenbuch: Hg. v. Felix Bobertag. Deutsche National-Litteratur. B., (1885).

Pauli: Schimpf und Ernst von Johannes Pauli. Hg. v. Hermann Oesterley. Stuttg., 1866. Bibl. des Litt. Ver. Nr. 85.

Reallex.: Reallexikon der deutschen Literaturgeschichte. Hg. v. Paul Merker u. Wolfg. Stammler, B., 1925–31. 4 Bde.

Renner: Der Renner des Hugo von Trimberg. Hg. v. Gustav Ehrimann. Stuttg., 1908 ff. Bibl. des Litt. Ver. Nr. 247, 248, 252 und 256.

Schiltberger: Hans Schiltbergers Reisebuch. Hg. v. Valentin Langmantel. Stuttg., 1885. Bibl. des Litt. Ver. Nr. 172.

SG: Spruchgedicht.

Steinhöwels Aesop: hg. v. Hermann Oesterley. Stuttg., 1873. Bibl. des Litt. Ver. Nr. 117.

Vjschr. f. LG: Vierteljahrsschrift für Literatur-Geschichte. Hg. v. B. Seufert. Weimar, 1880–93.

Vjschr: Vierteljahrsschrift für Literaturwissenschaft und Geisteswissenschaft, Hg. v. Paul Kluckhohn und E. Rothacker. Halle, 1923.

Waldis: Burchard Waldis, Esopus. Hg. v. H. Kurz. L., 1863.

Werke: Hans Sachs. Hg. v. Adelbert von Keller und E. Goetze. Stuttg., 1870–1908. Bibl. des Litt. Ver. Nr. 102 usw.

Wickram: Georg Wickrams Werke. Hg. v. Johannes Bolte und Willy Scheel. Stuttg., 1901 ff. Bibl. des Litt. Ver. Nr. 222 f., 229 f., 232, 236 f. und 241.

ZfdA: Zeitschrift für deutsches Alterthum. Hg. v. M. Haupt, dann E. Steinmeyer, später E. Schroeder und G. Roethe. L., 1841 ff.

ZfdPhil: Zeitschrift für deutsche Philologie. Hg. v. (E. Höpfner und) J. Zacher, dann H. Gering und Fr. Kauffmann. Halle, 1869 ff.

ZfverlLG: Zeitschrift für vergleichende Literatur-Geschichte. Hg. v. M. Koch. Weimar, 1886 f., (und Renaissance-Literatur) B., 1887–1918.

INHALT